MA

Petite-fille de George ... *a,*
et fille de l'acteur G... *Maurier est née à Londres en 1907. Très tôt mêlée aux milieux artistiques et littéraires, elle commence en 1931 une féconde carrière d'écrivain marquée au moins par deux succès mondiaux,* L'Auberge de la Jamaïque, *paru en 1936, et* Rebecca, *publié en 1938.*
On lui doit deux livres d'une grande délicatesse, Gerald, *consacré à la vie de son père, et* Les Du Maurier, *qui rapporte l'histoire de sa famille pendant trois générations. Bien que ses romans ne comportent habituellement qu'une faible part d'aventure, ils séduisent par une sorte d'intrigue secrète dont le caractère troublant finit par fasciner le lecteur. A côté de romans comme* Le Général du roi *(1946),* Ma Cousine Rachel *(1951),* Les Souffleurs de verre *(1964),* La Maison sur le rivage *(1971), elle a publié des pièces de théâtre et un essai :* Le Monde infernal de Branwell Brontë.

L'affection que le jeune Philip nourrit, en dépit de la différence d'âge, pour son cousin Ambroise Ashley, le pousse à gagner Florence sitôt que ce dernier, qui a épousé une comtesse italienne, lui écrit pour demander son aide. A peine arrivé, il apprend la mort d'Ambroise et repart sans avoir pu démêler le mystère qui entoure l'existence de la comtesse Rachel.
Quand la cousine Rachel rejoint soudain Philip en Angleterre, elle porte à son comble la confusion des sentiments de haine et de désir qui animent le protégé d'Ambroise. Pourtant le charme de la jeune femme agit au point de susciter l'amour chez Philip qui, dans un élan de folle générosité, renonce à son héritage au profit de l'intrigante. Mis en garde par Louise, la fille du pasteur, à qui l'habileté de l'Italienne n'a pas échappé, Philip ne comprend vraiment qu'il a été joué que le jour même où Rachel prend possession du domaine et laisse ouvertement paraître son mépris de tout sentiment amoureux. Un jour, Philip découvre que Rachel dissimule du poison. Ambroise est-il mort de mort naturelle comme on l'a prétendu ? Et comment Philip échappera-t-il au même destin ?

ŒUVRES DE DAPHNÉ DU MAURIER

Dans Le Livre de Poche :

LE GÉNÉRAL DU ROI.
L'AUBERGE DE LA JAMAÏQUE.
REBECCA.
LES OISEAUX.
LE BOUC ÉMISSAIRE.
LA CHAÎNE D'AMOUR.
MARY-ANNE.
JEUNESSE PERDUE.
LE MONT-BRÛLÉ.
LES SOUFFLEURS DE VERRE.
LE VOL DU FAUCON.
LA MAISON SUR LE RIVAGE.
MAD.
L'AVENTURE VIENT DE LA MER.

DAPHNÉ DU MAURIER

Ma Cousine Rachel

TRADUIT DE L'ANGLAIS PAR
DENISE VAN MOPPÈS

ALBIN MICHEL

CHAPITRE I

DANS l'ancien temps, l'on pendait les gens au carrefour des Quatre-Chemins.

On ne le fait plus. Maintenant, quand un assassin paye sa dette à la société, cela se passe à Bodmin après jugement en due forme aux assises. Je parle des cas où la loi le condamne avant que sa propre conscience ne l'ait tué. C'est mieux ainsi. Cela ressemble à une opération chirurgicale, et le cadavre reçoit une sépulture décente bien que la tombe reste anonyme. Dans mon enfance, il en allait autrement. Je me rappelle avoir vu, petit garçon, un homme enchaîné et pendu au carrefour où se croisent les quatre chemins. Son visage et son corps étaient enduits de goudron afin d'en retarder la corruption. Il resta pendu là cinq semaines avant d'être décroché et c'est la quatrième semaine que je le vis.

Il se balançait sur son gibet, entre ciel et terre, ou, comme me dit mon cousin Ambroise, entre ciel et enfer. Il n'atteindrait jamais le ciel, et l'enfer qu'il avait connu était perdu pour lui. Ambroise toucha le cadavre du bout de sa canne. Je le vois encore, remuant au vent comme une girouette sur un pivot rouillé, pauvre épouvantail qui avait été un homme. La pluie avait pourri sa culotte, sinon son corps, et des lambeaux de coutil se détachaient comme des bandes de papier de ses membres enflés.

C'était l'hiver et un passant facétieux avait enfoncé une branche dans le gilet déchiré, à l'occasion des fêtes. Je ne sais pourquoi, cette plaisanterie apparut à mes yeux de sept ans comme le suprême outrage, mais je ne dis rien. Ambroise avait dû m'amener là dans un dessein précis, peut-être pour éprouver mes nerfs, pour voir si je me sauverais, ou rirais, ou crierais. Etant tout ensemble pour moi un tuteur, un père, un frère, un conseiller, en fait tout mon univers, il me mettait continuellement à l'épreuve. Nous fîmes le tour du gibet, il m'en souvient, Ambroise taquinant le pendu avec sa canne; puis il s'arrêta, alluma sa pipe et posa sa main sur mon épaule.

« Tu vois, Philip, dit-il. C'est là où nous finissons tous par arriver. Les uns sur un champ de bataille, d'autres dans leur lit, d'autres suivant leurs destins particuliers. On n'y échappe point. Il n'est jamais trop tôt pour apprendre cette leçon. Mais voilà comment finit un criminel. Que cela nous soit un avertissement à tous deux d'avoir à vivre sagement. »

Debout côte à côte, nous regardions le cadavre se balancer, comme nous eussions regardé à la foire de Bodmin la vieille marionnette à laquelle on jetait des boules pour décrocher des noix de coco.

« Sache ce qu'un moment de folie peut faire d'un

homme, dit Ambroise. Vois ici Tom Jenkyn, brave et morne sauf quand il avait bu. Certes, sa femme le querellait continuellement, mais ce n'était pas une raison pour la tuer. Si l'on se mettait à tuer les femmes à cause de leur mauvais caractère, tous les hommes deviendraient des assassins. »

J'aurais préféré qu'il n'eût pas dit son nom. Jusqu'à ce moment, le pendu avait été un objet sans vie et sans identité. Il n'aurait pas pénétré mes rêves, atroce et supplicié. A présent, il se rattachait à la réalité, à l'homme aux yeux aqueux qui vendait des langoustes sur le quai de la ville. On le voyait près des marches pendant les mois d'été, sa corbeille à côté de lui, et il lâchait ses langoustes qui se mettaient à ramper drôlement sur le pavé, pour amuser les enfants. Il n'y avait pas si longtemps que je l'avais vu.

« Eh bien, fit Ambroise en me regardant, qu'en penses-tu? »

Je haussai les épaules et donnai un coup de pied dans la plate-forme du gibet. Il ne fallait pas qu'Ambroise vît mon émoi, qu'il sût que j'étais malade d'horreur. Il m'aurait méprisé. Ambroise était, à vingt-sept ans, le dieu de la création, le dieu en tout cas de mon monde limité, et mon seul but dans l'existence était de lui ressembler.

« Tom avait meilleure mine la dernière fois que je l'ai vu, répondis-je. Maintenant, il n'est même pas assez frais pour servir d'appât à ses langoustes. »

Ambroise rit et me tira les oreilles.

« Bravo, mon garçon, dit-il. Voilà parler en vrai philosophe. »

Puis il ajouta, dans un éclair d'intuition : « Si tu as mal au cœur, va te soulager derrière la haie, et rappelle-toi que je n'ai rien vu. »

Tournant le dos au gibet des Quatre-Chemins, il s'engagea dans la nouvelle avenue qu'il faisait planter à cette époque et qui, percée à travers bois, devait servir de seconde allée carrossable pour se rendre à la maison. Je fus content de le voir s'éloigner car je n'atteignis pas à temps la haie. Je me sentis mieux ensuite, mais je claquais des dents et j'avais très froid. Tom Jenkyn perdit de nouveau son identité et redevint une chose sans vie, une espèce de vieux sac. J'osai même lui lancer une pierre, guettant un geste du cadavre, mais rien ne se produisit. La pierre frappa les vêtements détrempés avec un bruit mou, puis retomba. Honteux de mon geste, je m'élançai dans la nouvelle avenue pour rattraper Ambroise.

Il y a de cela dix-huit ans et je n'y avais guère songé depuis, jusqu'à ces jours derniers. C'est curieux comme aux heures de crise grave, la pensée revient à notre enfance. Je me rappelle le pauvre Tom, je le revois pendu dans ses chaînes. On ne m'a jamais conté son histoire et peu de gens doivent s'en souvenir aujourd'hui. Il avait tué sa femme, m'a dit Ambroise. C'est tout. Elle le querellait, mais ce n'était pas une excuse. Peut-être l'a-t-il tuée en état d'ivresse. Mais comment? De quelle arme? Avec un couteau ou de ses seules mains? Peut-être Tom était-il sorti de l'auberge du quai en titubant, cette nuit d'hiver-là, tout embrasé d'amour et de fièvre. La marée était haute et clapotait sur les marches, la lune était pleine et brillait sur les eaux. Qui sait quels rêves de conquêtes remplissaient son esprit agité, quel éclat soudain d'imagination?

Peut-être était-il rentré dans sa chaumière derrière l'église, pauvre gars aux yeux larmoyants, puant le crustacé, et sa femme l'avait-elle agoni de sottises parce qu'il entrait dans la maison avec ses pieds mouillés. Elle avait brisé son rêve; là-dessus il l'avait tuée. Qui sait? S'il est, comme on nous l'enseigne, une survivance après la mort, je tâcherai de retrouver le pauvre Tom et je l'interrogerai. Nous méditerons ensemble au purgatoire. Mais c'était un homme très mûr d'au moins soixante ans et j'en ai vingt-cinq. Nos rêves ne seront pas les mêmes. Donc, retourne à tes ombres, Tom, et laisse-moi quelque paix. Ton gibet a disparu depuis longtemps et toi aussi. Je t'ai jeté une pierre dans mon ignorance. Pardonne-moi.

La vérité, c'est qu'il faut supporter la vie et la vivre. Mais comment? Les tâches quotidiennes ne présentent pas de mystère. Je deviendrai juge de paix, comme l'était Ambroise, et j'entrerai un jour au Parlement. Je continuerai d'être honoré et estimé, comme tous ceux de ma famille avant moi, de bien cultiver ma terre, de veiller sur mes gens. Personne ne soupçonnera jamais le fardeau que je porte, ne devinera que chaque jour, obsédé par le doute, je me pose une question sans réponse. Rachel a-t-elle été innocente ou coupable? Peut-être cela aussi l'apprendrais-je au purgatoire.

Que son nom sonne doux et tendre quand je le dis tout bas! Il traîne sur la langue, insidieux et lent, comme un poison; la comparaison est assez exacte. Il passe de la langue aux lèvres desséchées et des lèvres retourne au cœur. Le cœur mène le corps et aussi la pensée. En serai-je délivré un jour? Dans quarante, dans cinquante ans? Ou bien un fragment de ma cervelle en demeurera-t-il à jamais touché, malade? Quelque minuscule cellule de mon sang manquera-t-elle à jamais à retourner avec ses sœurs à la source du cœur? Et qui sait, au fond, si je désire être délivré? En tout cas, je suis incapable aujourd'hui de le dire.

Il me reste cette maison à aimer comme Ambroise l'eût souhaité. Je puis recrépir les murs par où l'humidité pénètre et tout maintenir en bon état, continuer à planter des arbres et des bosquets, boiser les collines où souffle le vent d'est. Laisser derrière moi quelque beauté, à défaut d'autre chose. Mais un homme solitaire est un être anormal et tombe bientôt dans l'anxiété. De l'anxiété dans la divagation. De la divagation dans la folie. Et me voilà revenu à Tom Jenkyn enchaîné et pendu. Il a dû souffrir lui aussi.

Ambroise, il y a dix-huit ans, suivait cette avenue et moi derrière lui. Il aurait pu porter la veste que je porte aujourd'hui, cette vieille veste de chasse verte rapiécée aux coudes avec des morceaux de cuir. Je suis devenu si semblable à lui qu'on me prendrait pour son fantôme. J'ai ses yeux, ses traits. L'homme qui sifflait ses chiens en tournant le dos au carrefour et au gibet aurait pu être moi-même. N'est-ce pas là ce que j'avais toujours souhaité? Lui ressembler. Avoir sa taille, ses épaules, sa façon de se voûter, jusqu'à ses longs bras, ses mains un peu gauches, son brusque sourire, sa timidité devant les inconnus, son éloignement des affectations et des cérémonies. Sa bonne grâce envers ceux qui le servaient et l'aimaient... Je suis flatté lorsqu'on me dit qu'en cela aussi je lui ressemble. Et cette force, illusoire, puisque nous sommes tombés tous deux dans le même désastre. Je me demande maintenant si, lorsqu'il mourut, le cerveau torturé par le doute et la peur, lorsqu'il se sentit abandonné, seul dans cette villa maudite où je ne pouvais le rejoindre, son esprit ne quitta pas son corps pour venir habiter le mien, en prendre possession, de sorte qu'il revécut en moi, recommençant ses propres erreurs, frappé par la même maladie, et mourut deux fois. C'est possible. Tout ce que je sais, c'est que cette ressemblance avec lui dont j'étais si fier, causa ma perte. Eussé-je été un autre homme, désinvolte, la langue déliée, la tête aux affaires, l'année qui vient de s'écouler n'aurait que douze mois comme les autres. Je me préparerais à un avenir heureux, à me marier peut-être et fonder une famille.

Mais je n'étais pas ainsi fait, ni Ambroise. Nous étions tous deux des rêveurs, sans esprit pratique, réservés, pleins de grandes théories, et, comme tous les rêveurs, aveugles au monde éveillé. Nous étions misanthropes et avides d'affection; notre timidité imposa silence à nos élans jusqu'au moment où notre cœur fut touché. Alors, les cieux s'ouvrirent et nous sentîmes, chacun à notre tour, que nous avions toutes les richesses du monde à donner. Nous eussions tous deux survécu si nous avions été différents. Rachel serait venue ici, tout de même, y aurait passé une nuit ou deux et repris son chemin. On aurait discuté d'affaires, trouvé un règlement convenable; le testament aurait été lu en présence d'hommes de loi; et moi — dominant la situation d'un seul regard — j'en aurais été quitte en lui accordant une pension viagère.

Cela ne se passa pas ainsi parce que j'avais les traits d'Ambroise. Cela ne se passa pas ainsi parce que j'avais les sentiments d'Ambroise. Lorsque je montai dans sa chambre le soir où elle venait d'arriver, et où, après avoir cogné à sa porte, la tête légèrement baissée sous le linteau, je la vis se lever du fauteuil où elle était assise près de la fenêtre et me regarder, j'aurais dû comprendre à ses yeux que ce n'était pas moi qu'elle contemplait, mais Ambroise. Pas Philip, mais un fantôme. Elle aurait dû partir alors, faire ses valises et s'en aller, retourner chez elle, à cette villa aux persiennes closes bourrée de souvenirs, au jardin en terrasse, à la fontaine de la petite cour. Elle aurait dû rentrer dans son pays, desséché par l'été, voilé de chaleur, son pays que l'hiver dessine avec netteté sous un ciel lumineux et froid. L'instinct aurait dû l'avertir que de rester avec moi attirerait une catastrophe non seulement sur le fantôme qu'elle venait de rencontrer mais, pour finir, sur elle-même.

Je me demande si, lorsqu'elle m'aperçut ainsi, méfiant et gêné, rempli par sa présence d'une hostilité douloureuse en même temps qu'ardemment conscient d'être ici l'hôte et le maître et furieusement conscient de posséder de grands pieds, de grands bras, de grandes jambes, d'être dégingandé comme un poulain sauvage — je me demande si elle pensa vivement : « Ambroise devait être ainsi en sa jeunesse. Avant mon temps. Je ne l'ai pas connu lorsqu'il était ainsi. » Et si ce fut pour cela qu'elle resta...

Peut-être est-ce là également la raison qui, à ma première rencontre avec Rainaldi l'Italien, le fit me regarder, frappé de ce même choc de déjà vu, vivement masqué tandis qu'il jouait pensivement avec une plume sur son bureau, et lui fit dire doucement : « Vous n'êtes arrivé que d'aujourd'hui? Alors votre cousine Rachel ne vous a pas vu. » L'instinct l'avait averti, lui aussi. Mais trop tard.

Dans la vie, il n'est pas de mesure pour rien. On ne vous donne pas une seconde chance. J'ai beau être assis, vivant, dans ma propre maison, je ne puis pas plus reprendre les mots prononcés, le geste accompli, que le pauvre Tom Jenkyl ne l'aurait pu, balancé dans ses chaînes.

C'est mon parrain Nick Kendall, qui me dit avec sa brusque franchise la veille de mon vingt-cinquième anniversaire — il y a quelques mois mais, mon Dieu, que cela semble loin! :

« Il existe des femmes, Philip, de bonnes femmes peut-être, qui, sans qu'il y ait de leur faute, attirent le malheur. Tout ce qu'elles touchent se tourne en tragédie. Je ne sais pourquoi je te dis cela mais il me semble que c'est mon devoir. »

Après quoi il contresigna le document que j'avais posé devant lui.

Non, il n'est pas de retour en arrière. Le jeune homme à la veille de son anniversaire, debout sous la fenêtre de cette femme; le jeune homme arrêté au seuil de la chambre, le soir de l'arrivée de cette femme, ce jeune homme a disparu comme l'enfant qui jetait une pierre au pendu par bravade. Tom Jenkyn, lementable échantillon d'humanité, méconnaissable, et que personne ne pleure, m'as-tu ce jour-là suivi d'un regard de pitié tandis que je courais à travers bois vers l'avenir?

Si je m'étais retourné pour te regarder, ce n'est pas toi que j'aurais vu pendu et enchaîné, c'est mon ombre.

CHAPITRE II

Je n'avais aucun pressentiment en parlant à Ambroise, ce soir d'automne, à la veille de son départ pour son dernier voyage. Rien ne me dit que nous ne devions jamais nous revoir. C'était le troisième hiver que les médecins lui ordonnaient de passer à l'étranger, et j'étais habitué à son absence et à tenir sa place dans l'administration du domaine. Le premier automne où il était parti, j'étais encore à Oxford et son départ ne m'avait guère touché, mais le second je rentrai définitivement, comme il le souhaitait. Je ne regrettais point l'existence grégaire d'Oxford, au fond j'étais heureux d'en avoir fini.

Je n'ai jamais désiré être ailleurs qu'ici. En dehors de mes années d'études à Harrow, puis à Oxford, je n'ai jamais vécu autre part qu'en cette maison où je vins habiter à l'âge de dix-huit mois après la mort de mes jeunes parents. Ambroise, dans sa générosité bizarre, se prit de pitié pour ce petit cousin orphelin et m'éleva comme il eût fait pour un petit chien ou un petit chat, n'importe quelle créature fragile et abandonnée privée de protection.

Notre ménage fut curieux, dès le début. Il congédia ma nourrice alors que j'avais trois ans parce qu'elle me donnait la fessée avec une brosse à cheveux. Je ne me rappelle pas l'incident mais il me l'a raconté par la suite.

« J'étais furieux, me dit-il, de voir cette femme s'escrimer sur ta petite personne avec ses grosses mains rudes, à cause de quelque bagatelle qu'elle était bien trop sotte pour comprendre. A dater de ce jour-là, je te corrigeai moi-même. »

Je n'eus jamais lieu de le regretter. Il ne pouvait y avoir homme plus juste, plus équitable, plus digne d'affection, plus compréhensif. Il m'enseigna l'alphabet le plus simplement du monde en utilisant les lettres initiales de tous les jurons — il ne fut pas aisé d'en trouver vingt-six, mais il y parvint et m'avertit du même coup de ne pas en user en société. Bien que toujours fort courtois, il était timide avec les femmes, timide et méfiant, et disait qu'elles jetaient le trouble dans la maison. Aussi n'employait-il que des serviteurs mâles, toute une équipe dirigée par le vieux Seecombe qui avait été l'intendant de mon oncle.

Excentrique peut-être, original, — cette province de l'Ouest a toujours été connue pour ses personnages curieux — mais, en dépit de ses opinions personnelles sur les femmes et l'éducation des enfants, Ambroise n'était nullement toqué. Il était aimé et estimé par ses voisins, adoré par ses gens. Il chassait pendant l'hiver, avant d'être la proie de rhumatismes, pêchait pendant l'été à bord d'un petit voilier qu'il gardait ancré dans l'estuaire, dînait en ville et recevait quand l'envie l'en prenait, allait deux fois à l'église le dimanche mais me faisait des grimaces dans le banc familial lorsque le sermon était trop long, et s'efforçait de me transmettre sa passion pour la culture des plantes rares.

« C'est une création comme une autre, disait-il. Il y a des hommes qui font de l'élevage. Moi j'aime mieux faire pousser des végétaux. C'est moins astreignant et le résultat est beaucoup plus joli. »

Cela choquait mon parrain, Nick Kendall, de même qu'Hubert Pascoe, le vicaire, et d'autres de ses amis qui le pressaient de se décider à goûter les joies domestiques et à élever une famille plutôt que des rhododendrons.

« J'ai élevé un petit, répliquait-il en me tirant l'oreille, et cela m'a pris vingt ans de ma vie, ou cela me les a ajoutés, comme vous voudrez. Philip est un héritier que j'ai trouvé tout fait, donc je n'ai plus de devoirs de ce côté-là. Ce sera à lui à assurer la succession quand son tour viendra. Et maintenant, mettez-vous à votre aise, messieurs. Il n'y a pas de femme dans la maison et nous pouvons poser nos bottes sur la table et cracher sur le tapis. »

Naturellement, nous n'en faisions rien. Ambroise avait d'excellentes façons, mais cela l'amusait de tenir ce langage devant le nouveau vicaire, pauvre diable que sa femme menait par le bout du nez et qu'entourait une nuée de filles. Après le déjeuner du dimanche, quand le porto circulait, Ambroise me faisait des signes d'un bout à l'autre de la table.

Je le revois, à demi recroquevillé, à demi couché

dans son fauteuil — j'ai hérité de cette habitude — secoué par un rire silencieux devant les remontrances du vicaire, puis, craignant de l'avoir blessé et changeant de ton, mettant avec une grande délicatesse la conversation sur les sujets où le vicaire était à l'aise et se donnant beaucoup de mal pour faire plaisir au petit bonhomme. C'est à l'époque où j'entrai à Harrow que je commençai à apprécier véritablement ses qualités. Les vacances passaient toujours trop vite Je comparais ses manières et sa société avec celles des garnements que j'avais pour condisciples, et des professeurs raides et desséchés, dépourvus à mes yeux de toute humanité.

« Peu importe », me disait-il en me tapotant l'épaule au moment où, pâle et les larmes aux yeux, je m'apprêtais à aller prendre le coche pour Londres. « Ça fait partie du dressage. C'est comme pour les chevaux. Indispensable. Une fois tes années d'études terminées, et elles passeront plus vite que tu n'imagines, je te ramènerai ici pour de bon et je m'occuperai moi-même de ton apprentissage.

— Quel apprentissage? demandai-je.

— Eh bien, mais tu es mon héritier. C'est un métier, il me semble. »

Je partais, conduit par Wellington, le cocher, pour attraper à Bodmin le coche de Londres, me retournant afin de regarder encore Ambroise debout, appuyé sur sa canne, entouré de ses chiens, afin de voir une dernière fois ses yeux plissés dans une expression compréhensive qui me rassurait entièrement et ses épais cheveux bouclés et déjà grisonnants; il sifflait les chiens et rentrait dans la maison, et moi j'avalais le sanglot qui m'obstruait la gorge et je sentais les roues de la calèche m'emporter en un mouvement inexorable et fatal sur le gravier grinçant de l'allée du parc, entre les grilles blanches, au-delà de la maison du garde, vers l'école et la solitude.

Il avait compté sans la maladie et lorsque mes années de collège et d'université se terminèrent enfin, ce fut son tour de partir.

« Il paraît que si je passe encore un hiver à me faire arroser tous les jours par la pluie, je terminerai mes jours dans une petite voiture, me dit-il. Il faut que j'aille chercher le soleil sur les rives d'Espagne ou d'Egypte, n'importe où au bord de la Méditerranée, là où il fait sec et chaud. Cela ne me réjouit pas particulièrement mais, d'autre part, du diable si j'ai envie de devenir infirme. Il y a d'ailleurs un avantage dans ce projet. Je rapporterai des plantes qu'on n'a jamais fait pousser par ici. Nous verrons comment ces monstres se développeront dans le sol de Cornouailles. »

Le premier hiver s'écoula, puis le second. Je ne crois pas qu'il s'ennuyât en voyage. Il revint avec je ne sais combien d'arbres, arbustes, fleurs et plantes de toutes formes et de toutes couleurs. Il avait une passion pour les camélias. Nous commençâmes une plantation pour eux seuls, et je ne sais si Ambroise avait des doigts de jardinier prédestiné ou de sorcier, mais ils fleurirent aussitôt et nous n'en perdîmes aucun.

Des mois passèrent ainsi. Vint le troisième hiver. Cette fois, il décida d'aller en Italie. Il désirait visiter certains jardins de Florence et de Rome. Ces villes n'étaient pas particulièrement chaudes en hiver mais cela ne l'inquiétait pas. Quelqu'un lui avait assuré que l'air y serait sec et qu'il n'avait pas à y craindre la pluie. Nous bavardâmes longuement le dernier soir. Il ne se couchait jamais de bonne heure et nous restions souvent dans la bibliothèque jusqu'à une ou deux heures du matin, parfois silencieux, parfois causant, devant le feu, nos longues jambes étendues, les chiens accroupis à nos pieds. J'ai dit que je n'avais éprouvé aucun pressentiment, mais je me demande à présent s'il en fut de même pour lui. Il me regardait d'un air perplexe, pensif, puis ses yeux parcouraient les boiseries du mur et les tableaux familiers, revenaient au feu et aux chiens endormis.

« Je voudrais que tu puisses venir avec moi, dit-il tout à coup.

— Il ne faudrait pas longtemps pour faire mes bagages », répondis-je.

Il secoua la tête en souriant.

« Non, dit-il, je plaisantais. Nous ne pouvons pas être absents tous les deux ensemble pendant des mois de suite. C'est une responsabilité, tu sais, d'être propriétaire, bien que tout le monde ne le sente pas comme moi.

— Je pourrais t'accompagner jusqu'à Rome, dis-je tenté. Puis, si le mauvais temps ne me retarde pas, être de retour ici à Noël.

— Non, dit-il lentement, non, c'était une idée en l'air. Oublie-la.

— Tu te sens bien? demandai-je. Tu n'as pas de douleurs?

— Grand Dieu, non! (Il rit.) Pour qui me prends-tu? Pour un malade? Voilà des mois que je n'ai pas senti mes rhumatismes. Non, le malheur, Philip, mon garçon, c'est que je suis beaucoup trop amoureux de ma maison. Quand tu auras mon âge, tu seras peut-être comme moi. »

Il se leva de son fauteuil et s'approcha de la fenêtre. Il écarta les épais rideaux et resta ainsi quelques instants à regarder la pelouse. C'était une soirée calme et silencieuse. Les chouettes étaient rentrées dans leurs nids et, pour une fois, les hiboux eux-mêmes se taisaient.

« Je suis content que nous ayons supprimé les allées et amené la pelouse jusqu'à la maison, dit-il. Cela ferait encore mieux si elle descendait là-bas jusqu'à l'enclos des poneys. Un jour, il faudra que tu supprimes ces buissons pour ouvrir une vue sur la mer.

— Que veux-tu dire? fis-je. Il faudra que je fasse ça? Pourquoi pas toi? »

Il ne répondit pas tout de suite.

« C'est la même chose, dit-il enfin, la même chose. Peu importe. Mais n'oublie pas. »

Don, mon vieil épagneul, leva la tête et le regarda. Il avait vu les caisses cordées dans le vestibule et flairé le départ. Il se mit debout et se planta près d'Ambroise, la queue basse. Je l'appelai doucement mais il ne vint pas à moi. Je fis tomber les cendres de ma pipe dans l'âtre. L'horloge de la tour sonna l'heure.

J'entendis dans le quartier des domestiques la voix grondeuse de Seecombe morigéner le garçon d'office.

« Ambroise, dis-je, Ambroise, laisse-moi venir avec toi.

— Ne fais pas l'idiot, Philip, va te coucher », répondit-il.

Ce fut tout. Nous n'en parlâmes plus. Le lendemain, au petit déjeuner, il me donna ses dernières instructions au sujet des semences de printemps et de différentes besognes qu'il désirait que j'accomplisse avant son retour. Il avait soudain envie de faire un lac de cygnes à l'endroit du parc où le sol était marécageux, près de l'entrée de l'avenue à l'est; il faudrait boucher celle-ci et la terrasser si le temps était passable durant l'hiver. L'instant de la séparation vint trop vite. Nous finîmes notre petit déjeuner vers sept heures car il devait partir tôt, passer la nuit à Plymouth et s'embarquer à la marée du matin. Le bateau, un navire marchand, l'emmènerait à Marseille d'où il passerait en Italie, voyageant à loisir. Il aimait les longues traversées. Le matin était aigre et humide. Wellington amena la berline devant la porte et les bagages s'y empilèrent. Les chevaux étaient agités, impatients de se mettre en route. Ambroise se tourna vers moi et posa sa main sur mon épaule.

« Prends bien soin de tout, me dit-il. Ne me lâche pas.

— Voilà un coup bas, répondis-je. Je ne t'ai jamais lâché.

— Tu es très jeune, dit-il. Je mets beaucoup de

choses sur tes épaules. En tout cas, tout ce que j'ai est tien, tu le sais. »

Je crois que si, à ce moment, j'avais insisté, il m'aurait laissé l'accompagner. Mais je ne dis rien. Seecombe et moi le mîmes en voiture avec ses couvertures et ses cannes et il nous sourit à la portière.

« Voilà, Wellington, dit-il. Allez-y. »

Ils tournèrent dans l'avenue, juste au moment où la pluie commençait à tomber.

Les semaines passèrent, à peu près de la même façon que les deux hivers précédents. Je m'ennuyais après lui comme les autres fois mais je ne manquais pas d'occupations. Quand j'avais envie de compagnie, je m'en allais à cheval faire visite à mon parrain, Nick Kendall, dont la fille unique, Louise, de quelques années plus jeune que moi, était depuis l'enfance ma compagne de jeux. C'était une fille franche, sans afféterie et assez jolie. Ambroise me taquinait parfois et prétendait que je finirais par l'épouser, mais pour moi, je ne pensais nullement à elle sous ce jour.

La première lettre d'Ambroise arriva à la mi-novembre, sur le même navire qui l'avait débarqué à Marseille. Le voyage s'était passé sans incident, le temps avait été beau sauf un peu de roulis dans le golfe de Gascogne. Il allait bien, était de bonne humeur et se réjouissait de voyager bientôt en Italie. Il n'avait pas confiance dans la diligence, qu'il aurait dû d'ailleurs aller chercher à Lyon, et avait loué des chevaux et une voiture; il se proposait de suivre la côte jusqu'en Italie puis de tourner en direction de Florence. Wellington hocha la tête à ces nouvelles et prédit un accident. Il était convaincu qu'aucun Français ne savait conduire et que tous les Italiens étaient des voleurs. Ambroise survécut cependant à ce voyage; la lettre suivante était datée de Florence. Je gardais toutes ses lettres; j'en ai une liasse devant moi tandis que j'écris ceci. Combien de fois les ai-je lues au cours des mois qui suivirent, les ai-je feuilletées et tournées avant de les relire, comme si, par la pression de mes mains sur leurs feuillets, j'espérais extraire autre chose que les mots écrits!

C'est à la fin de cette première lettre de Florence où il avait passé Noël que, pour la première fois, il mentionna cousine Rachel.

« J'ai fait la connaissance d'une parente à nous, écrivait-il. Tu m'as entendu parler des Coryn qui possédaient autrefois une maison sur la Tamar, vendue aujourd'hui et passée en d'autres mains. Un Coryn avait épousé une Ashley, il y a deux générations de cela, comme tu pourras le vérifier sur l'arbre généalogique. Une descendante de cette branche naquit en Italie d'un père sans fortune et d'une mère italienne, y fut élevée et mariée toute jeune à un noble italien du nom de Sangalletti qui mourut en duel, paraît-il, laissant à sa femme une foule de dettes et une grande villa vide. Pas d'enfants. La comtesse Sangalletti ou, comme elle veut que je l'appelle, ma cousine Rachel, est une femme raisonnable et de bonne compagnie et a pris à tâche de me montrer les jardins de Florence et, plus tard, ceux de Rome, où nous nous trouverons au même moment. »

Je fus content qu'Ambroise eût trouvé de la compagnie, et surtout une personne qui partageait sa passion pour les jardins. Très ignorant de la société florentine et romaine, j'avais craint qu'il n'y rencontrât guère de relations anglaises. La personne dont il parlait appartenait à une famille originaire de Cornouailles, c'était encore un point commun.

La lettre suivante se composait presque entièrement d'une liste de jardins qui, bien que n'étant pas dans toute leur beauté à cette époque de l'année, semblaient avoir fait grande impression sur Ambroise. Notre parente également.

« Je commence à avoir une véritable estime pour notre cousine Rachel, écrivait Ambroise au début du printemps, et je suis très ému de ce qu'elle a souffert du fait de ce Sangalletti. Ces Italiens sont des fourbes et des goujats, cela ne peut se nier. Elle est aussi anglaise que toi et moi, d'habitudes et d'apparence, et l'on dirait qu'elle a passé sa vie au bord de la Tamar. Elle ne se lasse pas de m'entendre parler de l'Angleterre. Elle a infiniment d'esprit, mais, Dieu merci, sait se taire. Rien de ces interminables bavardages si fréquents chez les femmes. Elle m'a trouvé un appartement parfait à Fiesole, pas loin de sa villa et, maintenant que la température s'adoucit, je passerai une grande partie de mon temps chez elle, assis sur la terrasse ou bien à examiner les jardins qui sont célèbres, paraît-il, par leur ordonnance et les statues qui s'y trouvent et auxquelles je ne connais pas grand-chose. Comment vit-elle, je me le demande, mais je sais qu'elle a dû vendre beaucoup des objets précieux de la villa afin de payer les dettes de son mari. »

Je demandai à mon parrain, Nick Kendall, s'il lui souvenait des Coryn. Il lui en souvenait et il n'avait pas trop bonne opinion d'eux.

« On en parlait, quand j'étais enfant, comme de gens dissipés, dit-il. Ils ont perdu au jeu leur fortune et leurs terres; la maison du bord de la Tamar n'est guère qu'une ferme décrépite. Elle est en ruine depuis plus de quarante ans. Le père de cette femme devait être Alexandre Coryn, il me semble bien qu'il avait disparu sur le continent. Il était le fils cadet d'un fils cadet. Je n'ai jamais su ce qu'il était devenu. Est-ce qu'Ambroise dit l'âge de cette comtesse?

— Non, répondis-je, il me dit seulement qu'elle a été mariée très jeune, mais ne précise pas quand. J'imagine que c'est une femme d'un certain âge.

— Elle doit être bien charmante pour que Mr. Ashley l'ait remarquée, intervint Louise. Je ne l'ai jamais vu admirer une femme.

— Justement, dis-je. Elle doit être laide et simple et il ne se sent pas obligé de lui faire des compliments. Je suis bien aise. »

Une ou deux nouvelles lettres arrivèrent, griffonnées à la hâte, contenant peu de nouvelles. Il venait de dîner avec notre cousine Rachel ou se préparait à aller dîner chez elle. Il disait qu'elle avait peu d'amis à Florence capables de lui donner des conseils désintéressés au sujet de ses affaires. Il se flattait, disait-il, de pouvoir le faire. Et comme elle lui en était reconnaissante! En dépit de ses nombreuses relations, elle semblait étrangement esseulée. Elle n'avait sûrement pas été heureuse avec Sangalletti et avouait avoir toute sa vie désiré des amis anglais. « J'ai l'impression d'avoir fait œuvre utile, disait-il, en dehors de l'acquisition des centaines de plantes nouvelles que je rapporterai. »

Un certain temps s'écoula. Il n'avait rien dit de la date de son retour qui se situait habituellement vers la fin avril. L'hiver nous avait paru long, le froid, rarement intense dans nos provinces de l'Ouest, avait été particulièrement rigoureux. Certains de ses jeunes camélias en avaient souffert, et j'espérais qu'il ne rentrerait pas trop tôt afin de ne pas retrouver la pluie et le vent.

Peu après Pâques, je reçus une lettre de lui.

« Cher garçon, disait-il, tu t'étonnes sans doute de mon silence. En vérité, je n'aurais jamais cru que je t'écrirais un jour une lettre comme celle-ci. La Providence suit d'étranges chemins. Tu as toujours été si proche de moi que tu as peut-être deviné un peu le tourbillon qui s'est emparé de mon esprit ces dernières semaines. Tourbillon n'est pas le mot exact. Je devrais plutôt dire heureuse stupéfaction changée en certitude. Je ne me suis pas décidé à la légère. Comme tu le sais, je suis trop homme d'habitudes pour changer d'existence pour un caprice. Mais j'ai compris, il y a quelques semaines, qu'il n'y avait pas d'autre solution. J'ai découvert une chose que je n'avais jamais connue, que je ne savais pas exister. Aujourd'hui encore j'ai peine à y croire. Mes pensées ont été bien souvent vers toi mais je ne me suis pas senti jusqu'ici le calme nécessaire pour t'écrire. Il faut que tu saches que ta cousine Rachel et moi nous sommes mariés il y a quinze jours. Nous sommes en ce moment en voyage de noces à Naples et pensons rentrer sous peu à Florence. Ensuite, je ne puis rien dire. Nous n'avons pas fait de projets et n'avons ni l'un ni l'autre actuellement aucun désir de vivre au-delà de l'heure présente.

« Un jour, Philip, un jour pas trop lointain, je l'espère, tu feras sa connaissance. Je pourrais t'écrire de longues descriptions qui t'ennuieraient, je pourrais te parler de sa bonté, de sa sincérité, de sa tendresse. Tout cela, tu en jugeras par toi-même. Pourquoi elle m'a choisi, parmi tous les hommes, moi misogyne endurci et cynique si jamais il en fut, je ne puis le dire. Elle m'en taquine et je reconnais ma défaite. Etre vaincu par un être comme elle est, en un sens, une victoire. Je me déclarerais victorieux et non vaincu si une telle déclaration n'était horriblement prétentieuse.

« Apprends la nouvelle à tous, donne-leur mes bénédictions et les siennes, et souviens-toi, mon très cher garçon et nourrisson, que ce mariage tardif ne retirera rien de la profonde affection que je te porte et y ajoutera plutôt. Maintenant que je me considère comme le plus heureux des hommes, je m'efforcerai de faire davantage pour toi que par le passé et je sais qu'elle m'y aidera. Ecris-moi vite et, si tu le peux, ajoute un mot affectueux pour ta cousine Rachel.

« Toujours profondément à toi,

« AMBROISE. »

La lettre arriva vers cinq heures et demie comme je venais de finir de dîner. Par bonheur, j'étais seul. Seecombe m'avait apporté le sac de poste et s'était retiré. Je mis la lettre dans ma poche et descendis à travers champs vers la mer. Le neveu de Seecombe qui habitait le moulin sur la plage me salua. Ses filets étalés sur le mur de pierre séchaient aux derniers rayons du soleil. Je grimpai sur un banc de rochers très étroit qui s'avançait dans la petite baie où je me baignais en été; Ambroise amarrait son bateau à une cinquantaine de mètres de là et, les jours chauds, j'allais le rejoindre à la nage. Je m'assis, sortis la lettre de ma poche et la relus. Si j'avais pu éprouver une étincelle de sympathie ou de plaisir, un seul rayon d'affection à l'égard de ces deux êtres en train de goûter le bonheur à Naples, cela aurait soulagé ma conscience. Honteux de moi-même, amèrement conscient de mon égoïsme, j'étais incapable de faire naître en mon cœur aucun sentiment. Je demeurai là, engourdi, misérable, l'œil fixé sur la mer immobile et plate. Je venais d'avoir vingt-trois ans, mais je me sentais aussi seul, aussi perdu que, bien des années auparavant, assis sur un banc de la classe de quatrième à Harrow, où personne ne me témoignait d'amitié, où je n'avais rien d'autre devant moi qu'un monde inconnu dont je ne voulais pas.

CHAPITRE III

Je crois que ce qui me fit le plus honte fut la joie de ses amis, leur plaisir sincère, la part qu'ils prenaient à son bonheur. Les félicitations pleuvaient sur moi comme sur une espèce de messager d'Ambroise, et il me fallait sourire, hocher la tête, leur laisser entendre que je m'en doutais depuis longtemps. Je me sentais hypocrite, traître. Ambroise m'avait tant instruit à haïr la fausseté chez les bêtes et chez les gens que, de me trouver tout à coup en train de me faire autre que je n'étais, me mettait au supplice.

« C'est ce qui pouvait arriver de mieux. » Combien de fois entendis-je cette phrase et dus-je y faire écho! Je me mis à éviter mes voisins, à bouder chez moi dans les bois pour ne pas rencontrer tous ces visages curieux et ces langues actives. Quand je passais à cheval du côté des fermes ou bien dans la ville, je n'y échappais pas. Les fermiers du domaine, les amis de ma famille m'apercevaient-ils, j'étais condamné à la conversation. Acteur indifférent, j'arborais un sourire forcé et sentais la peau de mon visage se tendre et protester; j'étais obligé de répondre aux questions avec une espèce de cordialité que je détestais, la nuance chaleureuse que le monde attend de vous quand on parle de mariage. « Quand reviennent-ils? » A cela, il n'y avait qu'une réponse : « Je ne sais pas. Ambroise ne me l'a pas dit. »

On faisait force spéculation sur le physique, l'âge, le caractère de sa femme et je disais : « Elle est veuve et partage son goût des jardins. »

Parfait, et l'on opinait du bonnet, on n'aurait pas pu rêver mieux, tout à fait ce qu'il fallait à Ambroise. Là-dessus, de plaisanter et de s'égayer de ce célibataire endurci qui s'était enfin marié. Mrs. Pascoe, l'acariâtre épouse du vicaire, ne tarissait pas sur ce sujet comme pour se venger des insultes décernées naguère au saint état conjugal.

« Quel changement cela va faire, Mr. Ashley, ne manquait-elle pas de dire. Plus de laisser-aller dans *votre* ménage. Et ce n'est pas trop tôt. La maison va enfin être organisée, je ne crois pas que cela plaira à Seecombe. Il y a trop longtemps qu'il n'en fait qu'à sa tête. »

En cela, elle disait vrai. Je crois que Seecombe était mon unique allié, mais je prenais soin de n'en rien montrer et l'arrêtai lorsqu'il essaya de me faire dire ce que je pensais.

« Je ne sais que dire, Mr. Philip, murmura-t-il, sombre et résigné. Une maîtresse dans la maison va nous mettre tout sens dessus dessous, on ne s'y reconnaîtra plus. Ça sera d'abord une chose, puis une autre, et probablement qu'on aura beau faire, rien ne plaira à la dame. Je crois qu'il serait temps que je me retire et cède la place à un plus jeune. Si vous en parliez à Mr. Ambroise quand vous lui écrirez? »

Je lui répondis de ne pas dire de bêtises et qu'Ambroise et moi serions perdus sans lui, mais il secoua la tête et continua de promener à travers la maison un visage rembruni, ne manquant jamais une occasion de faire quelque triste allusion à l'avenir, parlant des heures des repas qui seraient certainement changées, de l'ameublement qu'on transformerait, des grands nettoyages qui se poursuivraient de l'aube au crépuscule et, coup final, des pauvres chiens qu'on ne manquerait pas de supprimer. Ces prophéties prononcées d'une voix sépulcrale, me rendirent un peu de mon humour perdu et je ris pour la première fois depuis que j'avais lu la lettre d'Ambroise.

Quel tableau peignait Seecombe! J'eus la vision d'un régiment de servantes armées de balais, époussetant toutes les toiles d'araignées de la maison, sous l'œil désapprobateur et la lippe méprisante du vieil intendant. Son humeur sombre m'amusa, mais lorsque les mêmes choses me furent prédites par d'autres — et jusqu'à Louise Kendall qui, me connaissant comme elle me connaissait, aurait pu avoir le tact de tenir sa langue — leurs remarques m'irritèrent.

« Enfin, vous allez avoir des housses neuves dans la bibliothèque, dit-elle gaiement. Elles sont grises à force d'usure, mais je suis sûre que vous ne vous en aperceviez même pas. Et des fleurs dans la maison, quel progrès! Le salon va enfin servir à quelque chose. J'ai toujours regretté qu'on n'y aille jamais. Mrs. Ashley va sûrement le garnir de bibelots et de tableaux apportés de sa villa d'Italie. »

Elle continuait, déroulant une longue liste d'embellissements jusqu'au moment où je perdis patience et lui dis avec brusquerie :

« Pour l'amour du Ciel, Louise, finissons-en sur ce sujet. J'en ai plus qu'assez. »

Elle s'arrêta net et me regarda attentivement.

« Seriez-vous jaloux? dit-elle.

— Ne dites pas de bêtises », fis-je.

Ce n'était pas très poli mais nous nous connaissions depuis si longtemps qu'elle me faisait l'effet d'une jeune sœur et que je la traitais sans égards.

Elle se tut et, par la suite, je remarquai que lorsque le thème sempiternel revenait au cours d'une conversation générale, elle s'efforçait de le détourner. Je lui en fus reconnaissant et l'en aimai davantage.

Ce fut mon parrain et son père, Nick Kendall, qui me porta le dernier coup, sans s'en douter, en me parlant avec sa brusque franchise habituelle.

« As-tu fait des projets, Philip? me dit-il un soir où j'étais venu à cheval partager leur dîner.

— Des projets? Non, fis-je sans bien comprendre sa pensée.

— Il est vrai qu'il est encore un peu tôt, répondit-il, et j'imagine que tu ne pourrais rien décider tant qu'Ambroise et sa femme ne seront pas rentrés, mais je me demandais si tu avais commencé à chercher aux alentours une petite propriété pour toi. »

Je ne saisis pas tout de suite.

« Pourquoi cela? demandai-je.

— Mon Dieu, la situation va être un peu différente », dit-il comme s'il s'agissait de la chose la plus naturelle du monde, « Ambroise et sa femme auront évidemment envie de solitude, et, s'ils ont des enfants, un fils, ta position ne sera plus la même, tu t'en rends compte. Oh! je suis sûr qu'Ambroise ne voudra pas que tu en pâtisses et qu'il t'achètera ce que tu voudras comme propriété. Il est possible, bien sûr, qu'ils n'aient pas d'enfant, mais il n'y a aucune raison de le supposer. Peut-être préféreras-tu faire bâtir? On a parfois plus d'avantage à faire bâtir qu'à acheter une maison. »

Il poursuivit ainsi, mentionnant des domaines à six lieues à la ronde susceptibles de me convenir mais, heureusement, il ne semblait pas attendre de réponse à ce qu'il disait. J'avais le cœur trop gros pour pouvoir parler. Ce qu'il proposait là était si nouveau, si inattendu que j'avais peine à relier mes pensées et je trouvai bientôt une excuse pour prendre congé. Jaloux, oui. Louise avait eu raison. Jaloux comme un enfant obligé tout à coup de partager le seul être de son existence avec une personne inconnue.

Comme Seecombe, je m'étais vu m'efforçant de me conformer à de nouvelles habitudes gênantes, posant ma pipe, me levant, essayant de prendre part à la conversation, m'exerçant aux contraintes et à l'ennui d'une société féminine. J'imaginais qu'il me faudrait voir Ambroise, mon dieu, se conduire comme une chiffe molle et que je serais obligé parfois de quitter la pièce tant j'en serais gêné. Mais je n'avais jamais pensé que je deviendrais un indésirable, un banni, chassé de ma maison avec une pension comme un valet. Je n'avais jamais imaginé la venue d'un enfant qui appellerait Ambroise, père, et ferait qu'on n'aurait plus besoin de moi.

Si c'était Mrs. Pascoe qui avait attiré mon attention sur cette possibilité, je l'aurais mise au compte de la méchanceté, et oubliée. Mais mon propre parrain, homme calme et sensé, parlant de la sorte, me touchait autrement. Je rentrai chez moi, malade d'inquiétude et de tristesse. Je ne savais comment agir. Devais-je faire des projets de départ comme le conseillait mon parrain? Me chercher un toit? Je n'avais pas envie de vivre ailleurs ni de posséder un autre domaine. Ambroise m'avait élevé pour celui-ci. Il était à moi. Il était à lui. Il nous appartenait à tous deux. Et voici que, soudain, tout avait changé. Je me rappelle avoir erré à travers la maison en rentrant de chez les Kendall ce soir-là, l'avoir regardée d'un œil nouveau tandis que les chiens voyant mon agitation me suivaient aussi inquiets que moi-même. Mon ancienne chambre d'enfant, restée si longtemps inhabitée et où la nièce de Seecombe venait à présent une fois par semaine raccommoder et ranger le linge, prenait un sens nouveau. J'imaginais la pièce fraîchement repeinte, et jetée aux ordures ma petite batte de cricket que je voyais posée sur une étagère couverte de toiles d'araignées parmi quelques bouquins poussiéreux. Je ne m'étais jamais arrêté aux souvenirs que cette chambre recelait pour moi, et n'y entrais guère qu'une ou deux fois par mois avec une chemise à recoudre ou des chaussettes à repriser. J'y aspirais à présent comme à un havre, un refuge contre le monde extérieur. Mais elle allait devenir un lieu étranger, étouffant, sentant le lait bouilli et la laine mouillée comme certaines chaumières où je me rendais parfois et où vivaient de petits enfants. Je me les représentais en train de se traîner par terre en poussant des cris, se cognant continuellement la tête ou s'écorchant le coude, ou, pis encore, se hissant sur vos genoux, le visage aussitôt crispé comme celui des singes, si on les repoussait. Mon Dieu, était-ce là ce qui attendait Ambroise?

Jusqu'ici, quand j'avais pensé à ma cousine Rachel — ce que je faisais le moins possible, écartant son nom de mon esprit comme on fait des choses désagréables — je me l'étais représentée comme une espèce de Mrs. Pascoe. De gros traits, un œil de lynx pour la poussière, comme le prédisait Seecombe, et, lorsqu'il y aurait du monde à dîner, un rire trop bruyant dont on serait gêné pour Ambroise. Elle prenait à présent des proportions nouvelles. Un moment, monstrueusement grosse comme la pauvre Molly Bate, la femme du gardien, qui vous obligeait à détourner le regard par pure discrétion; un autre, pâle et les traits tirés, enfoncée dans un fauteuil et couverte de châles, déployant une pétulance maladive tandis qu'à l'arrière-plan une infirmière mélangeait des médicaments avec une cuillère. Tour à tour d'âge moyen et vigoureuse, tour à tour geignante et plus jeune que Louise, ma cousine Rachel avait une douzaine de personnalités plus repoussantes les unes que les autres. Je la voyais forçant Ambroise à se mettre à genoux pour jouer au cheval, les enfants à califourchon sur son dos, et Ambroise y consentant avec une humble docilité, ayant perdu toute dignité. Et je la voyais aussi, enveloppée de mousseline, un ruban dans les cheveux, minauder en secouant ses boucles, onduleuse et sentimentale sous le regard béat d'Ambroise.

Lorsque à la mi-mai une lettre arriva disant qu'ils avaient finalement décidé de passer l'été sur le continent, mon soulagement fut tel que j'aurais pu crier de joie. Je me sentais plus traître que jamais, mais je n'y pouvais rien.

« Ta cousine Rachel est encore si occupée par tout un enchevêtrement d'affaires à régler avant notre installation en Angleterre, écrivait Ambroise, que nous avons décidé, non sans grand regret, tu l'imagines, de remettre notre retour à plus tard. Je fais de mon mieux, mais la loi italienne diffère de la nôtre et ce n'est pas une petite affaire d'arriver à les concilier. Je dépense une petite fortune mais c'est pour une fin utile et je ne lésine pas. Nous parlons souvent de toi, cher garçon, et je voudrais que tu sois avec nous. »

Il continuait par des questions sur les travaux du domaine et l'état des jardins, avec l'intérêt passionné qui le caractérisait, si bien qu'il me sembla que j'avais dû être fou pour imaginer un seul instant qu'il pût changer.

La déception fut évidemment fort vive dans le voisinage lorsqu'on apprit que les nouveaux époux ne rentreraient pas pour l'été.

« Peut-être, dit Mrs. Pascoe avec un sourire entendu, que l'état de Mrs. Ashley lui interdit de voyager?

— Je ne saurais le dire, répondis-je. Ambroise me raconte dans sa lettre qu'ils ont passé une semaine à Venise et en sont revenus tous deux avec des rhumatismes. »

Son visage se rembrunit.

« Des rhumatismes? Sa femme aussi? dit-elle. C'est bien regrettable. »

Puis pensivement :

« Elle doit être plus âgée que je ne pensais. »

Créature bornée dont l'esprit revenait toujours au même sillon. Je souffrais de rhumatismes aux genoux à l'âge de deux ans. Douleurs de croissance, me disaient mes aînés. J'en souffre encore parfois après la pluie. Malgré cela, ma pensée rencontrait celle de Mrs. Pascoe : ma cousine Rachel vieillit d'une vingtaine d'années. Elle avait de nouveau des cheveux gris, elle s'appuyait à une canne et je la voyais, lorsqu'elle ne plantait pas des roses dans ce jardin italien que je ne pouvais me représenter, frappant le sol de son bâton, au milieu d'une demi-douzaine d'hommes de lois en train de jacasser en italien tandis que mon pauvre Ambroise, assis à son côté, la regardait avec patience.

Pourquoi ne rentrait-il pas en la laissant à tout cela?

Je me rassérénai toutefois à mesure que l'épouse roucoulante faisait place à une matrone d'âge mûr en proie au lumbago. La chambre d'enfant s'effaçait, et je voyais le salon transformé en boudoir, calfeutré de paravents, réchauffé par un grand feu brûlant même en plein été et j'entendais une voix tracassante crier à Seecombe d'apporter du charbon et se plaindre des courants d'air. Je me remis à chanter pendant mes courses à cheval et à lancer les chiens après les jeunes lapins, à nager avant le petit déjeuner, à naviguer à travers l'estuaire sur le petit voilier d'Ambroise lorsque le vent était favorable, et à taquiner Louise à propos des modes de Londres où elle alla passer la saison. Il n'en faut pas beaucoup à vingt-trois ans pour vous rendre la gaieté. Ma maison était toujours ma maison. Personne ne me l'avait prise.

Vers l'hiver, le ton des lettres changea. Imperceptiblement d'abord, et je m'en aperçus à peine; pourtant en les relisant, je m'avisai d'une espèce de contrainte en tout ce qu'il disait, comme d'une nuance d'inquiétude le gagnant peu à peu. Le mal du pays, certes, la nostalgie de sa maison, de son bien, mais, par-dessus tout, un sentiment de solitude qui me parut étrange chez un homme marié depuis six mois à peine. Il disait que le long été et l'automne l'avaient beaucoup éprouvé et que l'hiver restait singulièrement étouffant. Bien que la villa fût située sur une hauteur, on n'y respirait pas; il disait qu'il errait de chambre en chambre comme un chien avant l'orage, mais que l'orage n'éclatait point. L'air demeurait lourd et il aurait donné son âme pour une bonne pluie, dût-il en être perclus de douleurs.

« Je n'avais jamais été sujet aux migraines, dit-il, mais j'en souffre à présent fréquemment. J'en suis parfois presque aveugle. Je suis las de la vue du soleil.

Tu me manques plus que tu ne saurais croire. Tant de choses à dire! Comment une lettre y suffirait-elle? Ma femme est en ville aujourd'hui; j'en profite pour écrire. »

C'était la première fois qu'il employait l'expression « ma femme ». Auparavant, il avait toujours dit : Rachel ou « ta cousine Rachel » et les mots « ma femme » me parurent conventionnels et froids.

Dans ces lettres d'hiver, il n'était pas question de retour, mais elles respiraient toutes un désir passionné de recevoir des nouvelles et il commentait les moindres incidents dont je lui faisais part comme s'il n'avait pas eu d'autre intérêt au monde.

Je ne reçus rien ni à Pâques, ni à la Pentecôte, et je commençai à m'inquiéter. Je le dis à mon parrain qui me répondit que le mauvais temps retardait sans doute les courriers. On parlait de chutes de neige tardives en Europe et il ne fallait pas s'attendre à recevoir des nouvelles de Florence avant la fin mai. Il y avait plus d'un an à présent qu'Ambroise était marié, dix-huit mois qu'il avait quitté la maison. Si j'avais éprouvé un certain soulagement à le voir prolonger son absence tout de suite après son mariage, j'avais peur maintenant qu'il ne rentrât plus du tout. Un été avait déjà altéré sa santé. Que serait-ce d'un second? Enfin, en juillet, une lettre arriva, brève et incohérente, où je ne le reconnaissais en rien. Son écriture même, habituellement si nette, s'égarait sur la page comme s'il avait eu peine à tenir sa plume.

« Tout ne va pas bien pour moi, disait-il, tu as dû t'en apercevoir lors de ma dernière lettre. Mais il vaut mieux n'en pas parler. Elle me surveille tout le temps. Je t'ai écrit plusieurs fois, mais je ne puis me fier à personne, et à moins de pouvoir sortir pour expédier moi-même les lettres, je crains qu'elles ne te parviennent pas. Depuis ma maladie, je n'ai pas été en état d'aller bien loin. Quant aux docteurs, je n'ai confiance en aucun d'eux. Ce sont des menteurs, tous tant qu'ils sont. Le nouveau, recommandé par Rainaldi, est un escroc, mais qu'attendre d'autre avec une pareille recommandation? Quoi qu'il en soit, ils ont affaire, avec moi, à forte partie et j'aurai le dernier mot. »

Puis venait un blanc et une phrase barrée que je ne pus déchiffrer, suivie de sa signature.

Je fis seller mon cheval et me rendis chez mon parrain pour lui faire voir cette lettre. Il se montra aussi soucieux que moi-même.

« On dirait une maladie mentale, déclara-t-il. Je n'aime pas ça. Ça n'est pas la lettre d'un homme dans son bon sens. Espérons, mon Dieu... »

Il s'interrompit et fronça les lèvres.

« Espérons quoi? demandai-je.

— Ton oncle Philip, le père d'Ambroise, est mort d'une tumeur au cerveau. Tu le savais, n'est-ce pas? » fit-il.

Je n'en avais jamais entendu parler, et le lui dis.

« Cela s'est passé avant ta naissance, évidemment, dit-il, et c'est un sujet dont on ne parlait pas beaucoup dans la famille. J'ignore si ces choses-là sont héréditaires, et les docteurs n'en savent pas davantage. La médecine a beaucoup de lacunes. »

Il relut la lettre en chaussant ses besicles.

« Il y a bien une autre possibilité, extrêmement peu probable, mais que je préférerais, dit-il.

— A savoir?

— Qu'Ambroise ait été saoul quand il a écrit cette lettre. »

S'il n'avait pas été mon parrain et plus que sexagénaire, je l'aurai giflé à cette seule supposition.

« Je n'ai de ma vie vu Ambroise saoul, lui dis-je.

— Moi non plus, répondit-il. J'essaye seulement, entre deux maux, de choisir le moindre. Je pense qu'il faut que tu partes pour l'Italie.

— Je l'avais résolu, dis-je, avant de venir vous voir », et je revins chez moi sans la moindre idée de la façon dont j'organiserais mon voyage.

Il n'y avait pas de navire partant de Plymouth dans cette direction. Il fallait donc me rendre à Londres et de là à Douvres, prendre le bateau pour Boulogne et traverser la France en diligence jusqu'en Italie. Si tout allait bien, je pouvais espérer arriver à Florence en trois semaines. Ma connaissance du français était pauvre, de l'italien inexistante, mais je ne m'en souciais point; rien ne comptait que de retrouver Ambroise. Je pris brièvement congé de Seecombe et des domestiques en leur disant simplement que j'allais faire une rapide visite à leur maître, sans leur parler de sa maladie, et je partis pour Londres par une belle matinée de juillet avec devant moi la perspective de près de trois semaines de voyage en pays étranger.

Comme la berline tournait sur la route de Bodmin,

je vis le valet de pied qui rentrait à cheval portant le sac de poste. Je dis à Wellington de retenir ses bêtes et le garçon me remit son sac. Il y avait une chance sur cent qu'il contînt une nouvelle lettre d'Ambroise, ce fut le cas. Je sortis l'enveloppe du sac et envoyai le valet à la maison. Comme Wellington fouettait les chevaux pour les faire repartir, je dépliai le feuillet en l'approchant de la portière pour mieux voir.

Les mots étaient un griffonnage presque illisible.

« Pour l'amour de Dieu, viens vite. Elle a enfin raison de moi, Rachel mon tourment. Si tu tardes, il sera peut-être trop tard. Ambroise. »

C'était tout. Il n'y avait ni date sur le feuillet ni marque sur l'enveloppe cachetée à l'aide de sa bague.

Je demeurai immobile dans la berline, le bout de papier à la main, sachant qu'aucune puissance du ciel ou de la terre ne pourrait m'amener là-bas avant la mi-août.

CHAPITRE IV

Quand la diligence m'arrêta à Florence avec les autres voyageurs et nous débarqua devant l'hôtellerie au bord de l'Arno, j'avais l'impression d'être resté un siècle en chemin. C'était le 15 août. Aucun voyageur posant pour la première fois le pied sur le continent d'Europe n'aurait pu en être moins impressionné que moi. Les routes que nous suivions, les collines, les vallées où nous passions, les villes françaises ou italiennes où nous faisions halte pour la nuit étaient toutes semblables à mes yeux. Partout régnaient la saleté, la vermine, et j'étais assourdi par le bruit. Accoutumé au silence d'une maison complètement déserte — car les domestiques couchaient dans une autre aile derrière la tour de l'horloge — où l'on n'entendait pas d'autre son la nuit que le vent dans les arbres et les coups de fouet de la pluie quand il soufflait du sud-ouest, le tapage constant, le tourbillon de ces villes étrangères m'étourdissaient.

Je dormis, certes, — qui ne dormirait à vingt-quatre ans après de longues heures de route? — mais mes rêves étaient pénétrés de bruits exotiques : claquements de portes, voix glapissantes, pas sous la fenêtre, roues de carrioles sur les pavés et, partout, à chaque quart d'heure, des carillons d'église. Peut-être que si j'étais venu à l'étranger dans un autre dessein, il en eût été autrement. J'aurais pu alors me pencher le matin à ma fenêtre d'un cœur léger, regarder les enfants qui jouaient pieds nus dans le ruisseau, et leur jeter des sous, écouter avec passion tous ces bruits nouveaux, ces voix, me promener le soir par les ruelles étroites et tortueuses et me mettre à les aimer. Dans l'état d'esprit où je me trouvais, je regardais tout cela avec une indifférence qui touchait à l'hostilité. J'avais hâte d'arriver auprès d'Ambroise; et de le savoir malade en pays lointain teintait mon inquiétude d'animosité envers tout ce qui était étranger et envers le sol lui-même.

Il faisait chaque jour plus chaud. Le ciel était d'un bleu brillant et dur et j'avais l'impression en suivant les courbes poussiéreuses des routes de Toscane que le soleil avait aspiré toute l'humidité du pays. Les vallées étaient de terre cuite et les petits villages s'accrochaient aux collines, jaunis et desséchés, sous une brume de chaleur. Des bœufs maigres se traînaient en quête d'un peu d'eau, les chèvres broutaient ce qu'elles pouvaient au bord de la route, gardées par de petits enfants qui poussaient des cris au passage du coche et il me semblait, dans mon anxiété, mon souci pour Ambroise, que tout ce qui vivait en ce pays privé d'eau avait soif, se mourait de soif.

Mon premier mouvement en descendant de la diligence à Florence tandis qu'on déchargeait les bagages couverts de poussière et qu'on les portait à l'intérieur de l'hôtellerie, fut de traverser la rue au pavé inégal et de regarder le fleuve. J'étais sale et las, couvert de poussière des pieds à la tête. Les deux derniers jours, j'avais voyagé à côté du cocher, ne pouvant supporter l'intérieur étouffant de la diligence et, semblable aux pauvres bêtes sur la route, je rêvai d'eau. J'en voyais enfin devant moi. Non pas l'estuaire bleu de mon pays, clapotant, frais et dansant, fouetté d'écume marine, mais un lent courant épais et brun comme son lit, qui tournoyait en passant sous les arbres du pont. Des ordures s'écoulaient avec ses eaux, des brins de paille, des débris végétaux mais, dans mon imagination enfiévrée par la fatigue et la soif, j'en avais envie, comme d'une chose à goûter, à avaler, à faire couler dans ma gorge, comme d'une drogue.

Je regardais l'eau courante sans pouvoir en détacher mes yeux, le soleil frappait le pont et, tout à coup, derrière moi dans la ville, une grosse cloche sonna quatre heures, d'une voix profonde et solennelle. Les cloches d'autres églises y répondirent et le carillon se mêla aux eaux brunes et souillées qui coulaient sur les pierres.

Une femme s'approcha de moi, un enfant en pleurs dans les bras, un autre accroché à sa jupe déchirée, elle tendit la main, demandant l'aumône, ses yeux sombres levés vers les miens avec une expression suppliante. Je lui donnai quelques piécettes et me détournai; mais elle continua à me toucher le coude en murmurant quelque chose jusqu'au moment où un voyageur qui se trouvait encore près du coche lui lança une bordée de paroles en italien qui la fit reculer jusqu'au coin du pont d'où elle était venue. Elle était jeune, elle n'avait guère plus de dix-neuf ans, mais l'expression de son visage était sans âge et saisissante comme si son corps léger eût enfermé une âme ancienne qui ne pouvait pas mourir; des siècles regardaient à travers ses yeux et l'on eût dit qu'elle contemplait depuis si longtemps l'existence qu'elle y était devenue indifférente. Plus tard, lorsqu'on m'eut montré ma chambre et que je me penchai au petit balcon qui donnait sur la place, je la vis se glisser entre les chevaux et les carrozzas qui y stationnaient et s'éloigner, furtive comme une chatte qui file dans la nuit, le ventre au sol.

Je me lavai et changeai de vêtements, plongé dans une apathie bizarre. Maintenant que j'avais atteint le terme de mon voyage, une espèce de morne ennui s'emparait de mon être, et le moi qui s'était mis en route, excité, prêt au combat, n'existait plus. A sa place, se dressait un inconnu, las et découragé. L'émotion s'était usée. La réalité même du feuillet déchiré au fond de ma poche avait perdu sa substance. Il avait été écrit plusieurs semaines auparavant; bien des choses avaient pu se passer depuis. Elle avait pu l'emmener hors de Florence; ils pouvaient être partis pour Rome ou Venise et je me voyais traîné de nouveau à leur poursuite dans cette lourde diligence, traversant les villes l'une après l'autre en cahotant, parcourant cette campagne maudite et ne les trouvant jamais, sans cesse vaincu par le temps et par les routes poussiéreuses et chaudes.

Et qui sait si tout cela n'était pas une erreur, les lettres griffonnées une énorme plaisanterie, une de ces mystifications auxquelles Ambroise se livrait autrefois et dans lesquelles, enfant, je donnais tête baissée. Peut-être en entrant dans sa villa, le trouverais-je en train de présider un grand dîner parmi les invités, les lumières, la musique; on m'introduirait au milieu de la fête, et je ne saurais comment expliquer ma présence sous le regard stupéfait d'un Ambroise en par faite santé.

Je descendis sur la place. Les carrozzas qui à mon arrivée y étaient stationnées étaient toutes parties à présent. L'heure de la sieste était terminée et les rues de nouveau encombrées. J'y plongeai et aussitôt m'y perdis. Autour de moi, s'étendaient des cours obscures, des impasses, de hautes maisons serrées les unes contre les autres, des balcons surplombants. Je marchai devant moi, tournant, revenant sur mes pas, et des visages m'observaient sur les seuils, des passants s'arrêtaient pour me regarder, tous marqués par cet air de souffrance séculaire et de passion depuis longtemps éteinte que j'avais déjà remarqué chez la mendiante. Certains me suivirent en parlant tout bas, comme elle l'avait fait, la main tendue, et lorsque, me rappelant mon compagnon de la diligence, je leur répondis sur un ton rude, ils reculèrent, s'effacèrent contre les murs des maisons en me suivant des yeux avec une fierté bizarre et accablante. Les cloches des églises recommencèrent à sonner et je débouchai sur une grande piazza où une foule agglomérée par petits groupes bavardait et gesticulait, sans rapport, sembla-t-il à mes yeux étrangers, ni avec les bâtiments magnifiques et austères qui bornaient la place ni avec les statues qui baissaient sur elle des yeux aveugles, non plus qu'avec le son des cloches qui se répercutait à travers le ciel dans un chant fatal.

Je hélai une carrozza qui passait et lorsque je prononçai en hésitant « Villa Sangalletti », le cocher me répondit quelque chose que je ne compris pas mais où je discernai le mot « Fiesole », accompagné d'un geste de son fouet indiquant l'horizon. Nous suivîmes d'étroites rues encombrées, il criait après son cheval en agitant les rênes et les gens s'écartaient à notre passage. Les cloches se turent mais l'écho en subsistait dans nos oreilles, solennel et sonore, sonnant, non ma mission personnelle et minime, mais la vie des gens de la rue, mais les âmes d'hommes et de femmes depuis longtemps défunts, sonnant l'éternité.

Nous montâmes une longue rue tortueuse qui menait à de lointaines collines. Florence s'étendait derrière nous avec ses monuments. Ici régnait la paix, le silence; le soleil brûlant qui avait tout le jour inondé la ville du haut du ciel éclatant, s'adoucit tout à coup, s'attendrit. Sa dureté aveuglante n'était plus. Les maisons jaunes, les murs jaunes, la poussière brune elle-même, paraissaient moins desséchés. Les maisons se coloraient de nuances fanées, passées, baignées d'un reflet plus suave, maintenant que l'éclat du soleil pâlissait. Les cyprès immobiles devenaient d'un vert d'encre.

Le cocher arrêta sa carrozza devant un portail fermé s'encastrant au milieu d'un grand mur. Il se retourna sur son siège et me regarda. « Villa Sangalletti », dit-il. Le but de mon voyage.

Je lui fis signe de m'attendre, descendis, approchai de la grille et tirai la sonnette pendue au mur. Je l'entendis tinter de l'autre côté. Mon cocher rangea son cheval au bord de la route et, descendant de son siège, se planta près du fossé en s'éventant de son chapeau pour écarter les mouches. Le cheval baissait la tête, pauvre bête affamée entre ses brancards; il ne lui restait plus assez de forces, après cette dure montée, pour paître l'herbe au bord du chemin; il somnolait en agitant les oreilles. Pas un bruit ne venait du jardin, je sonnai de nouveau. Cette fois, j'entendis un aboiement étouffé qui se fit soudain plus fort comme on ouvrait une porte; un enfant cria mais une voix de femme aiguë et irritée le fit taire aussitôt, et un pas approcha de la grille. Il y eut un bruit lourd de verrou tiré, puis le portail grinça sur la pierre en s'ouvrant. Une paysanne me regardait. Je m'approchai d'elle et dis : « Villa Sangalletti. Signor Ashley? »

Le chien, enchaîné à l'intérieur de la maisonnette qu'habitait cette femme, se mit à aboyer furieusement. Une allée s'ouvrait devant moi au bout de laquelle j'apercevais la villa aux volets clos, sans vie. La femme esquissa un geste pour refermer la grille devant moi, le chien aboyait toujours et l'enfant se remit à crier. La femme avait une joue enflée comme par le mal de dent et elle y appliquait le bord de son châle pour engourdir la douleur.

J'entrai et répétai : « Signor Ashley. » Cette fois, elle sursauta légèrement comme si elle venait seulement d'apercevoir mon visage et se mit à parler avec une espèce de volubilité nerveuse en agitant les mains dans la direction de la ville. Puis, se retournant vivement vers la maisonnette, elle appela quelqu'un. Un homme, son mari sans doute, parut sur le seuil, un enfant sur l'épaule. Il fit taire le chien et s'avança vers moi tout en interrogeant la femme. Elle continua à déverser un torrent de paroles, cette fois à son intention, et je saisis les mots « Ashley » puis « Inglese », et ce fut le tour du nouveau venu de me regarder fixement. Il me parut de meilleure qualité que sa femme, plus propre, le regard franc et, tandis qu'il me contemplait, une expression de profond chagrin envahit son visage et il murmura quelques mots à sa femme qui se retira avec l'enfant sur le seuil de la maisonnette où elle resta debout à nous regarder, son châle toujours pressé contre son visage enflé.

« Je parle un peu anglais, signor, dit-il. Que puis-je faire pour vous?

— Je viens voir Mr. Ashley, dis-je. Mrs. Ashley et lui sont-ils à la villa? »

Son expression chagrine s'accentua. Il avala nerveusement.

« Vous êtes le fils de Mr. Ashley, signor? demanda-t-il.

— Non, fis-je agacé, son cousin. Sont-ils chez eux? »

Il secoua la tête d'un air désolé.

« Vous venez d'Angleterre alors, signor, et vous

n'avez pas appris la nouvelle? Que puis-je vous dire? C'est très triste, je ne sais que dire. Signor Ashley, il est mort il y a trois semaines. Très subitement. Très triste. Aussitôt qu'il est enterré, la comtesse elle a fermé la villa, elle est partie. Bientôt deux semaines qu'elle est partie. Nous ne savons pas si elle reviendra. »

Le chien recommença à aboyer et il se retourna pour le calmer.

Je sentis toute couleur quitter mon visage. Je demeurai immobile, consterné. L'homme m'observait avec pitié et dit quelque chose à sa femme qui s'avança en traînant un tabouret qu'elle plaça à côté de moi.

« Asseyez-vous, signor, dit-il. Je suis désolé. Très désolé. »

Je secouai la tête. Je ne pouvais prononcer un mot. L'homme parla à sa femme avec brusquerie pour se libérer de son émotion. Puis, s'adressant de nouveau à moi :

« Signor, dit-il, si vous voulez entrer dans la villa, je vais vous l'ouvrir. Vous pourrez voir où le signor Ashley il est mort. »

Peu m'importait où j'allais, ce que je faisais. Mon esprit était trop engourdi pour enchaîner des pensées. L'homme s'engagea dans l'allée en sortant des clefs de sa poche et je le suivis, les jambes lourdes soudain comme du plomb. La femme et l'enfant marchaient derrière.

Les cyprès se resserraient devant nous et la villa aux persiennes closes nous attendait tout au bout comme un sépulcre. En approchant, je vis qu'elle était grande, percée de nombreuses fenêtres toutes fermées et aveuglées, et que, devant la façade, l'allée s'élargissait en demi-cercle pour permettre aux voitures de tourner. Des statues sur des piédestaux se dressaient entre les cyprès. L'homme ouvrit la haute porte avec sa clef et me fit signe d'entrer. La femme et l'enfant entrèrent aussi, et ils se mirent à ouvrir les volets laissant pénétrer la lumière du jour dans le vestibule silencieux. Ils passèrent devant moi, me précédant de chambre en chambre, ouvrant les persiennes au passage, croyant ainsi dans leur gentillesse faire quelque chose pour apaiser ma douleur. Les pièces se suivaient en enfilade, vastes et peu meublées entre leurs plafonds peints et leur sol dallé; l'air y était lourd et sentait la moisissure des siècles. Dans certaines salles, les murs étaient nus, dans d'autres couverts de tapisseries, et dans une autre, plus sombre et plus triste, s'étendait une longue table de réfectoire flanquée de fer forgé à chaque bout.

« La villa Sangalletti, très belle, signor, très ancienne, dit l'homme. Le signor Ashley, voilà où il restait quand le soleil était trop fort pour lui. C'était sa chaise. »

Il désignait presque avec révérence un siège à haut dossier droit près de la table. Je le regardai comme en rêve. Rien de tout cela n'avait le caractère de la réalité. Je ne pouvais me représenter Ambroise dans cette maison, dans cette salle. Il n'avait jamais pu circuler ici de son pas familier, siffler, bavarder, jeter sa canne par terre sous cette chaise, sous cette table.

Le couple continuait à ouvrir des persiennes. Au-dehors, s'étendait une petite cour, une espèce de cloître à ciel ouvert mais abrité du soleil. Au centre se dressait une fontaine avec une statue de bronze représentant un adolescent tenant entre ses mains un coquillage. Un cytise poussait entre les pavés formant un dais de verdure au-dessus de la fontaine. Les fleurs couleur d'or étaient depuis longtemps fanées et les graines jonchaient à présent le sol, grises et poussiéreuses. L'homme chuchota quelque chose à la femme qui s'en alla dans un coin de la cour et tourna un robinet. Lentement, doucement, l'eau se mit à couler dans le coquillage entre les mains de bronze de l'adolescent. Elle tombait et giclait dans un bassin à ses pieds.

« Le signor Ashley, dit l'homme, il venait s'asseoir là tous les jours à regarder la fontaine. Il aimait regarder l'eau. Il s'asseyait là sous l'arbre. C'est très beau au printemps. La comtessa, elle lui parlait de sa chambre au-dessus. »

Il désignait du doigt des balustres de pierre. La femme rentra dans la maison et reparut au bout d'un instant au balcon qu'il venait de montrer et dont elle avait ouvert les volets. L'eau continuait à s'écouler sans hâte du coquillage et à éclabousser doucement le petit bassin.

« En été, toujours ils restaient ici, continua l'homme, le signor Ashley et la comtessa. Ils prenaient leurs repas, ils entendaient la fontaine. C'est moi qui les servais, comprenez. J'apportais deux plateaux et je les posais sur cette table. » Il désignait une table de pierre et deux fauteuils. « Ils prenaient leur tisane ici après le dîner, continua-t-il, tous les jours, toujours pareils. »

Il se tut et toucha le fauteuil de la main. Une sensation d'oppression s'empara de moi. Il faisait frais dans cette cour, presque froid, d'un froid de tombe, mais l'air y stagnait comme dans les salles aux volets clos avant qu'on ne les eût ouverts.

Je songeais à Ambroise tel qu'il était chez nous. L'été, il se promenait à travers champs, sans veste, un vieux chapeau de paille sur la tête. Je revoyais ce chapeau au bord abaissé sur son front, et je revoyais Ambroise, les manches de sa chemise relevées, debout dans son bateau, le bras tendu pour me montrer quelque chose au large. Je me rappelais la façon dont il se penchait et me tirait pour m'aider à monter sur le bateau autour duquel je nageais.

« Oui, dit l'homme comme s'il se parlait à luimême, le signor Ashley lui assis dans le fauteuil là, regardait l'eau. »

La femme revint et, traversant la cour, tourna le robinet. L'eau cessa de couler. L'adolescent de bronze regardait son coquillage vide. Tout était immobile et silencieux. L'enfant qui avait contemplé la fontaine avec des yeux ronds, se pencha soudain par terre et commença à ramasser les graines de cytise et à les jeter dans le bassin avec ses petites mains. La femme le gronda, le repoussa contre le mur, et saisissant un balai qui se trouvait là, se mit à balayer la cour. Ses mouvements rompirent le silence et son mari me toucha le bras.

« Voulez-vous voir la chambre où le signor est mort? » dit-il doucement.

Toujours possédé par le même sentiment d'irréalité, je le suivis dans le large escalier jusqu'au palier supérieur. Nous traversâmes des pièces encore plus sommairement meublées que les appartements du rez-de-chaussée; l'une d'elles qui donnait au nord sur l'allée de cyprès était nue comme une cellule de moine. Un simple lit de fer était poussé contre le mur. Il y avait encore un pot à eau et une cuvette. Un paravent se dressait à côté du lit. Une tapisserie pendait au-dessus de la cheminée et, dans une niche du mur, j'aperçus une petite statue de madone en prière.

Je regardai le lit. Les couvertures étaient pliées au pied. Deux oreillers sans housse étaient posés à la tête, l'un sur l'autre.

« La fin a été très soudaine, voyez-vous, dit l'homme en baissant la voix. Il était faible, oui, très faible, de sa fièvre, mais la veille encore il s'était traîné en bas et assis près de la fontaine. « Non, non, elle dit la « comtessa, vous allez tomber plus malade, il faut « vous reposer », mais lui est très obstiné, il ne veut pas l'écouter. Et il y a des docteurs tout le temps qui viennent. Signor Rainaldi, il vient aussi, et il parle, il discute, mais lui jamais il ne veut écouter, il crie, il est violent, et puis, comme un petit enfant, il se tait. Ça faisait pitié de voir un homme fort devenu comme ça. Alors, le matin de bonne heure, la comtessa, elle court dans ma chambre et m'appelle. Je couchais dans la maison, signor. Elle dit, elle était blanche comme ce mur : « Il est en train de mourir,

« Giuseppe, je le sais, il est en train de mourir », et je la suis dans la chambre du signor et il est là dans son lit, les yeux fermés. Il respirait encore, mais lourdement, comprenez, pas comme un sommeil naturel. On fait chercher le docteur, mais le signor Ashley il ne se réveille pas, c'était le coma, le sommeil de mort. Moi, j'allume les bougies avec la comtessa et quand les nonnes ont fini, je suis revenu le regarder. La violence était toute partie, il avait le visage tranquille. Vous auriez dû voir ça, signor. »

Des larmes remplissaient les yeux du bonhomme. Je détournai les miens et regardai le lit vide. Je n'éprouvais rien. L'engourdissement avait cessé, me laissant froid et endurci.

« Que voulez-vous dire par violence? fis-je.

— La violence qui venait avec la fièvre, dit l'homme. Deux, trois fois, je dois le tenir sur son lit après ses crises. Et avec la violence, vient la faiblesse, ici dedans. »

Il pressa sa main contre son ventre.

« Il souffrait très beaucoup de douleurs. Et après les douleurs, il était étourdi et lourd et il ne savait plus ce qu'il disait. Je vous assure, signor, ça faisait pitié, pitié de voir un homme grand comme lui dans cet état. »

Je me détournai de cette chambre nue comme une tombe vide et j'entendis l'homme refermer les persiennes et la porte.

« Pourquoi n'a-t-on rien fait? dis-je. Les médecins n'auraient-ils pas pu le soulager? Et Mrs. Ashley? L'a-t-elle laissé mourir ainsi? »

Il parut ne pas comprendre.

« Plaît-il, signor? fit-il.

— Quelle était sa maladie, combien de temps a-t-elle duré? demandai-je.

— Je vous le dis, très soudaine à la fin, répondit l'homme. Mais une ou deux crises avant ça. Et tout l'hiver, le signor pas trop bien, triste pour ainsi dire, pas lui-même. Très différent de l'année dernière. Quand le signor Ashley vint pour la première fois à la villa, il très heureux, gai. »

Il continuait d'ouvrir des fenêtres tout en parlant et nous sortîmes sur une grande terrasse ornée de statues et bornée par une longue balustrade de pierre. Nous traversâmes la terrasse jusqu'à la balustrade et regardâmes à nos pieds des jardins aux parterres symétriques, aux arbres taillés, d'où montait un parfum de roses et de jasmins d'été; au loin se dressait une fontaine, et une seconde, plus loin encore; de grandes marches de pierre reliaient les jardins qui descendaient ainsi jusqu'au pied de la haute muraille de pierre flanquée de cyprès entourant toute la propriété.

Nous étions face au couchant qui se reflétait sur la terrasse et les jardins silencieux, les statues étaient habillés de lumière rose, et j'avais l'impression, debout là, ma main sur la balustrade, qu'une étrange et nouvelle sérénité venait de s'étendre sur tout ce paysage.

La pierre était encore chaude sous ma main; un lézard sortit d'une fente et fila vers le mur au-dessous de nous.

« Par les beaux soirs, dit l'homme qui était resté

derrière moi comme pour me marquer son respect, c'est magnifique, signor, les jardins de la villa Sangalletti. Quelquefois, la comtessa elle ordonnait qu'on ouvre les fontaines et à la pleine lune elle et le signor Ashley, ils venaient ici sur la terrasse après dîner. L'année dernière, quand il pas encore malade. »

Je regardai les fontaines et leurs bassins fleuris de nénuphars.

« Je crois, dit lentement l'homme, que la comtessa ne reviendra pas. Trop triste pour elle. Trop de souvenirs. Signor Rainaldi nous a dit que la villa est à louer, peut-être à vendre. »

Ces mots me ramenèrent à la réalité. L'enchantement du jardin silencieux ne m'avait tenu qu'un court instant dans le parfum des roses et le reflet du couchant. C'était fini.

« Qui est le signor Rainaldi? » demandai-je.

L'homme se retourna avec moi vers la façade de la villa.

« Le signor Rainaldi, il arrange tout pour la comtessa, répondit-il, questions d'affaires, questions d'argent, beaucoup de choses. Il connaît la comtessa depuis longtemps. »

Il fronça le sourcil et fit un geste de la main vers sa femme qui s'avançait sur la terrasse, l'enfant dans ses bras. Cette vue l'offensait; ils n'avaient rien à faire là. Elle disparut dans la villa et commença à fermer les persiennes.

« Je voudrais voir le signor Rainaldi, dis-je.

— Je vous donne son adresse, répondit-il. Il parle anglais très bien. »

Nous entrâmes dans la villa et, tandis que je traversais l'enfilade de salles pour gagner le vestibule, les persiennes se refermaient l'une après l'autre derrière moi. Je fouillai dans ma poche pour y prendre quelque monnaie. J'aurais pu être n'importe quel voyageur indifférent visitant une villa étrangère par pure curiosité, ou avec l'idée peut-être de l'acheter. Ce n'était pas moi, pas moi qui contemplais ainsi pour la première et dernière fois la demeure où Ambroise avait vécu et était mort.

« Merci de tout ce que vous avez fait pour Mr. Ashley », dis-je en mettant une poignée de pièces dans la main de l'homme.

Les larmes montèrent de nouveau à ses yeux.

« Je suis si désolé, signor, dit-il, si désolé. »

Les derniers volets étaient refermés. La femme et l'enfant nous rejoignirent dans le vestibule; la baie qui s'ouvrait sur l'enfilade des salles vides et sur l'escalier était de nouveau sombre comme l'entrée d'un tombeau.

« Que sont devenus ses vêtements, demandais-je, ses objets personnels, ses livres, ses papiers? »

L'homme parut se troubler. Il se tourna vers sa femme et ils parlèrent ensemble pendant quelques instants. Des questions et des réponses s'échangèrent entre eux. La femme haussa les épaules.

« Signor, dit l'homme, ma femme a aidé la comtessa quand elle est partie. Elle dit que la comtessa elle emporte tout. Tous les vêtements du signor Ashley, dans une grande malle, tous ses livres, tout bien emballé. Rien n'est resté ici. »

Je regardai leurs yeux à tous deux, ils soutinrent mon regard. Je compris qu'ils disaient vrai.

« Et vous ne savez absolument pas, demandai-je, où Mrs. Ashley est allée? »

L'homme secoua la tête.

« Elle a quitté Florence, c'est tout ce qu'on sait, dit-il. Le lendemain de l'enterrement, la comtessa elle partit. »

Il ouvrit la lourde porte et je sortis.

« Où est-il enterré? demandai-je, indifférent, étranger.

— A Florence, signor, dans le nouveau cimetière protestant. Beaucoup d'Anglais sont enterrés là. »

Il semblait vouloir me rassurer, me dire qu'Ambroise n'était pas seul et que, dans les sombres régions d'au-delà son tombeau, ses compatriotes lui tenaient compagnie.

Je ne pouvais plus supporter le regard de cet homme, il ressemblait à celui d'un chien aimant et fidèle.

Comme je m'éloignais, j'entendis la femme pousser une exclamation et, avant que l'homme n'eût refermé la porte, elle rentra en hâte dans la villa et ouvrit un grand coffre de chêne qui se trouvait contre le mur. Elle revint portant un objet qu'elle remit à son mari et qu'à son tour il me tendit. Son visage attristé se détendit, s'élargit dans une expression de plaisir.

« La comtessa, dit-il, il y a une chose qu'elle a oubliée. Prenez-le, signor, c'est pour vous tout seul. »

C'était le chapeau d'Ambroise, un chapeau déformé à larges bords; celui qu'il portait chez nous les jours de soleil. Il n'irait jamais à personne d'autre, il était trop grand. Je sentais leur regard anxieux posé sur moi, épiant ce que j'allais dire tandis que je retournais le chapeau entre mes mains.

CHAPITRE V

JE ne me rappelle rien du retour en voiture à Florence, sinon que le soleil était couché et que la nuit tombait rapidement. Il n'y avait pas de crépuscule comme chez nous. Dans les fossés qui bordaient la route, des insectes, des grillons eût-on dit, commençaient leur chant monotone; de temps à autre, un paysan pieds nus nous croisait portant une hotte sur son dos.

Nous entrâmes en ville, laissant derrière nous l'air plus frais et pur des collines, et retrouvâmes, non pas celui de la journée, brûlant et blanc de poussière, mais la chaleur plate et fétide du soir trop longtemps calfeutrée entre les murs et les toits. La torpeur de midi, l'activité des heures entre la sieste et le coucher du soleil, avaient fait place à une animation plus intense. Les hommes et les femmes qui peuplaient les piazzas et les rues étroites marchaient d'un pas plus décidé; l'on eût dit qu'ils étaient restés cachés tout le jour, endormis dans leurs demeures silencieuses, et qu'ils sortaient à présent à la façon des chats pour explorer la ville. Les échoppes du marché étaient éclairées par des torches et des chandelles et environnées de chalands qui fouillaient de leurs mains avides la marchandise. Des femmes enveloppées de châles se bousculaient, bavardaient, discutaient, et les marchands criaient leurs prix à tue-tête pour se faire entendre. Les cloches se remirent à sonner et il me sembla que leur clameur était moins indifférente. Les portes grandes ouvertes des églises laissaient voir l'éclat des cierges; la foule s'aggloméra en petits groupes et entra à l'appel des cloches.

Je payai mon cocher sur la piazza devant la cathédrale, au son du gros bourdon, impérieux, insistant, qui sonnait comme un défi dans l'air immobile et lourd. A peine conscient de ce que je faisais, je suivis les gens qui entraient dans la cathédrale et, le regard tendu dans la pénombre, m'arrêtai contre une colonne. Près de moi, un vieux paysan infirme se courbait sur sa béquille. Il tourna vers l'autel un œil borgne, la lèvre mouvante, les mains tremblantes, tandis que, devant moi, des femmes s'agenouillaient dans le secret de leurs châles, criant d'une voix aiguë les répons en agitant leurs doigts osseux sur les perles de leurs chapelets.

Je tenais toujours le chapeau d'Ambroise à la main, et ce fut là, dans cette vaste cathédrale dont l'ampleur m'écrasait, en regardant les gestes d'humilité du prêtre à l'autel prononçant des mots séculaires et solennels que je ne comprenais pas, ce fut là, au milieu de cette cité inconnue faite de beauté rigide et de sang répandu, que je sentis tout à coup pour la première fois toute la force et l'acuité de ma perte.

Ambroise était mort. Je ne le reverrais jamais. Il m'avait quitté pour toujours. Plus jamais ce sourire, ce fou rire, ces mains sur mes épaules. Plus jamais sa force, sa compréhension. Plus jamais cette silhouette connue, respectée, aimée, tapie dans son fauteuil de la bibliothèque ou debout appuyée sur sa canne et regardant la mer. Je songeai à la pièce nue où il était mort dans la villa Sangalletti et à la madone dans sa niche et quelque chose me dit qu'à l'instant du départ, il ne faisait plus partie de cette chambre, de cette maison, de ce pays, mais que son esprit était revenu chez lui pour demeurer parmi ses coteaux et ses bois, dans le jardin qu'il aimait et d'où l'on entend la mer.

Je sortis de la cathédrale et, sur la piazza, tout en regardant le vaste dôme et la tour svelte et lointaine sculptée sur le ciel, je me rappelai pour la première fois, avec l'espèce de soudaineté qui suit les grands chocs, que je n'avais rien mangé de la journée. Mes pensées s'éloignèrent du mort, revinrent au monde des vivants puis, ayant trouvé un restaurant près de la cathédrale, je m'en fus, ma faim satisfaite, à la recherche du signor Rainaldi. A la villa, le bon serviteur m'avait inscrit son adresse et, après avoir demandé une ou deux fois mon chemin en montrant le bout de papier qu'il m'avait donné, je trouvai sa maison, de l'autre côté du pont proche de mon hôtellerie, sur la rive gauche de l'Arno. Le bord du fleuve était plus sombre et silencieux que le cœur de Florence. Peu de gens s'y promenaient. Les portes étaient fermées, les volets clos. Mon pas résonnait sur les pavés.

J'atteignis enfin sa maison et sonnai. Un domestique ouvrit presque aussitôt la porte et, sans me demander mon nom, me fit monter un escalier, suivre un couloir, puis, après avoir frappé à une porte, m'introduisit dans une salle. Je clignai des yeux sous la lumière soudaine et vis un homme assis dans un fauteuil à côté d'une table, en train de feuilleter une liasse de papiers. Il se leva à mon entrée et me regarda. Il était un peu moins grand que moi et pouvait avoir quarante ans; son visage maigre était pâle, presque incolore, et ses traits aquilins. Il y avait quelque chose de fier, de méprisant dans son attitude; il donnait l'impression d'un être qui devait avoir peu de patience avec les imbéciles ou avec ses ennemis; mais ce qui me frappa surtout ce furent ses yeux, sombres et enfoncés, qui, à leur premier regard sur moi s'éclairèrent comme s'ils me reconnaissaient, mais cet éclat s'évanouit aussitôt.

« Signor Rainaldi? fis-je. Mon nom est Ashley. Philip Ashley.

— Bien, dit-il, asseyez-vous, je vous prie. »

Sa voix était dure et froide et son accent italien peu prononcé. Il m'avança un siège.

« Vous devez être étonné de me voir, dis-je en l'observant attentivement. Vous ne me saviez pas à Florence?

— Non, répondit-il, non, je ne vous savais pas ici. »

On sentait une certaine réserve dans sa voix, mais peut-être sa connaissance limitée de l'anglais l'obligeait-elle à s'observer.

« Vous savez qui je suis? demandai-je.

— Je crois connaître vos liens de famille, dit-il. Vous êtes le cousin, n'est-ce pas, ou le neveu du défunt Ambroise Ashley?

— Son cousin, dis-je, et héritier. »

Il prit une plume entre ses doigts et en tapota la table comme pour gagner du temps.

« J'ai été à la villa Sangalletti, dis-je, j'ai vu la chambre où il est mort. Le domestique, Giuseppe, a été très obligeant. Il m'a appris tous les détails et m'a adressé à vous. »

Etait-ce le fruit de mon imagination? Je crus voir ces yeux sombres se voiler.

« Depuis quand êtes-vous à Florence? demanda-t-il.

— Depuis quelques heures. Depuis cet après-midi.

— Vous n'êtes arrivé que d'aujourd'hui? Alors votre cousine Rachel ne vous a pas vu. »

La main qui tenait la plume se détendit.

« Non, dis-je, le domestique de la villa m'a fait comprendre qu'elle avait quitté Florence le lendemain de l'enterrement.

— Elle a quitté la villa Sangalletti, dit-il, elle n'a pas quité Florence.

— Est-elle encore ici, dans cette ville?

— Non, dit-il, non, maintenant elle est partie. Elle désire que je loue la villa, que je la vende peut-être. »

Ses manières étaient étrangement raides et tendues. L'on eût dit que chaque information qu'il me donnait devait d'abord être examinée et retournée dans son esprit.

« Savez-vous où elle se trouve à présent? demandai-je.

— Malheureusement non, dit-il, Elle est partie soudainement, elle n'avait pas fait de projets. Elle m'a dit qu'elle m'écrirait quand elle aurait pris une décision.

— Elle est peut-être chez des amis? hasardai-je.

— Peut-être, dit-il. Je ne crois pas. »

J'avais l'impression que le jour même, la veille au plus tard, elle s'était trouvée avec lui dans cette pièce et qu'il en savait beaucoup plus qu'il ne voulait bien le dire.

« Vous devez comprendre, signor Rainaldi, repris-je, que la nouvelle si soudaine de la mort de mon cousin, apprise de la bouche des domestiques, a été un grand choc pour moi. Tout cela me fait l'effet d'un cauchemar. Que s'est-il passé? Pourquoi ne m'a-t-on pas averti qu'il était malade? »

Il me regardait attentivement sans quitter mon visage des yeux.

« La mort de votre cousin elle aussi a été soudaine, dit-il. Cela a été un choc pour nous tous. Il avait été malade oui, mais pas dangereusement, pensions-nous. La fièvre commune qui frappe beaucoup d'étrangers ici l'été l'avait un peu affaibli et il se plaignait aussi de violentes migraines. La comtessa — je devrais dire Mrs. Ashley — en était très tourmentée mais il n'était pas un malade facile. Il s'était pris instantanément d'antipathie pour nos médecins, sans raison valable semble-t-il. Mrs. Ashley espérait chaque jour une amélioration et elle n'avait aucune envie de vous inquiéter vous et ses amis en Angleterre.

— Mais nous nous inquiétons, dis-je, c'est pourquoi je suis venu à Florence. J'ai reçu ces lettres de lui. »

C'était un geste hardi, imprudent peut-être, mais peu m'importait. Je posai sur la table les deux dernières lettres qu'Ambroise m'avait écrites. Rainaldi les lut attentivement sans changer d'expression, puis me les rendit.

« Oui, dit-il d'une voix très calme, sans aucune surprise, oui, Mrs. Ashley craignait qu'il n'eût écrit quelque chose de ce genre. Mais ce n'est qu'au cours des dernières semaines, quand il fut devenu si secret et si bizarre, que les docteurs ont commencé à craindre le pire et l'ont avertie.

— Avertie? dis-je. Avertie de quoi?

— Qu'il s'agissait d'une maladie du cerveau, répondit-il, d'une tumeur qui semblait se développer rapidement et expliquait son état. »

Un sentiment de désespoir m'envahit. Une tumeur? L'hypothèse de mon parrain était donc exacte. D'abord, oncle Philip, puis Ambroise. Pourtant... Pourquoi cet Italien épiait-il mon regard?

« Les docteurs disent que c'est d'une tumeur qu'il est mort?

— Sans aucun doute, répondit-il. De cela et d'une recrudescence de l'affaiblissement consécutif à la fièvre. Deux médecins l'assistaient. Le mien et un autre. Je puis les convoquer et vous leur poserez toutes les questions qu'il vous plaira. L'un d'eux parle un peu anglais.

— Non, dis-je lentement, non, ce n'est pas nécessaire. »

Il ouvrit un tiroir et en sortit un morceau de papier.

« J'ai ici une copie du certificat de décès, dit-il, signé par eux. Lisez-le. On vous en a envoyé une, et une autre à l'exécuteur testamentaire de votre cousin, Mr. Nicholas Kendall, près de Lostwithiel en Cornouailles. »

Je regardai le certificat sans prendre la peine de le lire.

« Comment, savez-vous, demandai-je, que Nicholas Kendall est l'exécuteur testamentaire de mon cousin?

— Parce que votre cousin avait ici une copie de son testament, répondit le signor Rainaldi. Je l'ai lu à plusieurs reprises.

— Vous avez lu le testament de mon cousin? demandai-je incrédule.

— Certes, répondit-il. En qualité d'homme d'affaires de la comtessa, de Mrs. Ashley, il était normal que je prisse connaissance du testament de son époux. Il n'y a là rien d'étrange. Votre cousin m'avait montré lui-même ce testament peu après son mariage. J'en possède d'ailleurs une copie. Mais je ne suis pas fondé à vous la montrer. Ce sera à votre tuteur, Mr. Kendall, de le faire, et il le fera certainement à votre retour. »

Il savait que mon parrain était aussi mon tuteur, alors que je l'ignorais moi-même. A moins qu'il ne se trompât. On n'a pas de tuteur, passé vingt et un ans, et j'en comptais vingt-quatre... Peu importait d'ailleurs. Ce qui importait, c'était Ambroise et sa maladie, Ambroise et sa mort.

« Ces deux lettres, dis-je avec entêtement, ne sont pas les lettres d'un malade. Ce sont les lettres d'un homme qui a des ennemis, d'un homme environné de gens en qui il ne peut pas avoir confiance. »

Signor Rainaldi me regardait fixement.

« Ce sont les lettres d'un malade mental, Mr. Ashley, me répondit-il. Excusez ma brutalité, mais je l'ai vu pendant ces dernières semaines et pas vous. L'aventure n'a été plaisante pour personne et, pour sa femme, moins que pour quiconque, je vous le garantis. Elle ne l'a quitté ni jour ni nuit. Une autre femme l'aurait fait soigner par des religieuses. Elle l'a soigné elle-même, elle ne s'est rien épargné.

— Et ça n'a servi à rien, dis-je. Voyez ces lettres, et cette dernière ligne : « Elle a enfin raison de moi, « Rachel mon tourment... » Comment expliquez-vous cela, signor Rainaldi? »

J'avais dû élever la voix dans mon émotion. Il se leva de son fauteuil et tira le cordon d'une sonnette. Lorsque son domestique parut, il lui donna un ordre et l'homme apporta un verre, du vin et de l'eau. Rainaldi voulut me servir mais je refusai.

« Eh bien? » dis-je.

Il ne retourna pas à son fauteuil. Il se dirigea vers un côté de la pièce où le mur était couvert de livres et y prit un volume.

« Avez-vous un peu étudié l'histoire de la médecine, Mr. Ashley? demanda-t-il.

— Non, dis-je.

— Vous allez trouver ici, reprit-il, l'information que vous cherchez, à moins que vous ne préfériez interroger ces médecins dont je vous donnerai l'adresse on ne peut plus volontiers. Il existe une affection particulière du cerveau qui se produit surtout dans les cas d'excroissance ou tumeur et au cours de laquelle le patient est sujet à des imaginations délirantes. Il se figure par exemple qu'il est surveillé, que la personne la plus proche de lui, telle sa femme s'il en a une, lui en veut ou lui est infidèle, ou essaye de s'emparer de son argent. Ni la tendresse ni la persuasion ne viennent à bout de ces soupçons une fois qu'ils ont pris corps. Si vous ne me croyez pas, ni les médecins d'ici, demandez à vos compatriotes ou bien lisez ce livre. »

Comme il était raisonnable, comme il était froid et assuré! Je pensais à Ambroise couché dans ce lit de fer de la villa Sangalletti, torturé, tourmenté, et j'imaginais cet homme occupé à l'observer, à analyser un par un ses symptômes, le surveillant peut-être derrière ce paravent à trois feuilles. Je ne savais s'il avait raison ou tort. Tout ce que je savais, c'est que je détestais Rainaldi.

« Pourquoi ne m'a-t-elle pas appelé? demandai-je. Si Ambroise avait perdu confiance en elle, pourquoi ne m'a-t-elle pas appelé? C'est moi qui le connaissais le mieux. »

Rainaldi referma brusquement le volume et le reposa sur son rayon.

« Vous êtes très jeune, n'est-ce pas, Mr. Ashley? »

Je le regardai sans comprendre où il voulait en venir.

« Que voulez-vous dire par là? demandai-je.

— Une femme de sentiment ne cède pas facilement la place, dit-il. Appelez cela fierté, ténacité, ou ce que vous voudrez. En dépit de toutes les preuves contraires, leurs émotions sont plus primitives que les nôtres. Elles s'accrochent à ce qu'elles désirent et ne le lâchent pas. Nous avons nos guerres, nos combats, Mr. Ashley. Mais les femmes luttent aussi. »

Il me regardait de ses yeux froids et profonds et je compris que je n'avais plus rien à lui dire.

« Si j'avais été ici, dis-je, il ne serait pas mort. »

Je me levai et me dirigeai vers la porte. Une fois encore, Rainaldi tira la sonnette et le domestique vint pour me reconduire.

« J'ai écrit à votre tuteur, Mr. Kendall, reprit Rainaldi. Je lui ai expliqué très complètement et en détail tout ce qui est arrivé. Puis-je autre chose pour vous? Resterez-vous longtemps à Florence?

— Non, dis-je, qu'y ferais-je? Rien ne me retient plus ici.

— Si vous désirez voir la tombe, dit-il, je vais vous donner un mot pour le gardien du cimetière protestant. Le site est très simple. Pas encore de pierre tombale, évidemment. On en érigera une très prochainement. »

Il se tourna vers la table et griffonna un billet qu'il me remit.

« Qu'inscrira-t-on sur la pierre? » demandai-je.

Il se tut un moment et parut réfléchir, tandis que le domestique qui attendait près de la porte ouverte me tendait le chapeau d'Ambroise.

« Je crois, dit-il, que mes instructions étaient d'y

graver : En mémoire d'Ambroise Ashley, époux bien-aimé de Rachel Coryn Ashley, et, naturellement, la date. »

Je compris que je ne désirais pas aller au cimetière ni voir la tombe, que je n'avais aucune envie de contempler l'endroit où ils l'avaient enterré. Ils pouvaient y ériger une pierre et lui porter des fleurs s'ils voulaient, Ambroise ne le saurait jamais et s'en moquerait bien. Il serait avec moi dans ce pays d'Ouest, sous sa terre, à lui, dans sa patrie, à lui.

« Quand Mrs. Ashley sera de retour, dis-je lentement, dites-lui que je suis venu à Florence, que j'ai été à la villa Sangalletti et que j'ai vu l'endroit où Ambroise est mort. Vous pourrez lui parler aussi des lettres qu'Ambroise m'a écrites. »

Il me tendit une main froide et dure comme lui, en continuant à me regarder de ses yeux voilés, profondément enfoncés.

« Votre cousine Rachel est une impulsive, dit-il. En quittant Florence, elle a emporté avec elle tout ce qu'elle possédait. Je crains bien qu'elle n'y revienne jamais. »

Je sortis de la maison dans la rue obscure. J'avais l'impression que ses yeux m'observaient derrière les persiennes. Je suivis les rues au pavé inégal, traversai le pont et, avant d'entrer dans l'hôtellerie pour y goûter ce que je pourrais trouver de sommeil jusqu'au matin, je m'arrêtai au bord de l'Arno.

La ville dormait. J'étais le seul passant attardé. Même les carillons se taisaient, et l'on n'entendait pas d'autre bruit que celui du fleuve coulant sous le pont.

Il semblait couler plus vite que dans la journée, et l'on eût dit que l'eau retenue et inactive durant les longues heures de chaleur et de soleil était à présent libérée par la nuit et le silence.

Je regardai le fleuve ondoyer, s'écouler et se perdre dans les ténèbres et je voyais, à la lueur vacillante d'une unique lanterne allumée sur le pont, se former des bulles d'écume brunâtre. Puis, porté par le courant, raide et tournoyant lentement, les quatre pattes en l'air, le cadavre d'un chien passa devant moi et disparut sous le pont.

Je me fis un serment à moi-même au bord de l'Arno.

Je jurai que, quelles que fussent les souffrances qu'Ambroise avait endurées avant de mourir, je les rendrais toutes à la femme qui en était cause. Je ne croyais pas les histoires de Rainaldi. Je croyais à la vérité de ces deux lettres que je tenais dans ma main droite. Les dernières qu'Ambroise m'eût écrites.

Un jour, je rendrais à ma cousine Rachel le mal qu'elle avait fait.

CHAPITRE VI

J'ARRIVAI chez moi la première semaine de septembre. Le courrier m'avait précédé. L'Italien n'avait pas menti en me disant qu'il avait écrit à Nick Kendall. Mon parrain avait annoncé la nouvelle aux domestiques et aux fermiers du domaine. Wellington m'attendait à Bodmin avec la voiture. La crinière des chevaux était nouée de crêpe, de même que le chapeau de Wellington et du valet de pied. Tous deux avaient le visage triste et grave.

Mon plaisir de me retrouver dans mon pays était si grand que, pour un temps, le chagrin s'assoupit; peut-être aussi que ce long voyage de retour à travers l'Europe avait engourdi en moi tout sentiment. Je me rappelle que mon premier mouvement fut de sourire à la vue de Wellington et du valet, de flatter les chevaux, de demander si tout allait bien. J'aurais pu être un jeune garçon rentrant du collège, mais l'attitude du vieux cocher était marquée par une raideur nouvelle et solennelle et le jeune valet m'ouvrit la portière avec déférence.

« Triste retour, Mr. Philip », dit Wellington et, lorsque je m'enquis de Seecombe et de la maison, il hocha la tête et me dit que tout le monde était douloureusement frappé.

Depuis qu'on avait reçu la nouvelle, dit-il, on ne parlait plus que de cela dans le voisinage. L'église avait été tendue de noir tout le dimanche, de même que la chapelle du domaine, mais ce qui avait le plus peiné tout le monde, dit Wellington, ç'avait été d'apprendre par Mr. Kendall que le maître avait été enterré en Italie et qu'on ne le ramènerait pas chez lui dans le tombeau de famille au milieu des siens.

« Ça ne nous paraît pas bien, Mr. Philip, dit-il, et nous ne croyons pas que ç'aurait plu à Mr. Ashley. »

Je n'avais rien à répondre. Je montai en voiture et me laissai rouler vers la maison.

Les émotions, les fatigues de ces dernières semaines s'effacèrent comme par enchantement à la vue de la vieille demeure. Toute sensation de contrainte me quitta, et, malgré les longues heures de voyage, je me sentis reposé, apaisé. C'était l'après-midi et le soleil brillait sur les fenêtres de l'aile occidentale et sur les murs gris au moment où la voiture franchissait la seconde grille au sommet de la côte et se dirigeait vers la maison. Les chiens étaient là pour m'accueillir, et le pauvre Seecombe, qui portait un brassard de crêpe comme tous les autres domestiques, éclata en sanglots quand je lui serrai la main.

« Ç'a été long, Mr. Philip, dit-il, bien long! Et

qu'est-ce qui nous disait que vous n'alliez pas prendre la fièvre comme Mr. Ashley? »

Il me servit à dîner, plein de sollicitude et d'attentions; je lui sus gré de ne pas m'accabler de questions sur mon voyage, sur la maladie et la mort de son maître, mais il ne tarit pas sur la façon dont la maison et lui-même avaient accueilli cette perte : le glas qui avait sonné tout le jour, le discours du pasteur en chaire, les couronnes envoyées du voisinage. Toutes ses paroles étaient empreintes d'une déférence nouvelle à mon égard. J'étais « Mr. » Philip et non plus « Master » Philip. J'avais remarqué le même changement dans la façon de s'exprimer du cocher et des valets et je m'étonnais d'en éprouver au cœur une chaleur inattendue.

Après le dîner, je montai à ma chambre et regardai autour de moi, puis je redescendis dans la bibliothèque et sortis dans les champs. J'étais rempli d'un sentiment de bonheur étrange que je n'aurais jamais cru pouvoir éprouver après la perte d'Ambroise, car j'avais atteint en quittant Florence le fond de la détresse et n'espérais plus rien. J'avais traversé l'Italie et la France possédé par des visions que je ne pouvais écarter. Je voyais Ambroise assis dans la cour ombreuse de la villa Sangalletti près du cytise et regardant couler la fontaine. Je le voyais dans cette cellule monacale, appuyé à deux oreillers, respirant avec difficulté. Et toujours à portée d'ouïe, à portée de vue, la silhouette sombre et haïe de la femme inconnue. Elle avait tant de visages, tant de personnalités diverses sous ce nom de comtessa dont Giuseppe et Rainaldi la désignaient de préférence à Mrs. Ashley, qu'elle en était environnée d'une espèce de nimbe, bien étrangère à la première idée que je m'étais faite d'elle lorsque je me la représentais comme une autre Mrs. Pascoe.

Depuis mon voyage à la villa, elle était devenue une espèce de monstre plus grand que nature. Ses yeux étaient d'un noir d'abîme, ses traits aquilins comme ceux de Rainaldi, et elle circulait à travers les salles moisies de la villa, silencieuse et sinueuse ainsi qu'un serpent. Je la voyais, alors qu'il avait rendu le dernier soupir, enfermant ses vêtements dans les malles, descendant ses livres, les derniers objets qu'il eût possédés, puis se glissant au-dehors, les lèvres serrées, et s'en allant à Rome ou à Naples à moins qu'elle ne se cachât dans cette maison des bords de l'Arno, souriante derrière les persiennes. Ces images m'avaient poursuivi jusque sur la mer, mais maintenant, maintenant que j'étais rentré chez moi, elle s'évanouissaient comme les cauchemars à la naissance du jour. Mon amertume aussi se dissipait. Ambroise était de nouveau près de moi, et il n'était plus torturé, il ne souffrait plus. Il n'avait jamais été à Florence, il n'avait jamais été en Italie. J'avais l'impression qu'il était mort ici, dans sa maison, et qu'il reposait avec son père et sa mère et avec mes parents, et ma peine en était allégée; le chagrin m'habitait toujours mais non plus la tragédie. Moi aussi j'étais rentré chez moi et je respirais partout l'odeur du foyer.

Dans les champs, les hommes faisaient la moisson. On hissait les gerbes dans les carrioles. Ils s'inter rompirent à ma vue et j'allai leur parler. Le vieux Billy Row, qui était fermier de Barton aussi loin que mon souvenir, et ne m'avait jamais appelé autrement que Master Philip, toucha son front à mon approche et sa femme et sa fille qui aidaient les hommes me firent la révérence.

« Vous nous manquiez, monsieur, dit-il, ça nous a fait regret de commencer la moisson sans vous. On est content de vous voir revenu. »

L'année précédente, j'eusse relevé mes manches comme eux et pris une fourche, mais quelque chose à présent me retenait, le sentiment qu'ils n'auraient pas trouvé cela convenable.

« Moi aussi je suis content d'être rentré, dis-je. La mort de Mr. Ashley a été un grand chagrin pour moi comme pour vous, mais maintenant nous devons tous continuer à travailler comme il l'aurait désiré.

— Oui, monsieur », dit-il en touchant de nouveau la mèche de cheveux retombant sur son front.

Je m'arrêtai quelque temps à lui parler, puis appelai les chiens et suivis mon chemin. Il attendit que j'eusse atteint la haie avant de dire aux hommes de se remettre à l'ouvrage. Lorsque j'arrivai à l'enclos des poneys à mi-chemin entre la maison et les champs descendants, je me retournai et regardai par-dessus la haie basse. Les carrioles se profilaient à contre-jour sur la colline, les chevaux et les ouvriers n'étaient plus que des silhouettes mobiles et sombres sur le ciel, mais les gerbes étaient dorées par les derniers rayons du soleil. La mer était bleu foncé presque violette au-dessus des rochers et avait cet air de plénitude profonde qui vient avec la marée haute. Les bateaux de pêche étaient sortis et se dirigeaient vers l'est pour capter la brise du rivage. Maintenant la maison était dans l'ombre et seule la girouette au sommet de la tour de l'horloge recevait un rayon attardé. Je traversai lentement la pelouse et gagnai la porte ouverte.

Les stores n'étaient pas encore baissés, Seecombe n'avait pas encore dû en donner l'ordre aux valets. Il y avait quelque chose de plaisant dans la vue de ces fenêtres ouvertes aux rideaux mollement mouvants et à la pensée de toutes les pièces derrière ces fenêtres, familières et aimées. La fumée montait des cheminées, haute et droite. Le vieux Don, l'épagneul, trop âgé et raide pour se promener avec moi et les jeunes chiens, grattait le gravier sous les fenêtres de la bibliothèque, il tourna la tête vers moi et agita lentement la queue à mon approche.

Je m'avisai, pour la première fois depuis que j'avais appris la mort d'Ambroise et avec une force singulière, que tout ce que je voyais en ce moment m'appartenait. Je n'aurais jamais à le partager avec un être vivant. Ces murs et ces fenêtres, ce toit, la cloche qui sonnait sept heures au moment où je rentrais, toute la vivante entité de cette demeure était mienne, uniquement mienne. L'herbe sous mes pieds, les arbres qui m'entouraient, les coteaux derrière moi, les prairies, les bois, et jusqu'aux hommes et aux femmes qui cultivaient ce sol, faisaient partie de mon héritage.

J'entrai dans la maison et m'arrêtai dans la bibliothèque, le dos à la cheminée, les mains dans mes poches. Les chiens me suivirent comme à leur habitude et se couchèrent à mes pieds. Seecombe vint me demander si j'avais des ordres à donner à Wellington pour le lendemain matin. Désirais-je la voiture et les chevaux, ou devait-il seller Gipsy? Non, lui dis-je, il n'y avait pas d'ordres à transmettre ce soir. Je verrais Wellington moi-même après le petit déjeuner. Je désirais qu'on me réveillât à l'heure habituelle. Il répondit : « Bien, Monsieur », et sortit. Master Philip était parti pour toujours, Mr. Ashley était de retour. C'était un sentiment bizarre. J'éprouvais tout ensemble de l'humilité et une étrange fierté. J'avais conscience d'une espèce d'assurance et de force que je ne connaissais pas auparavant, et d'une joie nouvelle. Il me semblait que ce devait être un peu ce qu'éprouve un soldat à qui l'on donne le commandement d'un bataillon, le sentiment de propriété, de fierté et de responsabilité d'un officier qui jusqu'alors n'a commandé qu'en second. Mais, au contraire du soldat, je n'aurais jamais à remettre mon commandement à un autre. Il était à moi pour la vie. Je crois que la conscience que je pris de ce fait à cet instant devant le feu de la bibliothèque me donna un moment de bonheur tel que je n'en éprouvai jamais de ma vie, ni auparavant ni depuis. Comme tous les moments de cette nature, il vint soudainement, et passa de même. Quelque bruit familier dut rompre l'enchantement; peut-être un chien bougea-t-il, ou bien une cendre tomba de l'âtre, ou encore un domestique traversa une pièce au-dessus de ma tête pour aller fermer les fenêtres... Il ne m'en souvient plus. Tout ce dont il me souvient c'est du sentiment de confiance que j'eus cette nuit-là, l'impression d'une chose longtemps endormie en moi et soudain vivante. Je me couchai de bonne heure et dormis sans rêve.

Mon parrain, Nick Kendall, vint le lendemain accompagné de Louise. Comme il n'y avait aucun proche parent à convoquer et que, à l'exception des legs à Seecombe et aux autres serviteurs et des dons d'usage aux pauvres de la paroisse, aux veuves et aux orphelins, la totalité des biens et du domaine me revenait, Nick Kendall me lut le testament, seul dans la bibliothèque. Louise alla se promener dans le parc. Malgré les termes juridiques, la situation était simple et claire. Sauf en un point. L'Italien Rainaldi avait dit vrai : Nick Kendall était nommé mon tuteur car le domaine ne deviendrait légalement mien que lorsque j'atteindrais vingt-cinq ans.

« C'était une opinion d'Ambroise, dit mon parrain en ôtant ses lunettes et en me tendant le document, qu'un jeune homme ne sait pas ce qu'il veut avant vingt-cinq ans. Tu pourrais être venu au monde avec une tendance à la boisson, au jeu ou aux femmes et cette clause est une mesure de précaution. Je l'ai aidé à rédiger ce testament alors que tu étais encore à Harrow et, bien que nous sussions tous deux que tu n'avais aucune de ces faiblesses, Ambroise tint à introduire cette clause. Philip ne pourra pas en prendre ombrage, disait-il toujours, et cela lui enseignera la prudence Enfin, c'est comme cela et l'on n'y peut rien changer. En fait, cela ne t'affectera guère, sauf que tu devras t'adresser à moi quand tu voudras de l'argent, comme tu l'as toujours fait, tant pour le compte du domaine que pour tes dépenses personnelles, pendant sept mois encore. Ton anniversaire est en avril, n'est-ce pas?

— Vous devez le savoir, dis-je, vous êtes mon parrain.

— Quel drôle de petit animal tu faisais, dit-il avec un sourire. Tu regardais le pasteur en ouvrant de grands yeux. Ambroise venait de rentrer d'Oxford. Il t'a pincé le nez pour te faire crier, au grand scandale de sa tante, ta mère. Après cela il a défié ton pauvre père à la rame, et ils ont ramé depuis le château jusqu'à Lostwithiel. Ils sont rentrés trempés jusqu'aux os. Tu n'as jamais souffert de n'avoir pas de parents, Philip? Je me dis souvent que ç'a dû être dur pour toi de grandir sans mère.

— Je ne sais pas, dis-je. Je n'y ai jamais beaucoup pensé. Je n'ai jamais eu besoin de personne d'autre que d'Ambroise.

— Quand même..., dit-il. Ça n'aurait pas dû être ainsi. Je l'ai souvent dit à Ambroise mais il ne m'écoutait pas. Il aurait dû y avoir quelqu'un dans la maison, une gouvernante, une parente éloignée, que sais-je. Tu as grandi dans l'ignorance des femmes et si jamais tu te maries, la situation ne sera pas aisée pour celle que tu épouseras. Je le disais à Louise au petit déjeuner. »

Il s'interrompit avec un air un peu gêné — si tant est que mon parrain pût avoir jamais l'air gêné — comme s'il en avait dit un peu plus qu'il n'eût voulu.

« Tant pis, dis-je, ma femme s'arrangera comme elle voudra, le moment venu. En admettant qu'il vienne, ce qui est peu probable. Je crois que je ressemble trop à Ambroise, et je sais à présent ce que le mariage a dû être pour lui. »

Mon parrain ne répondit pas. Je lui racontai alors ma visite à la villa et ma rencontre avec Rainaldi; lui, à son tour, me montra la lettre que l'Italien lui avait écrite. Elle était telle que je l'attendais : il y rendait compte en termes froids et conventionnels de la maladie et de la mort d'Ambroise, de son regret personnel et de l'émotion et du chagrin de la veuve laquelle, à en croire Rainaldi, était inconsolable.

« Si inconsolable, dis-je à mon parrain, qu'elle s'enfuit comme une voleuse le lendemain même de l'enterrement, en emportant tous les objets ayant appartenu à Ambroise, à l'exception de son vieux chapeau qu'elle a oublié. Sans doute parce qu'il était déchiré et sans valeur. »

Mon parrain toussota. Ses épais sourcils se froncèrent.

« Tu ne vas tout de même pas lui reprocher ces livres et ces vêtements, dit-il. Voyons, Philip, c'est tout ce qu'elle a eu.

— Tout ce qu'elle a eu? répétai-je. Que voulez-vous dire?

— Mais je t'ai lu le testament, répondit-il. Le voilà devant toi. C'est le même que celui que j'ai rédigé pour lui, il y a dix ans. Aucun codicille, tu vois, à l'occasion de son mariage. Il ne contient aucun article concernant sa femme. Toute cette dernière année, je m'attendais à recevoir un mot de lui établissant au moins une donation. C'est l'usage. Sans doute son séjour à l'étranger lui avait-il fait négliger ce soin et espérait-il toujours rentrer. Puis sa maladie est venue. Je suis un peu surpris que cet Italien, signor Rainaldi, que tu sembles détester tant, ne mentionne aucune espèce de prétention de la part de Mrs. Ashley. Il témoigne là d'une grande délicatesse.

— Prétention? dis-je. Mais sacredieu, à quoi voulez-vous qu'elle prétende quand nous savons parfaitement que c'est elle qui a causé sa mort?

— Nous ne savons rien de pareil, répliqua mon parrain, et si c'est ainsi que tu t'exprimes au sujet de la veuve de ton cousin, je refuse de t'écouter. »

Il se leva et se mit à rassembler ses papiers.

« Vous croyez donc à cette histoire de tumeur? dis-je.

— Assurément, répondit-il. Voici la lettre de cet Italien, Rainaldi, et le certificat de décès signé par deux docteurs. Je me rappelle la mort de ton oncle Philip, pas toi. Les symptômes étaient analogues. C'est exactement ce que j'ai redouté quand tu as reçu cette lettre d'Ambroise et que tu es parti pour Florence. Le fait que tu es arrivé trop tard pour être d'aucun secours est une de ces calamités auxquelles nul ne peut rien. Il est possible, lorsque j'y songe, que ce n'ait pas été une calamité mais une miséricorde. Tu n'aurais pas aimé le voir souffrir. »

J'aurais pu gifler ce vieux sot, aveugle et têtu.

« Vous n'avez jamais vu la seconde lettre, dis-je, celle qui est arrivée le matin de mon départ. Regardez ça. »

Je l'avais encore. Je la portais toujours sur ma poitrine, dans la poche de ma veste. Je la lui tendis. Il remit ses lunettes et lut.

« Je regrette, Philip, dit-il, mais même ce pauvre et déchirant griffonnage ne peut changer mon opinion. Il faut admettre les faits. Tu aimais Ambroise, moi aussi. J'ai perdu en lui mon meilleur ami. Je suis aussi désolé que toi lorsque je pense à ses souffrances mentales, plus peut-être car je les ai vues chez un autre. Ton malheur, c'est que tu ne veux pas accepter le fait que l'homme que nous avons connu, admiré, aimé n'était plus lui-même au moment de mourir. Il n'était plus responsable de ce qu'il écrivait ou disait.

— Je ne le crois pas, dis-je, je ne peux pas le croire.

— Tu ne veux pas le croire, dit mon parrain, et, dans ce cas, il n'y a rien à ajouter. Mais pour l'amour d'Ambroise et pour l'amour de tous ceux qui l'ont connu et chéri, dans ce domaine et dans ce comté, je dois te demander de ne pas communiquer ta façon de voir à d'autres. Cela ne ferait que causer du chagrin à tous, et si la rumeur en allait jamais jusqu'à sa veuve, où qu'elle se trouve, tu ferais à ses yeux un triste personnage et elle serait tout à fait fondée à te poursuivre en diffamation. Si j'étais son homme d'affaires, comme cet Italien semble l'être, je n'hésiterais pas à l'y engager. »

Je n'avais jamais entendu mon parrain s'exprimer avec tant de force. Il avait raison de dire qu'il n'y avait plus rien à ajouter sur ce sujet. J'avais reçu ma leçon. Je n'y reviendrais plus.

« Si l'on appelait Louise? proposai-je. Voilà assez longtemps qu'elle se promène dans les jardins. Restez donc dîner avec moi tous les deux. »

Mon parrain fut silencieux pendant le repas. Je le sentais encore scandalisé de ce que je lui avais dit. Louise m'interrogea sur mes voyages, me demanda ce que j'avais pensé de Paris, de la campagne française, des Alpes et de Florence, et mes réponses bien insuffisantes remplissaient les lacunes de la conversation. Mais elle avait l'esprit fin et s'aperçut de la contrainte. Après le dîner, mon parrain réunit Seecombe et les domestiques pour leur annoncer les divers legs dont ils étaient bénéficiaires et je me retirai avec elle dans le salon.

« Mon parrain est mécontent de moi », dis-je, et je lui expliquai pourquoi.

Elle me regardait de ce regard critique et interrogateur auquel j'étais habitué, la tête un peu de côté, le menton levé.

« Vous savez, dit-elle lorsque j'eus fini, je crois que vous avez raison. Je pense que ce pauvre Mr. Ashley et sa femme n'ont pas été heureux ensemble et qu'il était trop fier pour vous l'écrire avant de tomber malade. Ensuite, peut-être se sont-ils querellés, tout est arrivé à la fois et, là-dessus, il vous a écrit ces lettres. Qu'est-ce que ses domestiques vous ont dit d'elle? Est-elle jeune ou vieille?

— Je n'ai pas demandé, dis-je. Quelle importance cela a-t-il? La seule chose qui importe, c'est qu'il n'avait pas confiance en elle au moment de mourir. »

Elle acquiesça.

« Ça, c'est terrible, reconnut-elle. Comme il a dû se sentir seul! »

Mon cœur se remplit pour Louise d'une chaude amitié. Peut-être était-ce parce qu'elle était jeune comme moi qu'elle semblait avoir tellement plus d'intuition que son père. Il se faisait vieux, me dis-je, il perdait le jugement.

« Vous auriez dû demander à cet Italien, Rainaldi, comment elle était, dit Louise. Moi je l'aurais fait, ç'aurait été ma première question. Et qu'est-il arrivé au comte, son premier mari? Ne m'avez-vous pas dit qu'il avait été tué en duel? Cela non plus, voyez-vous, ne parle pas en sa faveur. Elle avait probablement des amants. »

Cet aspect de ma cousine Rachel ne s'était pas présenté à mon imagination. Je la voyais seulement malfaisante et semblable à une araignée. Je ne pus m'empêcher de sourire malgré ma haine.

« C'est bien d'une fille de voir partout des amants, dis-je à Louise. Des stylets luisants sous un porche sombre. Des escaliers dérobés. J'aurais dû vous emmener à Florence. Vous en auriez appris bien plus long que moi. »

Elle rougit violemment à mes paroles et je me dis que les filles étaient bien étranges. Même Louise que j'avais toujours connue, ne comprenait pas la plaisanterie.

« En tout cas, dis-je, que cette femme ait eu des centaines d'amants ou non ne me regarde pas. Elle peut bien se cacher à Rome, à Naples ou je ne sais où. Mais, un jour, je la trouverai et elle ne rira pas. »

A ce moment, mon parrain vint nous rejoindre et je n'en dis pas davantage. Il semblait de meilleure humeur.

Sans doute, Seecombe, Wellington et les autres avaient-ils été contents de leurs petits héritages et le brave homme s'en était senti un peu l'auteur.

« Venez me voir bientôt, dis-je à Louise en l'aidant à monter en voiture à côté de son père. Vous me faites du bien. J'aime votre société. »

La sotte rougit de nouveau en regardant son père pour voir comment il prendrait mes paroles, comme si nous ne nous étions pas rendu visite d'innombrables fois depuis notre enfance. Peut-être était-elle impressionnée comme les autres par ma nouvelle dignité et allais-je tout à coup devenir pour elle aussi Mr. Ashley au lieu de Philip. Je rentrai dans la maison en souriant à l'idée de Louise Kendall dont je tirais les cheveux, il n'y a pas tant d'années, me considérant à présent avec respect. Mais je l'oubliai presque aussitôt de même que mon parrain, car j'avais beaucoup à faire chez moi après deux mois d'absence.

Je ne pensais pas revoir mon parrain avant une quinzaine au moins, occupé que j'étais par la moisson et mille autres soins, mais une semaine ne s'était pas écoulée que son valet vint un jour à cheval vers midi me demander de la part de son maître d'aller le voir; il ne pouvait se déplacer lui-même, retenu à la chambre par un léger rhume, mais il avait quelque chose à me dire.

Je ne crus pas l'affaire pressante — nous rentrions

ce jour-là les dernières gerbes — et me rendis chez lui le lendemain après-midi.

Je le trouvai seul dans son cabinet. Louise était sortie. Il avait une curieuse expression, perplexe et mal à l'aise. Je vis qu'il était troublé.

« Eh bien, dit-il, il faut faire quelque chose à présent, et c'est à toi de décider exactement quoi et à quel moment. Elle est arrivée par bateau à Plymouth.

— Qui est arrivée? » demandai-je, mais il me semble que je le savais.

Il me montra un feuillet qu'il tenait à la main.

« J'ai ici, dit-il, une lettre de ta cousine Rachel. »

CHAPITRE VII

Il me tendit la lettre. Je regardai l'écriture sur la page pliée. Je ne sais ce que je m'attendais à voir. Des traits hardis peut-être avec des boucles et des fioritures ou, au contraire, un griffonnage confus et mesquin. Je vis une écriture semblable à beaucoup d'autres sauf que la fin des mots se prolongeait par de petits traits montants qui les rendaient parfois un peu difficiles à déchiffrer.

« Elle ne semble pas savoir que nous avons appris la nouvelle, dit mon parrain. Elle a dû quitter Florence avant que le signor Rainaldi n'eût envoyé sa lettre. Enfin, vois ce que tu en penses. Je te donnerai ensuite mon opinion. »

Je dépliai la lettre. Elle était datée d'une hôtellerie de Plymouth, le treizième jour de septembre.

« Cher Mr. Kendall,

« Quand Ambroise me parlait de vous, ce qui arrivait souvent, je ne pensais guère que ma première communication avec vous serait chargée de tant de tristesse. Je suis arrivée à Plymouth ce matin, venant de Gênes, dans un état de grande affliction et, hélas! seule.

« Mon bien-aimé est mort à Florence le 20 juillet après une maladie courte mais violente dans ses manifestations. On a tenté tout ce qui était humainement possible, mais les meilleurs docteurs que j'ai fait appeler n'ont pas été capables de le sauver. Il y a eu rechute d'une fièvre qu'il avait prise au printemps, mais la fin a été due surtout à une pression sur le cerveau que les docteurs estiment être restée latente pendant des mois puis avoir crû rapidement. Il repose dans le cimetière protestant de Florence, en un site tranquille que j'ai moi-même choisi, un peu à l'écart des autres tombes anglaises, parmi les arbres comme il l'aurait souhaité. De mon chagrin personnel et du grand vide de ma vie, je préfère ne rien dire; vous ne me connaissez pas et je ne veux pas vous affliger de mon malheur.

« Ma première pensée a été pour Philip qu'Ambroise aimait si tendrement et dont le chagrin sera égal au mien. Mon cher ami et conseiller, signor Rainaldi, de Florence, m'a assurée qu'il vous écrirait et vous annoncerait la nouvelle afin qu'à votre tour vous puissiez l'apprendre à Philip, mais je me fie peu à ces courriers d'Italie en Angleterre et j'ai craint que la nouvelle ne vous parvînt pas du tout. D'où mon arrivée dans ce pays. J'apporte avec moi tous les objets personnels d'Ambroise, ses livres, ses vêtements, tout ce que Philip aimera sans doute conserver et qui, de droit, désormais, lui appartient. Si vous voulez bien me dire qu'en faire, comment les expédier et s'il faut ou non que j'écrive moi-même à Philip, je vous en serai profondément reconnaissante.

« J'ai quitté Florence très soudainement, obéissant à une impulsion, et sans regret. Je ne pouvais supporter d'y rester une fois Ambroise parti. Quant à des projets pour l'avenir, je n'en ai point. Après un tel coup, un répit me semble nécessaire. J'avais espéré arriver plus tôt en Angleterre mais j'ai été retenue à Gênes, le bateau qui devait m'emmener n'étant pas en état de naviguer. Je crois qu'il existe encore des membres de ma famille Coryn dispersés en Cornouailles mais, n'en connaissant aucun, je n'ai guère le désir de m'imposer à eux. Je préférerais de beaucoup être seule. Peut-être, après m'être accordé un peu de repos, irai-je jusqu'à Londres et prendrai-je quelques décisions.

« J'attends vos instructions au sujet des objets ayant appartenu à mon mari.

« Très sincèrement à vous.

« Rachel ASHLEY. »

Je lus cette lettre une fois, deux, peut-être trois, puis la rendis à mon parrain. Il attendait mes commentaires. Je ne dis pas un mot.

« Tu vois, commença-t-il enfin, que, pour finir, elle ne garde rien. Pas même un livre ou une paire de gants. Tout est à toi. »

Je ne répondis point.

« Elle ne demande même pas à voir la maison, continua-t-il, la maison qui aurait été la sienne si Ambroise avait vécu. Ce voyage qu'elle vient de faire, tu te rends bien compte que, si les choses avaient été autres, ils l'auraient fait ensemble? Ceci aurait été son arrivée chez elle. Quelle différence, hein? Tous les gens du domaine lui souhaitant la bienvenue, les domestiques joyeux et agités, les visites des voisins... Au lieu de cela, une hôtellerie solitaire à Plymouth. Elle peut être aimable ou non, qu'en sais-je, je ne l'ai jamais vue. Mais il y a un fait : elle ne demande rien, elle ne réclame rien. Pourtant, elle est Mrs. Ashley. Je m'excuse, Philip. Je connais ton opinion, et tu ne veux pas en changer. Mais, en tant qu'ami d'Ambroise et son exécuteur testamentaire, je ne puis ne pas répondre quand sa veuve arrive seule et sans amis dans ce pays. Nous avons une chambre d'ami dans la maison. Elle y sera la bienvenue jusqu'à ce qu'elle ait formé de nouveaux projets. »

Je m'approchai de la fenêtre. Il paraît que Louise n'était pas sortie. Un panier au bras, elle coupait les fleurs mortes du parterre. Elle leva la tête, me vit et agita la main. Je me demandai si mon parrain lui avait lu la lettre.

« Eh bien, Philip? dit-il. Tu peux lui écrire ou non à ton gré. Je ne pense pas que tu aies envie de la voir et, si elle accepte mon invitation, je ne te demanderai pas de venir ici pendant son séjour. Mais il faut au moins lui faire tenir un message de ta part, un remerciement des choses qu'elle te rapporte. Je pourrai le mentionner en post-scriptum quand je lui écrirai. »

Je quittai la fenêtre et le regardai.

« Pourquoi imaginez-vous que je ne désire pas la voir? demandai-je. Je le désire vivement au contraire. Si elle est impulsive, comme il semble d'après cette lettre — je me rappelle que Rainaldi me l'a dit également — eh bien, moi aussi j'obéirai à mes impulsions. N'est-ce pas une impulsion qui m'a fait partir pour Florence?

— Et alors? demanda mon parrain, le sourcil froncé et le regard méfiant.

— Quand vous écrirez à Plymouth, repris-je, dites que Philip Ashley savait déjà la mort d'Ambroise. Qu'il s'était rendu à Florence au reçu de deux lettres, qu'il a visité la villa Sangalletti, vu les domestiques, parlé au cher ami et conseiller, signor Rainaldi, et qu'il est de retour. Dites que c'est un homme simple et qui mène une existence simple. Qu'il n'a pas de belles manières, pas de conversation, qu'il est peu accoutumé à la société des femmes et même à la société tout court. Si, toutefois, elle souhaite de connaître et visiter le foyer de son défunt époux, la maison de Philip Ashley est à la disposition de sa cousine Rachel quand il lui plaira d'y séjourner. »

Je m'inclinai, la main sur le cœur.

« Je n'aurais jamais cru que tu deviendrais aussi dur, dit lentement mon parrain. Que t'est-il arrivé?

— Il ne m'est rien arrivé, dis-je, sinon que je flaire l'odeur du sang, tel un cheval de bataille. Avez-vous oublié que mon père était soldat? »

Je sortis dans le jardin retrouver Louise. Les récentes nouvelles la tourmentaient plus que moi. Je lui pris la main et l'entraînai vers la serre. Nous nous y installâmes comme deux conspirateurs.

« Votre maison n'est pas en état de recevoir qui que ce soit, commença-t-elle aussitôt, sans parler d'une femme comme la comtesse, comme Mrs. Ashley. Vous voyez, je ne peux pas m'empêcher de l'appeler comtesse moi aussi, cela vient plus naturellement. Voyons, Philip, voilà vingt ans qu'aucune femme n'y a habité! Quelle chambre lui donnerez-vous? Et pensez à la poussière! Pas seulement en haut mais même dans le salon. Je l'ai remarqué la semaine dernière.

— Tout ça n'a aucune importance, dis-je avec impatience. Elle n'aura qu'à épousseter si ça la gêne. Plus la maison lui déplaira plus je serai content. Qu'elle connaisse enfin la vie heureuse et insouciante que nous menions Ambroise et moi. Rien de pareil à sa villa...

— Oh! mais vous avez tort, s'écria Louise. Il ne faut tout de même pas que vous passiez pour un rustre et un ours. Cela vous mettrait en état d'infériorité avant même de lui avoir parlé. N'oubliez pas qu'elle a passé toute sa vie sur le continent, qu'elle est habituée à de grands raffinements, à de nombreux serviteurs — on dit que les domestiques étrangers sont bien meilleurs que les nôtres — et elle a sûrement apporté de nombreuses toilettes, peut-être des bijoux, en outre des objets personnels de Mr. Ashley. Elle a dû l'entendre tellement parler de la maison qu'elle s'attend sûrement à quelque chose de très beau, dans le genre de sa villa. Alors, ce désordre, cette poussière, cette odeur de chenil, vous ne voulez pas lui montrer cela, Philip, quand ce ne serait qu'en mémoire d'Ambroise? »

Pardieu, je me mis en colère.

« Que diable voulez-vous dire? fis-je. Ma maison sentir le chenil? C'est une maison d'homme, simple et commode, et elle le restera, Dieu le veuille. Ni Ambroise ni moi n'avons jamais eu le goût des meubles de fantaisie, et des petits bibelots qui tombent et se brisent pour peu qu'on donne du genou contre la table. »

Elle eut la bonne grâce de paraître contrite.

« Je vous demande pardon, dit-elle, je ne voulais pas vous offenser. Vous savez bien que j'adore votre maison. Mais je ne peux pas m'empêcher de dire ce que je pense sur la façon dont elle est tenue. On n'y renouvelle jamais rien. Elle manque de chaleur et aussi, oui, de confort, il faut bien le dire. »

Je songeai au salon luisant et bien rangé où elle faisait passer les soirées à mon parrain. Je savais ce que je préférais, et lui aussi sans doute, de cette pièce ou de ma bibliothèque.

« Tant pis pour le manque de confort, dis-je. Ambroise s'en contentait, moi aussi, et je pense que, pour quelques jours — quel que soit le temps qu'elle daigne m'honorer de sa présence — ma cousine Rachel s'en contentera également. »

Louise me regarda en secouant la tête.

« Vous êtes incorrigible, dit-elle. Si Mrs. Ashley est la femme que j'imagine, après un regard sur la maison, elle ira se réfugier à Saint-Anstell ou chez nous.

— Je ne vous la disputerai pas, dis-je, quand j'en aurai fini avec elle. »

Louise me regarda avec curiosité.

« Oserez-vous vraiment l'interroger? demanda-t-elle. Par où commencerez-vous? »

Je haussai les épaules.

« Je ne puis savoir avant de l'avoir vue. Elle essayera de s'en tirer en fanfaronnant, j'en suis persuadé, ou alors, elle jouera la grande émotion, gémira, aura des crises de nerfs. Cela ne me gêne pas. Je la regarderai se débattre avec plaisir.

— Je ne crois pas qu'elle fanfaronnera, dit Louise, ni qu'elle aura des crises de nefs. Elle entrera simplement dans la maison, et prendra les rênes en main. N'oubliez pas qu'elle est habituée à donner des ordres.

— Elle n'en donnera pas chez moi.

— Pauvre Seecombe! J'aimerais bien voir la figure qu'il fera. Elle lui jettera des choses à la tête s'il ne vient pas dès qu'elle sonne. Les Italiennes sont très passionnées, vous savez, très emportées. Je l'ai toujours entendu dire.

— Elle n'est Italienne qu'à demi, lui rappelai-je, et je crois Seecombe fort capable de se défendre. Peut-être pleuvra-t-il pendant trois jours et sera-t-elle clouée au lit par les rhumatismes. »

Nous rîmes ensemble dans la serre comme deux enfants, mais j'avais le cœur moins léger que je ne voulais le faire croire. J'avais jeté l'idée de l'invitation comme un défi et je crois que je le regrettais déjà mais je n'en dis rien à Louise. Je le regrettai encore davantage, de retour à la maison, lorsque je regardai autour de moi. Ciel! qu'avais-je fait là! Seul le respect humain m'empêcha de retourner chez mon parrain le prier de ne joindre aucun message de ma part lorsqu'il écrirait à Plymouth.

Qu'allais-je faire de cette femme dans ma maison? Que lui dirais-je, en vérité? Quelle attitude prendrais-je? Si Rainaldi avait eu réponse à tout, elle serait encore mieux préparée que lui. L'attaque directe ne réussirait peut-être pas et, d'ailleurs, qu'avait dit l'Italien à propos de ténacité et de femmes lutteuses? Si elle devait se montrer vulgaire et forte en gueule, je croyais savoir comment lui fermer la bouche. Un garçon de ferme s'était laissé empêtrer d'une commère de ce genre qui prétendait le poursuivre en rupture de promesse de mariage; je n'avais pas mis longtemps à la renvoyer dans son Devon natal. Mais mielleuse, insinuante, le buste lourd et le regard innocent, saurais-je comment la traiter? Je le croyais. J'avais rencontré ce genre de femmes à Oxford et j'avais découvert qu'une extrême franchise de propos allant jusqu'à la brutalité les faisait prestement rentrer sous terre. Non, tout bien considéré, j'étais assez sûr de moi, assez persuadé que, une fois en face de ma cousine Rachel, je n'aurais pas de peine à trouver ma langue. Mais les préparatifs pour la recevoir m'assommaient et la comédie de courtoisie avant le recours aux armes.

A ma grande surprise, Seecombe accueillit sans

déplaisir l'idée de cette visite. On eût presque dit qu'il s'y attendait. Je lui annonçai brièvement que Mrs. Ashley était arrivée en Angleterre, apportant avec elle les effets de Mr. Ambroise et qu'il était possible qu'elle vînt faire chez nous un court séjour avant la fin de la semaine. Sa lèvre inférieure ne fit pas la lippe comme c'était l'habitude lorsqu'il était préoccupé et il m'écouta gravement.

« Oui, Monsieur, dit-il, c'est tout naturel. Nous serons tous heureux de recevoir Mrs. Ashley. »

Je le regardai par-dessus ma pipe, amusé par son air cérémonieux.

« Je pensais, dis-je, que vous étiez comme moi et que vous ne teniez pas à voir des femmes dans la maison. Vous parliez tout autrement quand je vous ai annoncé que Mr. Ambroise était marié et qu'elle allait être maîtresse ici. »

Il parut choqué. Cette fois la lèvre se gonfla.

« Ce n'était pas la même chose, Monsieur, dit-il; depuis il y a eu cette tragédie. La pauvre dame est veuve. Mr. Ambroise aurait aimé que nous fassions tout ce que nous pouvons pour elle, surtout qu'il paraît — il toussa discrètement — que Mrs. Ashley n'a retiré aucun avantage du testament. »

Je me demandai comment diable il savait cela et lui posai la question.

« Tout le monde en parle, Monsieur, dit-il. Tout le domaine. Vous héritez de tout, Mr. Philip, et la veuve n'a rien. Ce n'est pas l'usage, voyez-vous. Dans toutes les familles, riches ou pauvres, il y a toujours une donation à la veuve.

— Je m'étonne, Seecombe, dis-je, que vous prêtiez l'oreille à des commérages.

— Ce ne sont pas des commérages, Monsieur, répondit-il avec dignité. Ce qui concerne la famille Ashley nous concerne tous. Nous autres domestiques n'avons pas été oubliés. »

Je me le représentai tenant conseil dans son appartement des communs, le bureau de l'intendant comme on l'appelait de temps immémorial. Venaient y bavarder et boire un verre de bière, Wellington le vieux cocher, Tamlyn le chef jardinier, et le premier bûcheron — aucun des jeunes serviteurs n'était évidemment admis — et l'on discutait du testament que j'avais cru si secret, avec des airs perplexes et des hochements de tête.

« Il ne s'agit pas d'oubli, dis-je sèchement. Mr. Ashley était à l'étranger, trop loin d'ici pour pouvoir s'occuper de ses affaires. Il ne s'attendait pas à mourir là-bas. S'il était rentré, les choses se seraient passées autrement.

— Oui, Monsieur, dit-il, c'est ce que nous pensions. »

Oh! et puis, ils pouvaient bien continuer à faire des mines et des petits claquements de langue en s'interrogeant sur les raisons du testament, cela n'y changerait rien. Mais je me demandai dans un éclair soudain d'amertume ce qu'aurait été leur attitude à mon égard si, après tout, je n'avais pas hérité du domaine. Leur déférence subsisterait-elle? Leur estime? Leur fidélité? Ou bien eussé-je été le jeune Master Philip, un parent pauvre occupant une petite chambre au fond d'un couloir de la maison? Je vidai les cendres de ma pipe, elle était sèche et sentait la poussière. Combien y avait-il de gens, me demandai-je, qui m'aimaient et me servaient pour moi-même?

« C'est bon, Seecombe, dis-je. Je vous préviendrai si Mrs. Ashley décide de venir. Je ne sais trop quelle chambre lui donner. Je m'en remets à vous là-dessus.

— Oh! mais, Mr. Philip, dit Seecombe ne pouvant retenir sa surprise, il faudra donner à Mrs. Ashley la chambre de Mr. Ashley. Ça se doit. »

Je le regardai, trop choqué pour lui répondre, puis, craignant que mes sentiments ne se marquassent sur mes traits, je détournai le visage.

« Non, dis-je, c'est impossible. C'est moi qui vais m'installer dans la chambre de Mr. Ashley. Je voulais vous en parler. J'ai décidé cela il y a quelques jours. »

C'était un mensonge. Je n'y avais jamais pensé avant cet instant.

« Très bien, Monsieur, dit-il. Dans ce cas, la chambre bleue avec le cabinet de toilette pourront convenir à Mrs. Ashley. »

Et il se retira.

Bon Dieu, pensai-je, installer cette femme dans la chambre d'Ambroise! Quel sacrilège! Je me jetai dans mon fauteuil et mordis le tuyau de ma pipe. Je me sentais irrité, mal à l'aise, malade de toute cette histoire. C'était folie d'avoir envoyé cette invitation par mon parrain, folie de la faire venir dans cette maison. Pourquoi, au nom du Ciel, m'étais-je lancé dans une telle entreprise? Et ce nigaud de Seecombe avec ses idées sur ce qui se devait et sur ce qui ne se devait pas!...

L'invitation fut acceptée. Elle répondit à mon parrain et non à moi. Ce que Seecombe eût sans doute estimé parfaitement convenable. L'invitation n'avait pas été lancée directement par moi, il fallait donc y répondre par le même canal. Elle se tiendrait prête, disait-elle, quand il nous conviendrait de la faire chercher ou, au cas où cela ne nous conviendrait pas, elle viendrait par la malle-poste. Je répondis, toujours par le truchement de mon parrain, que je lui enverrais la berline le vendredi. Il n'y avait plus à revenir là-dessus.

Le vendredi vint trop vite. Un jour au temps instable avec des bourrasques. Cela arrivait souvent à la troisième semaine de septembre en temps de grandes marées. Les nuages étaient bas et chevauchaient à travers le ciel, venant du sud-ouest, avec une menace de pluie pour la soirée. J'espérais bien qu'il pleuvrait. Une de nos pluies torrentielles avec un peu de tempête par-dessus le marché. Le souhait de bienvenue de notre province d'Ouest. Rien des cieux d'Italie. J'avais fait partir Wellington et les chevaux la veille. Ils passeraient la nuit à Plymouth et la ramèneraient. Depuis que j'avais annoncé aux domestiques l'arrivée de Mrs. Ashley, une activité nouvelle régnait dans la maison. Même les chiens la sentaient et me suivaient partout. Seecombe me faisait penser à un vieux prêtre qui, après être resté des années à l'écart de toute cérémonie religieuse, se remet soudain à célébrer des rites oubliés. Il allait et venait, mystérieux, solennel, d'un pas silencieux — il s'était acheté des pantoufles à semelles de feutre — et des pièces d'argenterie que je n'avais vue de ma vie faisaient leur apparition dans la salle à manger et venaient garnir la table et le buffet. Reliques sans doute du temps de mon oncle Philip. Grands candélabres, sucriers, timbales et jusqu'à une coupe d'argent remplie — Dieu me pardonne — de roses, et posée au milieu du surtout.

« Depuis quand, lui demandai-je, célébrez-vous les offices? N'oubliez pas l'encens et l'eau bénite! »

Pas un muscle de son visage ne remua. Il recula d'un pas pour juger de l'ordonnance des reliques.

« J'ai dit à Tamlyn d'apporter des fleurs du jardin, dit-il. Les valets sont en train de les trier. Il nous faudra des fleurs dans le salon, dans la chambre bleue, le cabinet de toilette et le boudoir. »

Il fronça le sourcil en regardant le jeune John, le valet d'office, qui s'avançait, ployant sous le poids d'une seconde paire de candélabres.

Les chiens me regardaient, désolés. L'un d'eux alla se cacher sous la banquette du vestibule. Je montai à la chambre bleue. Dieu seul sait quand j'y avais pénétré pour la dernière fois. Nous n'avions jamais de visiteur et elle restait associée dans ma pensée avec une partie de cache-cache et une lointaine journée de Noël où Louise était venue avec mon parrain. Je me rappelais m'être glissé dans la chambre silencieuse et caché sous le lit dans la poussière. Il me souvenait vaguement qu'Ambroise avait dit un jour que c'était la chambre de tante Phoebé, que tante Phoebé était ensuite allée habiter le comté de Kent et y était morte.

Il ne restait plus trace d'elle à présent. Les valets, sous la direction de Seecombe, avaient travaillé dur et balayé tante Phoebé avec la poussière des ans. Les fenêtres étaient ouvertes sur le parc et le soleil matinal brillait sur les tapis bien battus. Du linge frais, d'une finesse qui m'était inconnue, garnissait le lit. Cette toilette et ce broc avaient-ils toujours été, me demandai-je, dans le cabinet de toilette adjacent? Et cette chaise longue faisait-elle partie du mobilier? Je ne me rappelais aucun de ces objets, mais je ne me rappelais pas non plus tante Phoebé qui avait émigré dans le comté de Kent avant ma naissance. Bah! ce qui lui avait servi pouvait bien servir à la cousine Rachel.

La troisième pièce, communiquant avec la chambre par une arcade et complétant l'appartement, avait été le boudoir de tante Phoebé. Là aussi l'on avait balayé, l'on avait ouvert les fenêtres. Je crois bien que là non plus je n'étais pas entré depuis l'époque des jeux de cache-cache. Il y avait un portrait d'Ambroise au mur, au-dessus de la cheminée, peint lorsqu'il était jeune homme. Je ne connaissais même pas son existence et il avait dû l'oublier. Si le tableau avait été l'œuvre d'un peintre célèbre, il aurait figuré en bas au milieu des autres portraits de famille; le fait qu'on l'eût relégué ici dans une pièce où l'on n'entrait jamais indiquait qu'on ne le tenait pas en grande estime. Ambroise y était debout, son fusil sous le bras, un perdreau dans la main gauche. Ses yeux regardaient dans les miens et la bouche esquissait un sourire. Il portait les cheveux plus longs que je ne les lui avais jamais vus. Il n'y avait rien de bien frappant ni dans la peinture ni dans le visage qu'elle représentait. Une chose pourtant : son étrange ressemblance avec moi. Je regardai le miroir puis, de nouveau, le portrait; la seule différence était dans la fente des yeux un peu plus étroite que chez moi, et dans la teinte plus sombre des cheveux. Nous aurions pu être frères, presque jumeaux, le jeune homme du portrait et moi. Cette soudaine découverte de notre ressemblance me réconforta. J'avais l'impression que le jeune Ambroise me souriait et disait : « Je suis avec toi. » Et le vieil Ambroise lui aussi me paraissait tout proche. Je refermai la porte derrière moi et, traversant de nouveau le cabinet de toilette et la chambre bleue, redescendis l'escalier.

J'entendis un bruit de roues dans l'avenue. C'était Louise venue en charrette, de grandes gerbes de reines-marguerites et de dahlias posées sur le siège à côté d'elle.

« Pour le salon, cria-t-elle en m'apercevant. J'ai pensé que Seecombe serait content. »

Seecombe qui passait à ce moment dans le vestibule avec son escorte d'acolytes, parut froissé. Il s'arrêta, très raide, tandis que Louise entrait dans la maison en portant ses fleurs.

« Il ne fallait pas vous donner la peine, Miss Louise, dit-il. J'ai tout arrangé avec Tamlyn. On a fait apporter du jardin toutes les fleurs dont on avait besoin.

— Je les disposerai donc, dit Louise, vos garçons

ne feraient que casser les vases. J'espère que vous avez des vases, ou bien a-t-on fourré les fleurs dans des pots à confiture? »

Le visage de Seecombe était un modèle de dignité blessée. Je me hâtai de pousser Louise dans la bibliothèque et refermai la porte.

« J'ai pensé, dit Louise à voix basse, que vous voudriez peut-être que je reste ici pour surveiller les préparatifs et accueillir Mrs. Ashley. Père serait venu aussi mais il n'est pas très bien et avec ce temps menaçant j'ai trouvé qu'il valait mieux qu'il ne sorte pas. Qu'en dites-vous? Dois-je rester? Ces fleurs n'étaient qu'un prétexte. »

Je me sentais un peu agacé qu'elle et mon parrain me jugeassent si incapable, et le pauvre Seecombe aussi qui travaillait comme un nègre depuis trois jours.

« C'est aimable à vous de le proposer, dis-je, mais tout à fait inutile. Nous suffisons parfaitement. »

Elle parut déçue. Elle brûlait évidemment de curiosité et du désir de voir ma visiteuse. Je ne lui dis pas que je n'avais point l'intention d'être à la maison à son arrivée.

Louise regarda la pièce d'un œil critique mais ne fit pas de commentaires. Sans doute releva-t-elle beaucoup d'erreurs mais elle eut la bonne grâce de n'en rien dire.

« Vous pouvez monter voir la chambre bleue, si vous voulez, dis-je pour atténuer sa déception.

— La chambre bleue? dit Louise. C'est celle qui

donne à l'est au-dessus du salon n'est-ce pas? Vous ne lui offrez donc pas la chambre de Mr. Ashley?

— Non, dis-je. C'est moi qui habite la chambre d'Ambroise. »

L'insistance que tout le monde mettait à vouloir offrir la chambre d'Ambroise à sa veuve, ranima mon irritation.

« Si vous tenez vraiment à arranger les fleurs, demandez des vases à Seecombe, dis-je en me dirigeant vers la porte. J'ai une foule de choses à faire dehors et resterai absent presque toute la journée. »

Elle ramassa les fleurs en me regardant.

« Vous êtes énervé, dit-elle.

— Je ne suis pas énervé, dis-je. J'ai seulement besoin d'être seul. »

Elle rougit et se détourna et j'éprouvai le mouvement de conscience qui me tourmente toujours quand j'ai blessé quelqu'un.

« Pardon, Louise, dis-je en lui tapotant l'épaule, ne faites pas attention à moi. Et merci d'être venue, d'avoir apporté des fleurs et d'avoir proposé de rester.

— Quand vous reverrai-je pour que vous me parliez de Mrs. Ashley? demanda-t-elle. Vous savez que je vais brûler de tout savoir. Naturellement, si père est mieux, nous descendrons à l'église dimanche, mais toute la journée demain je vais me demander...

— Vous demander quoi? fis-je. Si j'ai jeté ma cousine Rachel par-dessus la falaise? J'en serais capable si elle m'agace trop. Ecoutez, pour vous faire plaisir, j'irai demain à cheval jusqu'à Pelyn rien que pour vous la décrire. Cela vous suffit?

— Cela sera parfait », répondit-elle en souriant et elle alla chercher Seecombe pour lui demander des vases.

Je sortis toute la matinée et rentrai vers deux heures, affamé par ma chevauchée. J'avalai de la viande froide et un verre de bière. Louise était partie. Seecombe et les valets finissaient leur repas de midi dans leur salle. Je mangeai mon sandwich de viande et de pain, seul, debout dans la bibliothèque. Seul pour la dernière fois, songeai-je. Le soir même elle serait là, soit dans sa chambre, soit dans le salon, présence inconnue et hostile, pesant sur mes murs, ma maison. Elle venait comme une intruse dans mon foyer. Je ne voulais pas d'elle. Je ne voulais ni d'elle ni d'aucune femme aux yeux perçants, aux doigts avides, s'imposant dans l'atmosphère intime qui n'était qu'à moi. La maison était calme et silencieuse et j'en faisais partie, je lui appartenais comme Ambroise lui avait appartenu et lui appartenait encore, présent parmi ses ombres. Nous n'avions besoin de personne d'autre pour troubler le silence.

Je regardai autour de moi, presque avec un regard d'adieu, puis sortis de la maison et m'enfonçai dans les bois.

J'avais calculé que Wellington ne ramènerait pas la voiture avant cinq heures, je décidai donc de rester dehors jusqu'à six heures sonnées. On m'attendrait pour dîner. Seecombe avait ses ordres. Si elle avait faim, elle garderait son appétit jusqu'au retour du maître de maison. Cela me faisait plaisir de l'imaginer assise seule dans le salon, en toilette, pleine du sentiment de son importance, sans une âme pour la recevoir.

Je continuai à me promener dans le vent et la pluie, montant l'avenue vers le carrefour des Quatre-Chemins, marchant vers l'est jusqu'aux limites de notre terre, puis redescendant à travers bois pour gagner les fermes isolées où j'eus soin de m'arrêter et bavarder un moment avec les fermiers à seule fin de tuer le temps. Je longeai ensuite le parc et passai les coteaux pour rentrer enfin par les champs de Barton comme le crépuscule commençait. J'étais trempé mais peu m'importait.

J'ouvris la porte du vestibule et entrai dans la maison. Je m'attendais à y trouver les signes d'une arrivée, des caisses et des malles, des couvertures de voyage, des paniers; tout y était comme d'habitude.

Un feu brûlait dans la bibliothèque mais la pièce était vide. Dans la salle à manger, un seul couvert. Je sonnai Seecombe.

« Eh bien? » dis-je.

Il arborait son air nouveau d'importance et parlait d'un ton mesuré.

« Madame est arrivée, dit-il.

— Je m'en doute, répondis-je, il doit être près de sept heures. A-t-elle apporté des bagages? Qu'en avez-vous fait?

— Madame a apporté peu de choses personnelles, dit-il. Les caisses et les malles étaient celles de Mr. Ambroise. On les a toutes montées dans votre ancienne chambre, Monsieur.

— Ah! » dis-je.

Je m'approchai du feu et repoussai une bûche du pied. Je n'aurais pour rien au monde avoué que mes mains tremblaient.

« Où est Mrs. Ashley? demandai-je.

— Madame s'est retirée dans sa chambre, Monsieur, dit-il. Elle semblait lasse et vous prie de l'excuser si elle ne descend pas dîner. Je lui ai fait porter un plateau il y a à peu près une heure. »

J'éprouvai un soulagement à ces paroles, mais aussi une espèce de déception.

« Comment s'est passé son voyage? demandai-je.

— Wellington dit que la route après Lisbeard était mauvaise, Monsieur, répondit-il, et il faisait grand vent. L'un des chevaux s'est déferré et ils ont dû aller chez le maréchal-ferrant avant d'atteindre Lostwithiel.

— Hum. »

Je me tournai, le dos au feu, pour me chauffer les mollets.

« Vous êtes très mouillé, Monsieur, dit Seecombe. Vous devriez changer de vêtements ou vous prendrez froid.

— J'y vais », répondis-je.

Puis, regardant autour de moi :

« Où sont les chiens?

— Je crois qu'ils ont suivi Madame en haut, dit-il, Don, en tout cas. Les autres, je ne suis pas sûr. »

Je continuai à me chauffer les mollets. Seecombe parla encore un instant des chiens pour prolonger la conversation.

« Bien, dis-je, je vais prendre un bain et me changer. Dites à un des garçons de me monter de l'eau chaude. Je dînerai dans une demi-heure. »

Je dînai seul ce soir-là devant les candélabres fraîchement polis et la coupe d'argent remplie de roses. Seecombe se tenait derrière ma chaise, mais nous ne parlions point. Le silence devait être un supplice pour lui, car je savais combien il avait envie de commenter la nouvelle arrivée. Tant pis, il n'avait qu'à patienter un peu, il pourrait s'en donner à cœur joie plus tard dans le bureau de l'intendant.

Comme je finissais de dîner, John entra dans la pièce et lui dit quelques mots à voix basse. Seecombe s'approcha de la table et se pencha sur mon épaule.

« Madame vous fait dire que, si vous désirez la voir quand vous aurez dîné, elle sera heureuse de vous recevoir, dit-il.

— Merci, Seecombe. »

Quand ils eurent quitté la pièce, je fis une chose qui n'était guère dans mes habitudes, sauf après une grande fatigue, après une longue chevauchée par exemple, une journée de chasse particulièrement exténuante ou bien une tempête d'été essuyée sur le voilier en compagnie d'Ambroise. Je m'approchai du buffet et me versai un verre d'eau-de-vie. Après quoi je montai l'escalier et allai frapper à la porte du petit boudoir.

CHAPITRE VIII

Une voix basse, à peine perceptible, me pria d'entrer. Bien que la nuit fût tombée et qu'on eût allumé les bougies, les rideaux n'étaient pas tirés et elle était assise devant la fenêtre, regardant le jardin. Elle me tournait le dos, ses mains étaient croisées sur ses genoux. Elle avait dû croire que c'était un domestique qui avait frappé, car elle ne bougea pas à mon entrée. Don était couché devant le feu, le museau entre ses pattes, les deux jeunes chiens à côté de lui. Rien n'avait changé dans la pièce, il n'y avait ni tiroirs ouverts au petit bureau, ni vêtements jetés sur des sièges, rien du désordre d'une récente arrivée.

« Bonsoir », dis-je, et ma voix sonna contrainte et sans naturel dans la petite pièce. Elle se retourna, se leva aussitôt et vint à moi. Cela se passa si rapidement que je n'eus pas le temps de rassembler les cent images que je m'étais faites d'elle au cours des dix-huit mois qui venaient de s'écouler. La femme qui m'avait poursuivi à travers les nuits et les jours, qui avait hanté mes veilles et troublé mes rêves, était à présent près de moi. Ma première impression fut presque de stupéfaction à la trouver si petite. Elle m'arrivait à peine à l'épaule. Elle n'avait ni la taille ni la carrure de Louise.

Elle était vêtue d'un noir mat qui retirait toute couleur à son visage, et il y avait de la dentelle à son cou et à ses poignets. Ses cheveux étaient bruns, partagés par une raie au milieu et noués en chignon sur la nuque, ses traits étaient nets et réguliers. La seule chose qu'elle eût de grand, c'était les yeux qui, à ma vue, s'élargirent avec un regard qui semblait soudain me reconnaître, surpris comme les yeux d'une biche, puis passèrent de là à la stupéfaction et de la stupéfaction au chagrin et presque à la terreur. Je vis le sang affluer à son visage puis s'en retirer. Je pense que je lui causais un choc égal à celui qu'elle avait provoqué en moi. Il eût été difficile de dire lequel de nous était le plus agité, le moins à l'aise.

Je baissai les yeux vers elle, elle leva les siens vers moi, et un moment s'écoula avant qu'aucun de nous parlât. Quand nous le fîmes ce fut ensemble.

« J'espère que vous êtes un peu reposée », dis-je avec raideur, et elle : « Je vous dois des excuses », puis elle répondit rapidement à mon ouverture par un « merci, Philip, mais oui », et s'approchant du feu, elle s'assit sur un tabouret bas et me désigna un fauteuil en face d'elle. Don, le vieil épagneul, s'étira et bâilla puis, s'asseyant sur son séant, mit la tête sur ses genoux.

« C'est Don, n'est-ce pas? dit-elle en posant la main sur son museau. Et il a quatorze ans.

— Oui, dis-je, son anniversaire tombe une semaine avant le mien.

— Vous l'avez trouvé dans une croûte de pâté à votre petit déjeuner, dit-elle. Ambroise s'était caché derrière le paravent de la salle à manger et vous regardait ouvrir le vol-au-vent. Il m'a dit qu'il n'avait jamais oublié votre air de stupéfaction lorsque vous avez soulevé le couvercle et que Don est sorti. Vous aviez dix ans et c'était le 1er avril. »

Elle cessa, pour me sourire, de regarder Don qu'elle caressait, et, à ma grande confusion, je vis dans ses yeux des larmes qui disparurent aussitôt.

« Je vous dois des excuses pour n'être pas descendue dîner, dit-elle. Vous avez fait tant de préparatifs pour moi et vous avez dû vous dépêcher de rentrer bien plus tôt que vous n'auriez voulu. Mais j'étais très lasse. J'aurais été une piètre convive. J'ai pensé que vous préféreriez dîner seul. »

Je me rappelai comme j'avais piétiné à travers le domaine à seule fin de la faire attendre et ne répondis rien. L'un des jeunes chiens se réveilla et me lécha la main. Je lui tirai les oreilles pour me donner une contenance.

« Seecombe m'a dit combien vous êtes occupé et toute la besogne que vous avez, dit-elle. Je ne veux pas que ma visite vous dérange le moins du monde. Je trouverai très bien mon chemin toute seule ici et j'en serai très heureuse. Il ne faut pas que vous changiez quoi que ce soit pour moi à votre journée de demain. Je veux seulement vous dire une chose et c'est : merci, Philip, de m'avoir laissée venir. Cela n'a pas dû vous être facile. »

Elle se leva et alla à la fenêtre pour fermer les rideaux. La pluie battait aux vitres. Peut-être aurais-je dû la devancer et tirer les rideaux à sa place... Je me levai gauchement en esquissant un geste dans ce sens mais il était trop tard. Elle revint près du feu et nous reprîmes nos sièges.

« Ç'a été une impression bien étrange, dit-elle, de rouler à travers le parc et d'arriver à la maison où Seecombe m'attendait, debout près de la porte. J'avais fait cela si souvent en imagination, voyez-vous. Tout était exactement comme je me le figurais. Le vestibule, la bibliothèque, les tableaux des murs. L'horloge sonnait quatre heures quand la voiture s'est arrêtée devant la porte; je connaissais jusqu'à ce son. »

Je continuais à jouer avec les oreilles du petit chien. Je ne la regardais pas.

« Le soir, à Florence, dit-elle, l'été dernier et l'hiver, avant qu'Ambroise tombât malade, nous parlions du voyage de retour. C'étaient ses moments les plus heureux. Il me décrivait les jardins et les bois et le chemin qui mène à la mer. Nous avions toujours eu l'intention de rentrer par la route que j'ai prise, c'est pour cela que je l'ai prise. De Gênes à Plymouth, puis la voiture venait nous chercher là, conduite par Wellington, pour nous amener ici. Vous avez été bon de faire cela, de savoir ce que j'éprouverais. »

Je me sentais assez sot, mais je retrouvai ma langue.

« Je crains que le chemin n'ait été plutôt mauvais, dis-je, et Seecombe m'a raconté que vous avez dû vous arrêter à la forge pour ferrer un des chevaux. J'en suis désolé.

— Cela ne m'a pas gênée, dit-elle. J'étais très bien là, assise auprès du feu à regarder l'homme travailler et bavardant avec Wellington. »

Son ton était calme à présent. Sa nervosité était dissipée, en admettant qu'elle eût jamais existé. Je n'aurais su le dire. Il me semblait à présent que si quelqu'un était en faute, c'était moi, car je me sentais encombrant et gauche dans cette petite pièce, dans ce fauteuil de poupée. Il n'y a rien qui s'oppose autant à des manières aisées que d'être mal assis et je me demandais quelle figure je faisais, ployé dans ce méchant petit fauteuil avec mes grands pieds disgracieusement allongés et mes longs bras pendants.

« Wellington m'a montré au passage la maison de Mr. Kendall, dit-elle, et je me suis demandé un instant s'il ne serait pas convenable et poli de lui présenter mes devoirs. Mais il était tard et les chevaux venaient de loin et puis, très égoïstement, j'avais hâte d'être... ici. »

Elle avait pris un temps avant de dire « ici » et j'eus l'impression qu'elle avait été sur le point de dire « à la maison » mais s'était retenue.

« Ambroise m'avait tout si bien décrit, dit-elle, depuis le vestibule d'entrée jusqu'à toutes les chambres de la maison. Il me les avait même dessinées, de sorte que je crois bien que je m'y promènerais aujourd'hui les yeux bandés. »

Elle se tut un instant puis elle dit :

« Vous avez fait preuve de divination en me réservant cet appartement. C'est celui que nous pensions occuper ensemble. Ambroise désirait vous laisser sa chambre et Seecombe m'a dit que vous vous y étiez installé. Ambroise en serait heureux.

— J'espère que vous y serez à votre aise, dis-je. Je crois que personne n'a habité ici depuis une certaine tante Phoebé.

— Tante Phoebé qui tomba éperdument amoureuse d'un pasteur et s'en alla à Tonbridge pour panser son cœur brisé, dit-elle. Le cœur brisé était solide et tante Phoebé prit un rhume qui dura vingt ans. Vous ne connaissez pas cette histoire?

— Non », dis-je et je la regardai sous mes paupières.

Elle regardait le feu et souriait, à la pensée de tante Phoebé sans doute. Ses mains étaient croisées sur ses genoux. Je n'avais jamais vu de mains si petites à une adulte. Elles étaient fines et très étroites, comme celles d'un portrait peint par un vieux maître et laissé inachevé.

« Et alors? dis-je. Qu'arriva-t-il à tante Phoebé?

— Le rhume la laissa au bout de vingt ans, à la vue d'un autre pasteur. Mais, à cette époque, tante Phoebé avait quarante-cinq ans et son cœur était moins fragile. Elle épousa le second pasteur.

— Le mariage fut-il heureux?

— Non, dit ma cousine Rachel, elle mourut pendant sa nuit de noces... d'émotion. »

Elle se tourna vers moi, la bouche mobile mais les

yeux toujours graves, et j'eus soudain une vision d'Ambroise racontant cette histoire comme il devait l'avoir fait, assis de travers dans son fauteuil, les épaules secouées par la gaieté, tandis qu'elle levait les yeux vers lui tout à fait comme en ce moment et réprimait son rire. Je ne pus m'en empêcher : je souris à cousine Rachel, quelque chose changea dans ses yeux et elle me sourit à son tour.

« Je suis sûr que vous venez d'inventer tout ça, dis-je regrettant déjà mon sourire.

— Nullement, dit-elle. Seecombe doit savoir cette histoire, demandez-lui. »

Je secouai la tête.

« Il ne trouverait pas cela convenable et il serait scandalisé de penser que vous me l'ayez racontée. J'ai oublié de vous demander s'il vous avait apporté à souper?

— Oui, une tasse de potage, une aile de poulet et un rognon sauce au diable. Le tout, excellent.

— Vous savez, je pense, qu'il n'y a pas de servantes dans cette maison? Personne pour faire office de femme de chambre, pour ranger vos robes, et seulement le jeune John ou Arthur pour préparer votre bain?

— Je préfère cela. Les femmes sont si bavardes! Quant à mes robes, toutes les toilettes de deuil sont pareilles. Je n'ai apporté que celle-ci et une autre. J'ai de gros souliers pour marcher dans les terres.

— S'il pleut comme cela demain, vous serez obligée de rester à la maison, dis-je. Il y a beaucoup de livres dans la bibliothèque. Je ne lis guère moi-même, mais vous trouverez peut-être quelque chose à votre goût. »

Sa bouche eut de nouveau son petit frémissement de gaieté tandis que ses yeux continuaient à me regarder gravement.

« Je pourrai toujours astiquer l'argenterie, dit-elle. Je ne m'attendais pas à en voir un tel déploiement. Ambroise disait que l'air de la mer la faisait noircir. »

J'aurais pu jurer à son expression qu'elle avait deviné que l'exposition des reliques sortait d'un placard longtemps fermé et que, derrière ses grands yeux, elle se moquait de moi.

Je détournai mon regard. Je lui avais souri une fois, j'aurais préféré être damné que de recommencer.

« A la villa, quand il faisait très chaud, dit-elle, nous nous tenions dans une petite cour près d'une fontaine. Ambroise me disait de fermer les yeux et d'écouter l'eau en imaginant que c'était la pluie d'ici. Il avait une grande théorie, voyez-vous, au nom de laquelle il prétendait que je rétrécirais et grelotterais sous le climat anglais, surtout dans cette humide Cornouailles; il disait que j'étais une plante de serre à qui il fallait des soins experts et que je serais tout à fait déplacée sur un terrain ordinaire. J'étais un produit des villes, disait-il, et sur-civilisée. Un jour, je me rappelle, je descendis pour le dîner vêtue d'une nouvelle robe et il me dit que je sentais la Rome antique. « Tu gèleras là-dedans chez nous, disait-il; tu porteras « des dessous de flanelle et un châle de laine. » Je n'ai pas oublié son conseil. J'ai apporté le châle. »

Je regardai. Elle disait vrai, un châle noir assorti à sa robe posé sur le tabouret à côté d'elle.

« En Angleterre, dis-je, et surtout par ici, nous attachons une grande importance au temps. Il le faut bien, au bord de la mer. Notre terre, voyez-vous, n'est pas très riche pour la culture, elle ne vaut pas celle du haut pays. Le sol est pauvre et avec quatre jours de pluie sur sept nous dépendons beaucoup du soleil lorsqu'il consent à briller. Ce mauvais temps cessera demain, je pense, et vous aurez votre promenade.

— Au-dessus du bourg et par les prés Bawden, dit-elle, le clos de Kemp et le Parc aux Bœufs, Kilmoor et le champ du phare, les Vingt Arpents et les Coteaux de l'Ouest. »

Je la regardai, surpris.

« Vous connaissez le nom des terres? dis-je.

— Voilà bientôt deux ans que je les sais par cœur », dit-elle.

Je gardai le silence. Que pouvais-je répondre à cela? Puis :

« La marche y est malaisée pour une femme, dis-je avec rudesse.

— J'ai de bonnes chaussures », répondit-elle.

Le pied qu'elle tendit sous sa robe dans un escarpin de velours noir me parut ridiculement inapte à la marche.

« Ça? fis-je.

— Mais non, quelque chose de plus robuste », répondit-elle.

Je ne pouvais l'imaginer parcourant les champs, malgré l'assurance avec laquelle elle l'envisageait. Et elle serait perdue dans mes bottes de laboureur.

« Savez-vous monter à cheval? demandai-je.

— Non.

— Etes-vous capable de vous tenir sur un cheval si l'on vous conduit?

— Je pense que oui, répondit-elle, mais il faudra que je me tienne des deux mains à la selle. Et est-ce qu'il n'y a pas aussi quelque chose qui s'appelle un pommeau? »

Elle dit cela avec un grand sérieux, les yeux graves, mais une fois encore, je sentis le rire caché derrière et son désir de me le faire partager.

« Je ne suis pas sûr que nous possédions une selle de dame, dis-je avec raideur. Je demanderai à Wellington, mais je n'en ai jamais vu dans la sellerie.

— Peut-être tante Phoebé montait-elle à cheval, dit-elle, quand elle eut perdu son pasteur. Qui sait si cela n'a pas été sa seule consolation. »

Je n'y pouvais rien. Une gaieté tintait dans sa voix à laquelle je ne sus résister. Elle me vit rire, j'étais perdu. Je détournai le visage.

« Entendu, fis-je, je verrai cela demain matin. Voulez-vous que je demande aussi à Seecombe de fouiller les penderies pour voir si tante Phoebé n'aurait pas également laissé une amazone?

— Je n'en aurai pas besoin, dit-elle, à condition que vous me conduisiez doucement et que je m'accroche au pommeau. »

A ce moment, Seecombe frappa à la porte et entra, portant sur un immense plateau une bouilloire d'argent accompagnée d'une théière d'argent et d'un pot à lait. Je n'avais jamais aperçu ces objets et me demandai par quel labyrinthe partant du bureau de l'intendant il les avait découverts. Et à quelle fin les apportait-il ici? Ma cousine Rachel vit mon étonnement. Je n'aurais voulu, pour rien au monde, froisser Seecombe qui déposa ses offrandes sur la table avec une grande dignité, mais une marée montante qui ressemblait à celle du fou rire gonfla ma gorge et, me levant, je m'approchai de la fenêtre et feignis de regarder la pluie tomber.

« Le thé est servi, Madame, dit Seecombe.

— Merci, Seecombe », répondit-elle cérémonieusement.

Les chiens se levèrent en reniflant et en tendant le nez vers le plateau. Ils étaient aussi étonnés que moi. Seecombe fit claquer sa langue à leur adresse.

« Viens, Don, dit-il, venez tous les trois. Je crois, Madame, qu'il vaut mieux que j'emmène les chiens. Ils pourraient renverser le plateau.

— Oui, Seecombe, dit-elle, c'est fort possible. »

De nouveau ce rire dans sa voix. J'étais bien aise d'avoir le dos tourné.

« Quels sont les ordres pour le petit déjeuner, Madame? demanda Seecombe. On sert celui de M. Philip à huit heures dans la salle à manger.

— J'aimerais prendre le mien dans ma chambre, dit-elle. Mr. Ashley disait qu'aucune femme n'est en état de se montrer avant onze heures. Est-ce que cela ne dérangera pas trop?

— Nullement, Madame.

— Alors, merci, Seecombe, et bonne nuit.

— Bonne nuit, Madame. Bonne nuit, Monsieur. Venez, les chiens. »

Il fit claquer ses doigts et les chiens le suivirent à contrecœur. Le silence régna quelques instants puis elle dit doucement :

« Voulez-vous du thé? Ce doit être une coutume de Cornouailles. »

Ma dignité m'abandonna. M'y cramponner était devenu un trop grand effort. Je revins près du feu et m'assis sur le tabouret à côté de la table.

« Je vais vous faire un aveu, dis-je. Je n'avais jamais vu ce plateau, ni la bouilloire, ni la théière.

— Je m'en suis doutée, fit-elle. J'ai vu votre regard quand Seecombe les a apportés. Je ne pense pas que lui non plus les eût jamais vus. Ce sont des trésors qui étaient restés enfouis. Il a dû fouiller dans les caves.

— Cela se fait vraiment, dis-je, de prendre le thé après dîner?

— Bien sûr, dit-elle, dans le grand monde, quand il y a des dames.

— On n'en sert jamais le dimanche quand les Kendall et les Pascoe viennent dîner, remarquai-je.

— Peut-être que Seecombe ne les considère pas comme du grand monde, dit-elle. Je suis très flattée. J'aime le thé. Je vous laisse le pain et le beurre. »

Cela aussi était une innovation : de minces tranches de pain roulées comme de petites saucisses.

« Je m'étonne qu'ils aient su faire ça à la cuisine, dis-je en les avalant, mais c'est très bon.

— Une soudaine inspiration, dit cousine Rachel, et vous aurez sûrement les restes pour le petit déjeuner. Le beurre fond, léchez-vous les doigts. »

Elle but son thé en m'observant par-dessus sa tasse.

« Si vous voulez fumer votre pipe, vous pouvez », dit-elle.

Je la regardai, très surpris.

« Dans un boudoir de dame? dis-je. Vous êtes sûre? Le dimanche, quand Mrs. Pascoe vient avec le vicaire, on ne fume jamais dans le salon.

— Ceci n'est pas le salon, et je ne suis pas Mrs. Pascoe », me répondit-elle.

Je haussai les épaules et tâtai mes poches à la recherche de ma pipe.

« Seecombe va trouver cela très mal, dis-je. Il le sentira demain matin.

— J'ouvrirai la fenêtre avant de me coucher, dit-elle. La pluie chassera la fumée.

— La pluie entrera et tachera le tapis, dis-je, ce qui sera encore pis que l'odeur de la pipe.

— Ça s'essuie avec un torchon, dit-elle. Vous êtes très tatillon, quel vieux monsieur vous faites!

— Je croyais que les femmes attachaient de l'importance à ces choses.

— Oui, quand elles n'ont pas d'autres soucis », dit-elle.

Je m'avisai soudain, tandis que je fumais ma pipe, assis dans le boudoir de tante Phoebé, que ce n'était pas du tout ainsi que j'avais projeté de passer la soirée. J'avais préparé quelques mots d'une courtoisie glaciale et un adieu brusqué laissant l'intruse décontenancée.

Je la regardai. Elle avait fini son thé et reposait la tasse et la soucoupe sur le plateau. Je remarquai de nouveau ses petites mains étroites et très blanches, et je me demandai si Ambroise les avait qualifiées de produits de la grande ville. Elle portait deux bagues, toutes deux ornées de pierres précieuses et qui pourtant ne juraient nullement avec son deuil et n'étaient en rien déplacées sur elle. Je me félicitai d'avoir le fourneau de ma pipe à tenir et le tuyau à mordre, cela me redonnait un peu l'impression d'être moi-même et non un somnambule entraîné par un rêve. Il y avait des choses que j'aurais dû faire, des choses que j'aurais dû dire et j'étais là, assis comme un nigaud devant le feu, incapable de rassembler mes pensées et mes impressions. Cette journée si lente et si inquiète était à présent terminée et j'aurais été incapable de dire, en fût-il allé de ma vie, si elle avait tourné à mon avantage ou non. Si ma visiteuse avait eu quelque ressemblance avec l'image que je m'en étais faite, j'aurais su comment me conduire, mais maintenant qu'elle était là près de moi, en chair et en os, mes imaginations n'étaient plus que des idées absurdes et folles qui s'effaçaient les unes les autres et sombraient dans la nuit.

Il existait quelque part une créature aigrie difforme et vieille, entourée d'hommes de loi; ailleurs, une grosse Mrs. Pascoe, arrogante, le verbe haut; ailleurs, minaudait une poupée gâtée aux boucles en tire-bouchon; ailleurs, une vipère sinuait en silence. Mais aucune d'elles n'était avec moi dans cette chambre. La colère semblait hors de proportion ici et la haine aussi; quant à la peur, comment avoir peur d'un être qui vous arrive à l'épaule et n'a rien en soi de remarquable qu'un esprit plein de vivacité, et de petites mains? Était-ce pour cela qu'un homme s'était battu en duel et qu'un autre, mourant, m'avait écrit : « Elle a enfin raison de moi, Rachel mon tourment »? Il me semblait que j'avais soufflé une bulle de savon dans l'air, l'avais regardé danser et que la bulle avait à présent éclaté.

Il faut que je me rappelle, me dis-je tout près de m'assoupir devant le scintillement du feu, de ne plus boire d'eau-de-vie après une marche de quinze kilomètres sous la pluie; cela engourdit les sens et ne délie pas la langue. Je suis venu pour combattre cette femme et je n'ai pas commencé. Qu'a-t-elle dit à propos de la selle de tante Phoebé?

« Philip, dit la voix très basse, Philip, vous dormez presque. Allez vous coucher je vous prie. »

J'ouvris brusquement les yeux. Elle était assise et me regardait, les mains sur ses genoux. Je me levai gauchement et faillis renverser le plateau.

« Je vous demande pardon, dis-je, c'est sans doute d'être resté plié en deux sur ce tabouret, cela m'a donné sommeil. En général, dans la biliothèque, je m'assois en étendant les jambes.

— Et puis vous avez pris beaucoup d'exercice aujourd'hui », dit-elle.

Sa voix était innocente et pourtant... Que voulait-elle dire? Je fronçai les sourcils et la regardai, décidé à ne pas lui répondre.

« S'il fait beau demain matin, reprit-elle, vous me trouverez un cheval bien tranquille pour que je puisse aller voir les champs de Barton, c'est vrai?

— Oui, dis-je, si vous le désirez.

— Je ne veux pas vous ennuyer, Wellington me conduira.

— Non, pourquoi? Je n'ai rien d'autre à faire.

— Attendez, dit-elle, vous oubliez que ce sera samedi. Vous payez les gages du personnel le samedi matin. Nous irons l'après-midi. »

Je la regardai, éberlué.

« Bon Dieu, dis-je, mais comment savez-vous que je paye les gages le samedi? »

A mon grand embarras, je vis ses yeux briller soudain, se mouiller comme auparavant en parlant de mon dixième anniversaire. Et sa voix se fit plus dure.

« Si vous ne savez pas, dit-elle, vous êtes plus épais que je pensais. Restez ici un instant, j'ai un cadeau pour vous. »

Elle ouvrit la porte et passa dans la chambre à coucher d'où elle revint presque aussitôt tenant une canne à la main.

« Voici, dit-elle, prenez-la, elle est à vous. Le reste, vous pourrez le trier et l'examiner plus tard, mais je tenais à vous donner ceci moi-même, ce soir. »

C'était la canne d'Ambroise. Celle dont il se servait toujours, sur laquelle il s'appuyait. Celle qui portait une bague d'or et, en guise de manche, une tête de chien en ivoire sculpté.

« Merci, dis-je gauchement, merci beaucoup.

— Maintenant, allez-vous-en, je vous prie, dit-elle. Allez-vous-en vite. »

Elle me poussa hors de la chambre et referma la porte.

Je m'arrêtai, la canne à la main. Elle ne m'avait même pas laissé le temps de lui souhaiter bonne nuit. Aucun bruit ne venait du boudoir et je longeai lentement la galerie jusqu'à ma chambre. Je songeais à l'expression de ses yeux en me donnant la canne. Un jour, il n'y avait pas très longtemps de cela, j'avais vu dans d'autres yeux ce même regard d'antique souffrance. Ces yeux-là aussi contenaient de la réserve et de la fierté mêlées de la même humilité, de la même supplication éperdue. Ce doit être, me dis-je en rentrant dans ma chambre, la chambre d'Ambroise, et en regardant la canne si familière, ce doit être parce que ces yeux sont de la même couleur et appartiennent à la même race. A part cela que pouvaient avoir en commun la mendiante du pont de l'Arno et ma cousine Rachel?

CHAPITRE IX

JE descendis de bonne heure le lendemain matin et, tout de suite après le petit déjeuner, me rendis aux écuries et, appelant Wellington, entrai avec lui dans la sellerie.

Il y avait une demi-douzaine de selles de dames parmi les autres. Je ne les avais jamais remarquées.

« Mrs. Ashley ne sait pas monter à cheval, lui dis-je. Il lui faut seulement une bête sur laquelle elle puisse s'asseoir et à laquelle elle puisse s'accrocher.

— Il faut lui donner Salomon, dit le vieux cocher. Peut-être bien qu'il n'a jamais porté une dame mais il ne la fera pas choir, ça c'est sûr. Je n'en dirais autant d'aucun autre cheval, Monsieur. »

Salomon avait été dressé par Ambroise il y avait bien des années de cela, et, à présent, prenait ses aises dans la prairie sauf quand Wellington lui faisait faire un peu d'exercice sur la grande route. Les selles d'amazone étaient accrochées très haut au mur de la sellerie et il fallut un valet d'écurie et une petite échelle pour les descendre. Ce choix d'une selle provoqua une petite discussion très animée : celle-ci était trop usée, l'autre trop étroite pour la large échine de Salomon, et le valet se fit réprimander parce que la troisième portait une toile d'araignée. Je riais intérieurement en pensant que ni Wellington ni personne n'avait regardé ces selles depuis un quart de siècle et dis au vieux cocher qu'un bon nettoyage à la peau de chamois les remettrait en état et que Mrs. Ashley penserait que sa selle avait été livrée de Londres la veille.

« A quelle heure la maîtresse veut-elle partir? » demanda-t-il et je le regardai un moment déconcerté par l'expression qu'il avait choisie.

« Au début de l'après-midi, dis-je sèchement. Vous amènerez Salomon devant la porte d'entrée. Je conduirai Mrs. Ashley moi-même. »

Je revins à la maison et au bureau du domaine pour faire les comptes de la semaine et vérifier les livres avant que les hommes ne vinssent toucher leurs gages. La maîtresse, vraiment! C'est donc ainsi qu'ils la considéraient, Wellington, Seecombe et les autres? Sans doute était-ce naturel de leur part, après tout, mais je me dis que les hommes et surtout les domestiques perdaient vite la tête en présence d'une femme. Ce regard de révérence dans les yeux de Seecombe quand il avait servi le thé la veille et ses manières respectueuses en posant le plateau devant elle. En outre, ce matin au petit déjeuner, ç'avait été le jeune John que j'avais trouvé debout devant la desserte et qui avait enlevé le couvercle de mon plat de bacon parce que, figurez-vous, « Mr. Seecombe », comme il dit, était allé « porter le plateau au boudoir ». Et voici maintenant que Wellington, très excité, frottait et cirait les vieilles selles d'amazone en criant au valet d'aller préparer Salomon. Je terminai mes comptes, heureux de me trouver si insensible au fait qu'une femme eût, pour la première fois, depuis qu'Ambroise avait congédié ma nourrice, dormi sous ce toit. Je m'avisai à ce moment que sa façon de me traiter quand j'avais failli m'endormir, ses paroles : « Philip, allez vous coucher », auraient pu être celles de ma nourrice plus de vingt ans auparavant.

A midi, les domestiques se présentèrent, de même que les hommes qui travaillent aux écuries, aux bois et aux jardins et je leur remis leurs gages. Je remarquai que Tamlyn, le chef jardinier, n'était pas parmi eux, j'en demandai la raison et l'on me répondit qu'il était dans le parc avec la « maîtresse ». Je ne fis aucun commentaire à cela et continuai la paye, après quoi les travailleurs se dispersèrent. Un instinct me dit où trouver Tamlyn et ma cousine Rachel. Il ne me trompait point. Ils étaient dans la forcerie où nous avions planté les camélias, les mélèzes et les autres arbustes ramenés de ses voyages par Ambroise.

Je n'avais jamais été un expert en jardins et je m'en remettais entièrement à Tamlyn mais, en tournant le coin de l'allée pour les rejoindre, j'entendis ma visiteuse parler de tailles et de gradins, d'exposition au nord et d'engrais, tandis que Tamlyn l'écoutait, son chapeau à la main, avec le même regard de révérence que Seecombe ou Wellington. Elle sourit à ma vue et se releva. Elle s'était agenouillée sur un vieux sac pour examiner les racines d'un arbuste.

« Je suis dehors depuis dix heures et demie, dit-elle. Je vous ai cherché pour vous demander la permission, mais je n'ai pas pu vous trouver alors j'ai fait quelque chose de très osé et je suis descendue toute seule à la maison de Tamlyn pour faire connaissance avec lui, n'est-ce pas, Tamlyn?

— C'est vrai, Madame, dit Tamlyn, avec un humble sourire.

— Voyez-vous, Philip, reprit-elle, j'ai apporté avec moi à Plymouth — je n'ai pas pu les mettre dans la berline, un voiturier s'en chargera — toutes les plantes et les arbustes que nous avons réunis depuis deux ans, Ambroise et moi. J'ai les listes avec les emplacements où il désirait les planter et j'ai pensé que cela gagnerait du temps si je montrais la liste à Tamlyn et lui expliquais de quoi il s'agit. Je serai peut-être partie quand les plantes arriveront.

— C'est parfait, dis-je. Vous vous y connaissez tous les deux mieux que moi. Continuez.

— Nous avons fini, n'est-ce pas, Tamlyn? dit-elle. Remerciez pour moi Mrs. Tamlyn de la tasse de thé qu'elle m'a offerte, j'espère que son mal de gorge ira mieux ce soir. L'huile d'eucalyptus est souveraine pour cela. Je vais vous en faire descendre.

— Merci, madame », dit Tamlyn — j'ignorais que sa femme souffrît de la gorge, et il ajouta en me regardant avec un petit air timide :

« J'ai appris quelque chose ce matin, Mr. Philip que je n'aurais jamais cru apprendre d'une dame. J'avais toujours cru que je connaissais mon métier mais Mrs. Ashley en sait plus sur les jardins que je n'en saurai jamais. Je me suis senti très petit garçon.

— Sottises, Tamlyn, dit ma cousine Rachel, je ne m'y connais qu'en arbustes. Quant aux fruits, je n'ai pas la moindre idée de la façon dont il faut s'y prendre pour faire pousser une pêche, et n'oubliez pas que vous ne m'avez pas encore fait visiter le jardin de fleurs. Ce sera pour demain.

— Quand vous voudrez, madame », dit Tamlyn.

Elle lui dit au revoir et nous nous dirigeâmes vers la maison.

« Si vous êtes dehors depuis dix heures, lui dis-je, vous devez avoir besoin de vous reposer. Je vais dire à Wellington de ne pas seller le cheval.

— Me reposer? dit-elle. Qui parle de se reposer? Je ne pense depuis ce matin qu'à ma promenade à cheval. Voilà le soleil. Vous avez dit qu'il se montrerait. C'est vous ou Wellington qui me conduirez?

— C'est moi, dis-je, mais je vous préviens que si vous avez pu apprendre quelque chose à Tamlyn sur les camélias, vous ne m'enseignerez pas l'agriculture.

— Je reconnais l'avoine de l'orge, dit-elle. Cela ne vous impressionne pas?

— Pas le moins du monde, dis-je, d'ailleurs vous ne trouverez ni l'une ni l'autre dans nos champs. La moisson est faite. »

En arrivant à la maison, je constatai que Seecombe avait servi dans la salle à manger un déjeuner de viandes froides et de salades accompagnées de pâtés et d'entremets comme si nous devions faire un repas assis.

Ma cousine Rachel me regarda, le visage très

sérieux, mais toujours cette lumière rieuse au fond des yeux.

« Vous êtes jeune, vous n'avez pas fini de grandir, dit-elle. Mangez et réjouissez-vous. Mettez une tranche de ce pâté dans votre poche, je vous la demanderai quand nous serons sur les collines. Maintenant je monte m'habiller pour la promenade à cheval. »

Au moins, me dis-je en découpant la viande froide avec un bel appétit, elle n'a pas besoin qu'on la serve. Elle a, Dieu merci, une certaine indépendance d'esprit qu'on pourrait qualifier de non féminine... La seule chose qui m'agaçait était qu'elle parût accepter de bonne grâce et même avec plaisir mon attitude à son égard, attitude que j'espérais tranchante. Elle prenait mon ironie pour de la jovialité.

J'avais à peine fini de manger lorsqu'on amena Salomon à la porte. Le vieux cheval avait subi une toilette des plus soignées. Même ses sabots étaient polis, un raffinement qu'on ne dispensait jamais à ma Gipsy. Les deux jeunes chiens gambadaient autour de lui. Don les regardait avec calme; ses jours de course étaient passés comme ceux de son vieil ami Salomon.

J'allai dire à Seecombe que nous ne rentrerions qu'après quatre heures et, lorsque je revins, je trouvai ma cousine Rachel déjà sur sa selle. Wellington ajustait son étrier. Elle portait une robe de deuil, plus ample que l'autre et avait, en guise de chapeau, noué un châle de dentelle sur ses cheveux. Elle parlait à Wellington, je la voyais de profil, et je ne sais pourquoi je me rappelai à ce moment ce qu'elle avait raconté la veille au soir de la façon qu'Ambroise la taquinait et lui disait qu'elle sentait la Rome antique. J'eus l'impression de comprendre ce qu'il voulait dire par là. Ses traits ressemblaient à ceux qu'on voit gravés sur les monnaies romaines, nets mais fins; et je me rappelai aussi en la voyant avec ce châle de dentelle autour de la tête les femmes que j'avais vues agenouillées dans la cathédrale de Florence ou bien immobiles au seuil des maisons silencieuses. Juchée sur Salomon, on ne l'eût pas dite de si petite taille. La femme que j'avais jugée insignifiante à l'exception de ses mains, de ses yeux changeants et du frémissement rieur qui jouait à certains moments dans sa voix, apparaissait différente assise au-dessus de moi. Elle semblait plus hautaine, plus lointaine et plus... italienne.

Elle entendit mon pas et se tourna vers moi; aussitôt disparurent l'air distant, l'air étrange qui marquait ses traits au repos. Je la retrouvai telle qu'auparavant.

« Prête? demandai-je. Vous n'avez pas peur de tomber?

— Je mets ma foi en vous et en Salomon, répondit-elle.

— Très bien. Allons, nous mettrons à peu près deux heures, Wellington. »

Et, prenant la bride, je partis avec elle faire la visite des champs.

Le vent de la veille avait tourné au nord emportant la pluie avec lui. Vers midi, le soleil avait percé et le ciel à présent était clair. Il y avait dans l'air comme un éclat de sel qui avivait le paysage et l'on entendait le courant rapide de la mer se briser sur les rochers de la baie. Nous avions souvent de telles journées en automne. Hors de toute saison, elles apportaient avec elles une vivacité particulière avec une espèce d'avant-goût des heures froides à venir encore tout mêlé de sensations d'été.

Nous fîmes un étrange pèlerinage. Nous commençâmes par la visite de Barton et j'eus toutes les peines du monde à refuser l'invitation de Billy Rowe et sa femme qui voulaient absolument que nous entrions chez eux manger des gâteaux et de la crème; en fait, ce ne fut qu'en échange de la promesse de venir faire collation à la ferme le lundi suivant qu'ils me laissèrent repasser la barrière et conduire Salomon et ma cousine Rachel vers les coteaux.

Les terres de Barton forment une presqu'île dont le champ du phare occupe l'extrémité et que la mer creuse de baies des deux côtés. Comme je le lui avais dit, le grain était rentré et je pouvais mener le vieux Salomon où je voulais sans crainte de lui voir faire des dégâts dans les champs. La plus grande partie de Barton est d'ailleurs constituée par des pâturages; nous en fîmes le tour en longeant la mer et nous arrêtâmes enfin au phare, de façon qu'en se retournant elle pût voir toute l'étendue du domaine bornée à l'ouest par la grande étendue de sable de la baie et à cinq kilomètres à l'est par l'estuaire. La ferme Barton et notre maison elle-même — le manoir comme l'a toujours appelée Seecombe — sont construites dans une espèce de cuvette mais les arbres plantés par Ambroise et mon oncle Philip déjà hauts et serrés protégeaient la demeure derrière laquelle partait la nouvelle avenue qui ondulait à travers bois pour gagner la hauteur où se rejoignaient les quatre chemins.

Me rappelant sa conversation de la veille au soir, j'essayai d'éprouver ma cousine Rachel au sujet des noms des champs Barton mais ne pus la prendre en faute : elle les connaissait tous. Sa mémoire ne la trompa point non plus quand elle en arriva aux diverses plages, aux promontoires et aux autres fermes du domaine; elle savait le nom des fermiers, le nombre de leurs enfants, que le neveu de Seecombe habitait la pêcherie sur la plage et que son frère avait la charge du moulin. Elle ne faisait pas montre de sa science, ce fut plutôt moi qui, piqué de curiosité, l'amenai à m'en faire part et lorsqu'elle nommait les lieux et parlait des gens c'était de façon toute naturelle avec un peu d'étonnement que je pusse trouver cela remarquable.

« De quoi croyez-vous donc que nous parlions, Ambroise et moi? me dit-elle enfin comme nous redescendions du phare vers les champs à l'est. Sa maison était sa passion, je l'ai faite mienne. N'est-ce pas ce que vous attendriez vous aussi de votre femme?

— Comme je n'ai pas de femme, je ne puis dire, répondis-je, mais j'aurais cru qu'ayant passé toute votre vie sur le continent vous vous intéressiez à tout autre chose.

— C'est vrai, dit-elle, jusqu'à ce que j'eusse rencontré Ambroise.

— Sauf en ce qui concerne les jardins, je crois.

— Sauf en ce qui concerne les jardins, accordat-elle, ce qui a tout commencé comme j'ai dû vous le dire. Mon jardin à la villa était très joli, mais ceci... »

Elle se tut un instant en tirant les rênes de Salomon et je m'arrêtai la main sur la bride.

« ... mais ceci, que j'ai tant désiré voir, ceci est autre chose. »

Elle se tut un moment en regardant vers la baie.

« A la villa, reprit-elle, quand j'étais jeune, aux premiers temps de mon mariage — je ne parle pas d'Ambroise — je n'étais pas très heureuse, alors j'ai essayé de me distraire en redessinant les jardins, en les replantant et en y construisant des terrasses. J'ai demandé des conseils et étudié des livres, les résultats furent très satisfaisants; je le trouvais du moins et on me le disait. Je me demande ce que vous en penseriez. »

Je levai les yeux vers elle. Son profil était tourné vers la mer et elle ne savait pas que je la regardais. Que voulait-elle dire? Mon parrain ne lui avait-il pas rapporté ma visite à la villa?

Un soudain soupçon me vint. Je me rappelai son attitude de la veille au soir après la première gêne de la rencontre et aussitôt l'aise de sa conversation que j'avais, me la remémorant au petit déjeuner, mise au compte de son habitude du monde et de ma lourdeur causée par l'eau-de-vie. Je m'avisai à présent qu'il était bizarre qu'elle n'eût rien dit la veille de ma visite à Florence, et plus bizarre encore qu'elle n'eût fait aucune mention de la façon dont j'avais appris la mort d'Ambroise. Se pouvait-il que mon parrain eût évité ce sujet et m'eût laissé le soin de l'aborder? Je le traitai, par-devers moi, de vieil embrouilleur et de lâche, mais je savais au fond qu'à présent le lâche c'était moi. Si au moins je le lui avais dit la veille au soir, encore réchauffé par l'eau-de-vie, mais maintenant ce n'était plus si facile. Elle se demanderait pourquoi je n'en avais pas parlé plus tôt. C'était le moment, certes, c'était le moment de dire : « J'ai vu les jardins de votre villa Sangalletti. Ne le saviez-vous pas? » Mais elle se mit à parler d'un ton câlin à Salomon qui reprit sa marche.

« Pourrions-nous passer devant le moulin et monter de l'autre côté à travers bois? » demanda-t-elle.

J'avais laissé passer l'occasion et nous prîmes le chemin du retour. Comme nous avancions dans les bois, elle fit quelques remarques sur les arbres, la forme des collines ou d'autres éléments du paysage; mais pour moi toute l'aisance de l'après-midi avait disparu car il me fallait, d'une façon ou d'une autre, lui parler de ma visite à Florence. Si je n'en disais rien elle l'apprendrait par Seecombe ou par mon parrain lui-même dimanche quand il viendrait dîner. J'étais de plus en plus silencieux à mesure que nous approchions de la maison.

« Je vous ai fatigué, dit-elle. J'étais là à me prélasser comme une reine sur Salomon tandis que vous avez fait tout le chemin à pied à la manière d'un pèlerin. Excusez-moi, Philip. J'ai été si heureuse. Vous ne pourrez jamais savoir combien j'ai été heureuse.

— Non, je ne suis pas fatigué, dis-je. Je suis... je suis ravi que votre promenade vous ait fait plaisir. »

Je ne pouvais regarder ces yeux directs et interrogateurs.

Wellington était devant la maison prêt à l'aider à descendre de cheval. Elle monta à sa chambre pour se reposer avant de s'habiller pour dîner. J'allai m'asseoir dans la bibliothèque et allumai ma pipe en me demandant comment diable j'allais lui faire part de mon voyage à Florence. Le pire de l'affaire était que, si mon parrain l'avait eu mentionné dans sa lettre, ç'aurait été à elle à entamer le sujet, à moi d'attendre posément ce qu'elle aurait à dire. Dans l'état actuel des choses, le premier mouvement me revenait. Cela même eût été de peu d'importance si elle avait été la femme que j'imaginais. Pourquoi, mon Dieu, fallait-il qu'elle fût si différente et bouleversât ainsi mes plans?

Je me lavai les mains et, changeant de vêtements pour dîner, mis dans ma poche les deux dernières lettres qu'Ambroise m'avait écrites, mais, lorsque j'entrai au salon, m'attendant à l'y trouver, la pièce était vide. Seecombe qui passait à ce moment dans le vestibule me dit que « Madame » était dans la bibliothèque.

Maintenant qu'elle ne me dominait plus du haut de Salomon et qu'elle avait retiré son écharpe et lissé ses cheveux, elle me parut encore plus petite et sans défense qu'avant. Plus pâle aussi à la lumière des bougies tandis que son deuil semblait plus sombre par comparaison.

« Vous voulez bien que je reste ici? demanda-t-elle. Le salon est charmant dans la journée mais il me semble que, le soir, les rideaux tirés et les bougies allumées, cette pièce-ci est la mieux. Et puis, c'est ici qu'Ambroise et vous vous teniez toujours. »

C'était peut-être l'occasion que j'attendais. le moment de dire : « Oui. Vous n'avez rien de pareil à la villa. » Je gardai le silence, et l'entrée des chiens changea le cours de la conversation. Après dîner, me dis-je, après dîner sera le bon moment. Et je ne boirai ni porto ni eau-de-vie.

Seecombe avait mis le couvert de ma visiteuse à ma droite. John et lui faisaient le service. Elle admira la coupe de roses et les candélabres et parla à Seecombe tandis qu'il lui passait les plats, cependant que je ne cessais de trembler qu'il ne dît : « Ceci s'est passé, madame, ou cela est arrivé, pendant que Mr. Philip était en Italie. »

J'étais impatient de voir finir le dîner et de me retrouver seul avec elle, bien que cela ne fît que rapprocher mon épreuve. Nous nous assîmes devant le feu de la bibliothèque, elle sortit un morceau de broderie auquel elle se mit à travailler. Je regardai les petites mains agiles et les admirai.

« Dites-moi ce qui vous tourmente, fit-elle au bout d'un moment. Ne le niez pas, je saurai que vous ne dites pas la vérité. Ambroise disait que j'avais un instinct animal pour flairer le malaise, et je le flaire en vous ce soir. Depuis la fin de l'après-midi, pour être exacte. Je n'ai rien dit qui vous ait blessé, j'espère? »

L'instant était venu. Au moins m'avait-elle ouvert un chemin.

« Vous n'avez rien dit qui m'ait blessé, répondis-je, mais une phrase de vous en passant m'a un peu surpris. Pourriez-vous me dire ce que Nick Kendall vous écrivait dans la lettre qu'il vous a envoyée à Plymouth?

— Mais certainement, dit-elle. Il me remerciait de ma lettre, il me disait que vous étiez déjà tous deux au courant de la mort d'Ambroise, que signor Rai naldi lui avait écrit en lui envoyant la copie du certificat de décès et autres documents et que vous m'invitiez à faire un court séjour ici en attendant que mes projets fussent arrêtés. Il suggérait même que j'aille à Pelyn en vous quittant, ce qui était fort aimable à lui.

— C'est tout ce qu'il disait?

— Mais oui. La lettre n'était pas très longue.

— Il ne disait pas que j'avais été en voyage?

— Non.

— Je comprends. »

Je sentis en moi une onde de chaleur tandis qu'elle continuait à broder tranquillement. Puis je dis :

« Mon parrain disait vrai en vous annonçant que lui et les domestiques avaient appris la mort d'Ambroise par le signor Rainaldi. Mais il en alla autrement pour moi. Voyez-vous, moi je l'ai apprise à Florence, à la villa, de la bouche de vos domestiques. »

Elle leva la tête et me regarda. Cette fois, il n'y avait pas de larmes dans ses yeux, ni de reflet rieur non plus; son regard fut long et pénétrant et il me sembla lire dans ses yeux tout ensemble de la pitié et des reproches.

CHAPITRE X

« Vous êtes allé à Florence? dit-elle. Quand? Il y a combien de temps?

— Il n'y a pas tout à fait trois semaines que je suis rentré, dis-je. J'ai fait le voyage aller et retour à travers la France. Je n'ai passé qu'une nuit à Florence. La nuit du 15 août.

— Le 15 août? »

J'entendis une inflexion nouvelle dans sa voix, et je vis la lumière du souvenir dans ses yeux.

« Mais je n'étais partie pour Gênes que la veille. Ce n'est pas possible.

— C'est non seulement possible, mais vrai », dis-je.

La broderie était tombée de ses mains et ce regard étrange et presque d'appréhension reparut dans ses yeux.

« Pourquoi ne me l'avez-vous pas dit? demanda-t-elle. Pourquoi m'avez-vous laissée depuis vingt-quatre heures dans cette maison sans en souffler mot? Hier soir... Vous auriez dû m'en parler hier soir.

— Je pensais que vous le saviez, dis-je. J'avais

demandé à mon parrain de vous l'écrire. En tout cas, c'est ainsi. Maintenant, vous savez. »

Un reste de lâcheté en moi espérait qu'on en resterait là, qu'elle reprendrait son ouvrage. Il n'en fut rien.

« Vous êtes allé à la villa, dit-elle comme si elle se parlait à elle-même. C'est Giuseppe qui vous a fait entrer. Il a ouvert le portail, il vous a vu là et il a dû penser... »

Elle se tut, ses yeux s'embrumèrent, elle les baissa vers le feu.

« Je veux que vous me disiez ce qui s'est passé, Philip », reprit-elle sans me regarder.

Je mis la main dans ma poche et j'y sentis les deux lettres.

« J'étais sans nouvelles d'Ambroise depuis longtemps, dis-je, depuis Pâques ou la Pentecôte, je ne me rappelle pas, mais j'ai toutes ses lettres là-haut. Je m'inquiétais. Les semaines passaient. Puis, en juillet, une lettre arriva. Une seule page. Cela ne lui ressemblait pas, cette espèce de griffonnage. Je le montrai à mon parrain. Nick Kendall, et il fut d'accord pour que je partisse aussitôt pour Florence, ce que je fis un jour ou deux après. Au moment du départ, une autre lettre arriva, quelques phrases seulement. J'ai ces deux lettres ici dans ma poche. Désirez-vous les voir? »

Elle ne répondit pas tout de suite. Elle tournait à présent le dos à la cheminée et me regardait de nouveau. Il y avait une espèce d'insistance dans ses yeux, non pas volontaire, mais étrangement profonde, étrangement tendre; l'on eût dit qu'elle avait le pouvoir de lire et de comprendre ma répugnance à poursuivre, en savait les raisons et me pressait.

« Pas tout de suite, dit-elle. Après. »

Mon regard glissa de ses yeux à ses mains. Elles étaient jointes sur ses genoux, menues et immobiles. Il me semblait plus facile de parler si je ne la regardais pas en face et laissais mes yeux fixés sur ses mains.

« Je suis arrivé à Florence, dis-je. J'ai loué une carrozza et me suis rendu à votre villa. La servante a ouvert la grille et j'ai demandé Ambroise. Elle a paru effrayée et a appelé son mari. Il est venu et il m'a dit qu'Ambroise était mort et vous partie. Il m'a montré la villa. J'ai vu la chambre où Ambroise est mort. Au moment où je partais, la femme a ouvert un coffre et m'a donné le chapeau d'Ambroise. C'est la seule chose que vous aviez oubliée. »

Je me tus et continuai à regarder ses mains. Les doigts de la droite touchaient la bague de la gauche. Je les vis se serrer sur la pierre.

« Continuez, dit-elle.

— Je suis redescendu à Florence, dis-je. Le domestique m'avait donné l'adresse du signor Rainaldi. J'allai le voir. Il parut surpris à ma vue mais recouvra vite son calme. Il me donna les détails de la maladie d'Ambroise et de sa mort, me remit une lettre pour le gardien du cimetière protestant au cas où j'aurais désiré visiter la tombe, ce que je ne fis pas. Je demandai où vous étiez mais il déclara n'en rien savoir. Ce fut tout. Le lendemain, je repris le chemin du retour. »

Il y eut un nouveau silence. Les doigts qui tenaient la bague se desserrèrent.

« Puis-je voir les lettres? » demanda-t-elle.

Je les sortis de ma poche et les lui donnai. Je me remis à regarder le feu et j'entendis le craquement du papier tandis qu'elle les dépliait. Il y eut un long silence. Puis elle dit :

« Ces deux-là seulement?

— Ces deux-là seulement, répondis-je.

— Rien entre Pâques ou la Pentecôte, avez-vous dit, jusqu'au reçu de ces deux lettres-là?

— Non, rien. »

Elle avait dû les lire et les relire, en apprendre les mots par cœur comme j'avais fait. Enfin, elle me les rendit.

« Comme vous m'avez détestée », dit-elle lentement.

Je levai les yeux, interdit, et comme nous nous regardions il me sembla qu'elle connaissait toutes mes imaginations, mes rêves, qu'elle voyait l'un après l'autre les visages des femmes que j'avais inventés ces derniers mois. Nier eût été vain et protester absurde. Les barrières étaient abattues. C'était une situation étrange. j'avais l'impression de me trouver nu dans mon fauteuil.

« Oui », répondis-je.

La chose dite, j'éprouvai une sorte de soulagement. Peut-être, me dis-je, était-ce cela que les catholiques cherchaient au confessionnal. Un poids de moins et le vide à la place.

« Pourquoi m'avez-vous conviée ici? demanda-t-elle.

— Pour vous accuser.

— M'accuser de quoi?

— Je ne sais pas exactement. Peut-être de lui avoir brisé le cœur, c'est-à-dire de meurtre.

— Et ensuite?

— Je n'avais pas envisagé plus loin. Je voulais avant tout vous faire souffrir. Vous regarder souffrir. Puis, je pense, vous laisser partir.

— C'était généreux. D'une générosité que je n'aurais pas méritée. Allez, regardez-moi votre content. »

Quelque chose changea dans ses yeux tandis qu'elle me regardait. Le visage restait très blanc et immobile. Si j'avais écrasé ce visage sous mon talon, si je l'avais réduit en poudre, les yeux fussent demeurés avec leurs larmes qui ne se répandaient pas sur les joues, qui ne coulaient pas.

Je quittai mon fauteuil et traversai la pièce.

« Tant pis, fis-je. Ambroise m'a toujours dit que je ferais un pauvre soldat. Je ne puis tirer de sang-froid. Allez dans votre chambre, je vous en prie, allez n'importe où hors d'ici. Ma mère est morte trop tôt pour qu'il m'en souvienne et je n'ai jamais vu pleurer une femme. »

J'ouvris la porte pour la laisser passer. Mais elle restait assise près du feu, elle ne bougeait point.

« Cousine Rachel, montez », dis-je.

Je ne sais quel son avait ma voix, si elle était rude ou aiguë, mais Don qui était couché par terre leva la tête et me regarda avec son air de vieux chien sage et fidèle puis s'en vint en s'étirant et en bâillant poser le museau sur les pieds de ma visiteuse. Celle-ci alors bougea : elle tendit la main et lui toucha la tête. Je fermai la porte et revins près de la cheminée. Je pris les deux lettres et les jetai au feu.

« C'est inutile, dit-elle, puisque nous nous rappelons tous les deux ce qu'il a écrit.

— Je puis l'oublier si vous le voulez aussi, dis-je. Il y a quelque chose de purifiant dans le feu. Rien ne reste. Les cendres ne comptent pas.

— Si vous étiez un peu plus âgé, dit-elle, ou si votre vie avait été différente, si vous étiez tout autre que vous-même et ne l'aviez pas tant aimé, je pourrais vous parler de ces lettres et d'Ambroise. Mais je n'en ferai rien; j'aime mieux que vous me condamniez. Cela, au fond, simplifie les choses entre nous. Si vous me permettez de rester jusqu'à lundi, je m'en irai alors et vous pourrez ne plus jamais penser à moi. Bien que telle n'ait pas été votre intention, la soirée d'hier et la journée d'aujourd'hui ont été profondément heureuses. Dieu vous bénisse, Philip. »

Je remuai le feu du bout de mon pied et des braises en tombèrent.

« Je ne vous condamne point, dis-je. Rien ne s'est passé comme je l'avais prévu. Je ne puis continuer à haïr une femme qui n'existe pas.

— Mais j'existe.

— Vous n'êtes pas celle que je haïssais. Voilà tout. »

Elle continuait à caresser la tête de Don; il la leva et l'appuya contre son genou.

« Cette femme, dit-elle, que vous peigniez dans votre esprit, s'est-elle formée lorsque vous avez lu les lettres ou avant? »

Je réfléchis un instant. Puis j'avouai tout dans un

flot de paroles. A quoi bon laisser quelque chose pourrir dans l'ombre?

« Avant, dis-je lentement. Dans un certain sens, les lettres m'ont soulagé. Elles me donnaient une raison de vous détester. Jusqu'alors, je n'avais aucun motif avouable de le faire et j'avais honte.

— Pourquoi aviez-vous honte?

— Parce que je pense qu'il n'est rien d'aussi destructeur, qu'il n'est pas d'émotion aussi méprisable que la jalousie.

— Vous étiez jaloux...

— Oui. A présent, je puis le dire, c'est étrange. Dès le début, lorsqu'il m'a annoncé son mariage. Peut-être même avant cela y avait-il eu une espèce d'ombre, je ne sais pas. Tout le monde était ravi et s'attendait que je le serais aussi, et je ne pouvais. Cela doit vous paraître bien sentimental et ridicule, cette jalousie. Un sentiment d'enfant gâté. Peut-être étais-je un enfant gâté, en effet, et le suis-je encore. Le malheur c'est que je n'ai jamais connu ni aimé personne au monde qu'Ambroise. »

Je pensais tout haut à présent sans me soucier de son opinion sur moi. J'exprimais des sentiments que je ne m'étais jamais avoués.

« N'était-ce pas son malheur à lui aussi? dit-elle.

— Comment l'entendez-vous? »

Elle retira sa main de la tête de Don et, posant son menton entre ses paumes, les coudes aux genoux, elle se mit à regarder le feu.

« Vous n'avez que vingt-quatre ans, Philip, dit-elle, vous avez la vie devant vous, de nombreuses années de bonheur, sans doute, de mariage avec une femme que vous aimerez et qui vous donnera des enfants. Votre amour pour Ambroise ne diminuera jamais; il reculera, il prendra sa place. Celle de l'amour d'un fils pour son père. Il n'en a pas été ainsi pour lui. Le mariage est venu trop tard. »

Je m'agenouillai devant le feu pour allumer ma pipe. Je ne lui en demandai pas la permission. Je savais qu'elle n'y attachait pas d'importance.

« Pourquoi trop tard? demandai-je.

— Il avait quarante-trois ans, dit-elle, lorsqu'il est venu à Florence, il y a deux ans de cela, et que j'ai fait sa connaissance. Vous savez comment il était, comment il parlait, ses manières, son sourire. C'était votre vie depuis votre toute petite enfance. Mais vous ne savez pas l'impression que cela pouvait faire à une femme dont la vie n'avait pas été heureuse, qui avait connu des hommes... bien différents. »

Je ne dis rien, mais je crois que je compris.

« Je ne sais pourquoi il s'attacha à moi, mais ce fut ainsi, dit-elle. Ces choses-là ne s'expliquent pas, elles arrivent. Pourquoi tel homme s'éprendra-t-il de telle femme, quel bizarre mélange dans notre sang nous attire les uns vers les autres, qui le dira? Pour moi, solitaire, inquiète, survivante de trop de naufrages du cœur, il vint presque comme un sauveur, comme une réponse à des prières. Un être fort comme lui et tendre à la fois, dépourvu de toute vanité personnelle, je n'avais jamais rencontré cela. Ce fut une révélation. Je sais ce qu'il a été pour moi. Mais moi pour lui... »

Elle se tut et, fronçant légèrement le sourcil, continua à regarder le feu. Ses doigts se remirent à jouer avec la bague de sa main gauche.

« Il était comme un homme endormi qui se fût soudain réveillé et eût découvert le monde, dit-elle, dans toute sa beauté et aussi sa tristesse. La faim et la soif. Tout ce qu'il n'avait jamais imaginé, jamais connu, était là devant lui et magnifié en une seule personne qui, par hasard ou par fatalité, appelez ça comme vous voudrez, se trouva être moi. Rainaldi — qu'il détestait, comme vous sans doute — me dit un jour qu'Ambroise s'était éveillé à moi comme certains hommes s'éveillent à la religion. Il en devint obsédé de la même façon. Mais un homme touché par la religion peut entrer au monastère et passer ses journées en prière devant Notre-Dame sur un autel. Elle au moins est en plâtre et ne change pas. Les femmes sont autrement faites, Philip. Leurs humeurs varient selon les jours et les nuits, parfois même selon les heures, tout comme celles d'un homme. Nous sommes humaines, voilà notre défaut. »

Je ne comprenais pas ce qu'elle disait de la religion. Je ne me rappelai que le vieil Isaiah de la ferme de Saint-Blaise qui était devenu méthodiste et s'en allait pieds nus prêcher sur les chemins. Il invoquait Jéhovah et disait que lui et nous tous étions, aux yeux du Seigneur, de misérables pécheurs, et que nous devions frapper aux portes d'une nouvelle Jérusalem. Je n'apercevais aucun rapport entre tout cela et Ambroise. Mais les catholiques ne voient pas les choses comme nous. Elle voulait dire sans doute qu'Ambroise la considérait comme les images gravées des Dix Commandements. Tu ne t'inclineras pas devant elles, tu ne les adoreras point.

« Vous voulez dire, fis-je, qu'il attendait trop de vous? Qu'il vous avait mise sur une espèce de piédestal?

— Non, dit-elle. J'aurais accepté avec plaisir un piédestal après ma vie agitée. Une auréole est une belle chose, à condition qu'on puisse l'ôter de temps en temps et devenir humaine.

— Alors? »

Elle soupira et ses mains retombèrent à ses côtés. Elle parut soudain très lasse. Elle se laissa aller contre le dossier de son fauteuil et, appuyant la tête au coussin, ferma les yeux.

« La découverte de la religion ne rend pas toujours un homme meilleur, dit-elle. De s'éveiller au monde n'a pas rendu service à Ambroise. Sa nature changea. »

Sa voix aussi était lasse et étrangement unie. Peut-être était-ce son tour d'être au confessionnal. Elle posa les paumes sur ses yeux.

« Changea? dis-je. Comment sa nature changea-t-elle? »

J'éprouvais au cœur une espèce de choc étrange semblable au choc qu'on ressent, enfant, en apprenant pour la première fois l'existence de la mort, du mal ou de la cruauté.

« Les docteurs m'ont dit plus tard que c'était dû à sa maladie, reprit-elle, qu'il n'y pouvait rien, que des éléments endormis toute sa vie affleuraient à présent, du fait de la souffrance et de la peur. Mais je ne saurai jamais si ce changement était inévitable.

Quelque chose en moi dut provoquer cela. Ma présence fut pour lui la béatitude pendant une courte période, puis la catastrophe. Vous avez raison de me haïr. S'il n'était pas venu en Italie, il vivrait encore ici avec vous. Il ne serait pas mort. »

J'étais honteux, gêné. Je ne savais que dire.

« Il serait peut-être tombé malade tout de même, dis-je comme pour la consoler. Et c'est moi alors qui me ferais des reproches au lieu de vous. »

Elle retira les mains de son visage et, sans bouger la tête, me regarda et sourit.

« Il vous aimait tant, dit-elle. On aurait dit que vous étiez son fils, il était si fier de vous. C'était toujours : mon Philip fait ceci, mon garçon fait cela. Ah! Philip, si vous avez été jaloux de moi pendant ces dix-huit mois, je crois que nous sommes quittes. Dieu sait que je me serais volontiers passé de vous à certains moments. »

Je lui rendis son regard et souris lentement.

« Vous vous peigniez des images, vous aussi? demandai-je.

— Je ne cessais point, dit-elle. Cet enfant gâté, me disais-je, qui lui écrivait tout le temps des lettres dont il me lisait bien des extraits mais qu'il ne me montrait jamais. Ce garçon qui a toutes les qualités et pas un défaut. Ce garçon qui le comprend quand j'y échoue. Ce garçon qui possède les trois quarts de son cœur et le meilleur de lui-même. Quand je n'en possède qu'un tiers et le pire. Oh! Philip... »

Elle s'interrompit et me sourit de nouveau.

« Mon Dieu, dit-elle, c'est vous qui parlez de

jalousie? La jalousie d'un homme est comme celle d'un enfant, violente et absurde, sans profondeur. La jalousie d'une femme est adulte, c'est bien différent. »

Elle remit le coussin en place derrière sa tête et le tapota. Elle tira sur les plis de sa robe et se redressa dans son fauteuil.

« Il me semble que, pour ce soir, je vous en ai dit assez », fit-elle.

Elle se pencha et ramassa la broderie qui avait glissé à ses pieds.

« Je ne suis pas fatigué, dis-je. Je pourrais continuer ainsi bien plus longtemps. C'est-à-dire, non à parler moi-même, sans doute, mais à vous écouter.

— Nous avons encore demain, dit-elle.

— Pourquoi seulement demain?

— Parce que je pars lundi. Je ne suis venue ici que pour passer la fin de la semaine. Votre parrain, Nick Kendall, m'a invitée à Pelyn. »

Il me parut absurde et sans raison qu'elle dût changer si vite de logis.

« Il n'est pas nécessaire que vous y alliez déjà, dis-je, vous venez d'arriver. Vous avez tout le temps de visiter Pelyn. Vous n'avez pas encore vu la moitié de ces terres. Je ne sais ce qu'en penseraient les domestiques et les gens du domaine. Ils seraient très offensés.

— Vraiment? demanda-t-elle.

— D'ailleurs, dis-je, le voiturier va arriver de Plymouth avec les plantes et les greffes. Il faut que vous voyiez cela avec Tamlyn. Et il y a encore les effets d'Ambroise à trier et à examiner.

— Je pensais que vous pourriez le faire tout seul, dit-elle.

— Pourquoi, dis-je, quand nous pouvons le faire ensemble? »

Je quittai mon siège et m'étirai. Je donnai un coup de pied à Don. « Réveille-toi, dis-je, cesse de ronfler et va-t'en à la niche avec les autres. » Il remua et grogna. « Vieux paresseux », dis-je. Je la regardai et vis qu'elle avait levé les yeux vers moi avec une expression étrange; on eût dit qu'à travers moi elle voyait quelqu'un d'autre.

« Qu'y a-t-il? demandai-je.

— Rien, répondit-elle, rien du tout... Pouvez-vous prendre une bougie, Philip, et m'éclairer jusqu'à ma chambre?

— Parfaitement, dis-je. J'emmènerai Don à sa niche ensuite. »

Les bougeoirs étaient préparés sur la table près de la porte. Elle prit le sien et j'allumai sa bougie. Il faisait sombre dans le vestibule, mais sur le palier de l'étage, Seecombe avait laissé une lumière brûler dans la galerie.

« Cela suffit, dit-elle. Je trouverai mon chemin toute seule. »

Elle s'arrêta un instant sur une marche de l'escalier, le visage dans l'ombre, une main tenant le bougeoir, l'autre relevant sa robe.

« Vous ne me haïssez plus? demanda-t-elle.

— Non, dis-je. Je vous ai dit que ce n'était pas vous. C'était une autre femme.

— En êtes-vous sûr?

— Tout à fait sûr.

— Bonne nuit donc. Et dormez bien. »

Elle se retourna, prête à s'éloigner, mais je posai la main sur son bras pour la retenir.

« Attendez, dis-je, à mon tour de poser une question.

— Laquelle, Philip?

— Etes-vous encore jalouse de moi, ou bien s'agissait-il aussi d'un autre homme? »

Elle rit et me tendit la main et, comme elle était au-dessus de moi sur l'escalier, je lui trouvai une grâce que je n'avais pas encore remarquée. Ses yeux semblaient plus grands à la flamme vacillante de la bougie.

« Cet affreux garçon, si gâté et suffisant? dit-elle. Oh! il est parti hier soir, aussitôt que vous êtes entré dans le boudoir de tante Phoebé. »

Elle se pencha soudain et baisa ma joue.

« Le premier baiser que vous ayez jamais reçu, dit-elle, et s'il ne vous plaît pas, vous pourrez imaginer que ce n'est pas moi qui vous l'ai donné, mais l'autre femme. »

Elle monta l'escalier, s'éloigna, tandis que la lumière de la bougie projetait une ombre sombre et agrandie sur le mur.

CHAPITRE XI

Nos habitudes dominicales étaient très régulières : on servait le petit déjeuner plus tard que les autres jours, à neuf heures, et, à dix heures et quart, la voiture venait nous chercher, Ambroise et moi, pour nous mener à l'église. Les domestiques suivaient en carriole. L'office terminé, ils rentraient prendre leur dîner servi plus tard lui aussi, à près d'une heure. Enfin, à quatre heures, nous nous mettions à table à notre tour en compagnie du vicaire et de Mrs. Pascoe avec parfois une ou deux de leurs filles non mariées et, le plus souvent, mon parrain et Louise. Depuis le départ d'Ambroise, je n'utilisais plus la voiture pour aller à l'église mais m'y rendais monté sur Gipsy ce qui, je crois, faisait un peu parler, je n'ai jamais su pourquoi.

Ce dimanche-là, en l'honneur de ma visiteuse, je commandai la voiture ainsi qu'autrefois, et ma cousine Rachel, que Seecombe avait avertie en lui apportant son petit déjeuner, descendit dans le vestibule sur le coup de dix heures. Je me sentais une espèce d'aisance depuis la veille au soir et j'eus l'impression, en la regardant, que je pourrais désormais lui dire tout ce que je voudrais. Je n'avais plus de raison de me laisser retenir par rien, ni inquiétude, ni ressentiment, ni même politesse de convention.

« Un mot d'avertissement, dis-je après lui avoir souhaité le bonjour. Tous les yeux à l'église seront fixés sur vous. Même les fainéants qui trouvent parfois des prétextes pour rester au lit le dimanche viendront aujourd'hui au sermon. Ils rempliront la nef et se hausseront sur la pointe des pieds!

— Vous me terrifiez, dit-elle, je n'irai pas.

— Cela serait un crime, dis-je, qui nous déshonorerait tous les deux. »

Elle me regarda gravement.

« Je ne suis pas sûre de savoir me tenir, dit-elle. J'ai été élevée dans la religion catholique.

— N'en soufflez mot, lui dis-je. Les papistes dans ce pays sont voués au feu de l'enfer, dit-on. Regardez bien tout ce que je ferai. Je ne vous égarerai point. »

La voiture se rangea devant la porte. Wellington, son chapeau bien brossé orné d'une cocarde neuve, le valet de pied à côté de lui, était gonflé d'importance comme une pigeonne couveuse. Seecombe, en pantalon de toile amidonné et veste des dimanches, se tenait devant la porte avec une dignité égale.

Je fis monter ma cousine Rachel en voiture et m'assis à côté d'elle. Elle était enveloppée dans une mante noire, et le voile de son chapeau dissimulait ses traits.

« Les gens veulent voir votre visage, lui dis-je.

— Ils en seront pour leurs vœux, répondit-elle.

— Vous ne comprenez pas, dis-je. Ils n'ont jamais rien connu de pareil. Il y a près de trente ans que cela n'est pas arrivé. Les vieux doivent se rappeler ma tante et ma mère mais, pour les jeunes, ils n'ont jamais vu de Mrs. Ashley à l'église. En outre, il faut les instruire. Ils savent que vous venez de ce qu'ils appellent les pays étrangers. Ils doivent s'imaginer que les Italiens sont des nègres.

— Voulez-vous vous taire, dit-elle tout bas. Je vois au dos de Wellington qu'il entend tout ce que vous dites.

— Je ne me tairai pas, dis-je, l'affaire est trop importante. Je sais comment les rumeurs se répandent. Tout le pays va rentrer dîner en hochant la tête et en disant que Mrs. Ashley est une négresse.

— Je lèverai mon voile à l'église, pas avant, dit-elle. Quand je serai à genoux. Ils pourront regarder alors si ça les intéresse. Mais ils ne devraient pas. Leurs yeux devraient être fixés sur leurs livres de prières.

— Un haut dossier surmonte notre banc, complété par des rideaux, lui dis-je. A genoux là, vous serez cachée à tous les yeux. Vous pourrez même y jouer aux billes si le cœur vous en dit. Je l'ai fait dans mon enfance.

— Votre enfance, dit-elle, n'en parlons pas. Je la connais en détail. Comment Ambroise a chassé votre nourrice quand vous aviez trois ans. Comment il vous a ôté vos petites robes et mis en culotte. La façon monstrueuse dont il vous a enseigné l'alphabet. Je ne suis pas surprise que vous ayez joué aux billes dans le banc d'œuvre. Je m'étonne que vous n'ayez pas fait pire.

— J'ai fait pire, dis-je. Un jour, j'ai apporté des souris blanches dans ma poche et elles se sont sauvées. Elles ont grimpé dans les jupons d'une vieille dame derrière nous. Elle a eu des vapeurs et il fallut l'emmener.

— Ambroise ne vous a pas battu?

— Mais non. C'est lui qui les avait lâchées par terre. »

Ma cousine me montra le dos de Wellington. Ses épaules s'étaient raidies et ses oreilles avaient rougi.

« Vous allez vous tenir convenablement aujourd'hui ou je quitterai l'église, me dit-elle.

— Alors, tout le monde pensera que c'est vous qui avez des vapeurs, dis-je, et mon parrain et Louise accourront à votre secours. Oh! ciel... »

Je m'interrompis et frappai mon genou de la main en signe de consternation.

« Qu'y a-t-il?

— Je viens seulement de me rappeler. J'avais promis d'aller hier à cheval à Pelyn voir Louise et j'ai complètement oublié. Elle a dû m'attendre tout l'après-midi.

— Cela n'était pas très galant de votre part, dit ma cousine Rachel. J'espère qu'elle vous regardera de haut.

— Je lui dirai que c'est votre faute, dis-je, ce qui sera la vérité. Je lui dirai que vous avez exigé d'être conduite aux terres de Barton.

— Je ne vous l'aurais pas demandé, dit-elle, si

j'avais su que vous étiez attendu ailleurs. Pourquoi ne me l'avez-vous pas dit?

— Parce qu'il ne m'en souvenait plus.

— Si j'étais Louise, dit-elle, je prendrais cela en très mauvaise part. On ne saurait offrir pire excuse à une femme.

— Louise n'est pas une femme, dis-je, elle est plus jeune que moi, et je la connais depuis le temps où elle courait en jupon court.

— Ce n'est pas une raison. Elle a des sentiments quand même.

— Oh! elle s'en remettra. Elle sera à côté de moi à dîner et je lui ferai compliment sur la manière dont elle a arrangé les fleurs.

— Quelles fleurs?

— Les fleurs de la maison. Les fleurs de votre boudoir et de votre chambre. Elle est venue tout exprès pour cela.

— Que c'est aimable à elle!

— Elle n'avait pas confiance en Seecombe.

— Je la comprends un peu. Elle a montré là beaucoup de délicatesse et de goût. J'ai aimé surtout la jardinière sur la cheminée du boudoir et les crocus d'automne près de la fenêtre.

— Il y avait une jardinière sur la cheminée, dis-je, et une près de la fenêtre? Je n'ai pas remarqué. Mais je lui en ferai compliment tout de même. J'espère qu'elle ne réclamera pas la description. »

Je la regardai et ris et je vis ses yeux me sourire sous son voile mais elle secoua la tête.

Nous avions descendu la côte et tourné sur la route

et nous arrivions à présent au village en vue de l'église. Comme je l'avais prévu, il y avait une petite foule devant le portail. Je connaissais la plupart des gens, mais un certain nombre de curieux s'étaient joints à eux. Il y eut un mouvement au moment où la voiture s'arrêtait pour nous laisser descendre. J'ôtai mon chapeau et offris mon bras à ma cousine Rachel. J'avais vu mon parrain agir avec Louise nombre de fois. Nous montâmes le chemin jusqu'à la porte de l'église sous les yeux des gens. Je me serais attendu à me trouver ridicule et hors de mon rôle naturel, mais il en fut tout autrement. Je me sentais fier, assuré et singulièrement heureux. Je regardai droit devant moi sans tourner les yeux à droite ni à gauche tandis que les hommes se découvraient à notre passage et que les femmes faisaient la révérence. Seul, je n'avais jamais reçu de tels hommages.

En somme, c'était un grand jour.

Nous entrâmes dans l'église au son des cloches, et les gens qui étaient déjà installés dans les bancs se retournèrent pour nous voir. Il y eut un raclement de pieds, un bruissement de jupes. Nous avançâmes dans la nef et passâmes devant le banc des Kendall pour gagner le nôtre. J'aperçus mon parrain, ses sourcils en broussaille froncés, une expression pensive sur son visage. Sans doute se demandait-il quelle avait été ma conduite depuis quarante-huit heures. La bonne éducation lui interdisait de nous dévisager. Louise était assise à côté de lui, toute droite, très raide. Elle avait un air altier, et je me dis que j'avais dû l'offenser. Mais comme je m'écartais pour laisser ma cousine

Rachel entrer dans notre banc devant moi, la curiosité de Louise l'emporta. Elle leva les yeux, regarda ma visiteuse puis surprit mon regard. Elle leva le sourcil d'un air interrogateur. Je feignis de ne pas le voir et refermai le banc derrière moi. La congrégation s'agenouilla pour prier.

C'était une impression étrange que de sentir une femme à côté de moi dans la stalle. Mon souvenir me ramena à l'époque de mon enfance où Ambroise m'avait conduit ici pour la première fois et où j'avais dû monter sur un tabouret pour regarder par-dessus le banc devant moi. J'imitais Ambroise, tenant un livre de prières à la main, souvent la tête en bas, et quand le moment était venu des répons j'avais répété le murmure de ses lèvres sans aucune idée de ce qu'il voulait dire. Plus tard, un peu plus grand, j'écartais les rideaux et regardais les gens, le pasteur et les enfants de chœur; plus tard encore, venu de Harrow en vacances, je m'asseyais, les bras croisés comme Ambroise, et somnolais quand le sermon traînait. Depuis que j'avais atteint l'âge d'homme, l'église était devenue pour moi un lieu de méditation. Non, il faut l'avouer, sur mes fautes, mais sur mes projets de la semaine : les travaux à entreprendre dans les champs ou les bois, les recommandations à faire au neveu de Seecombe pour la pêcherie de la baie, les instructions à donner à Tamlyn. Assis seul dans cette stalle, je m'enfermais en moi-même et rien ni personne ne venait troubler mes réflexions. Je chantais les psaumes et donnais les répons par la force de l'habitude. Ce dimanche-ci était différent. Je la sentais constamment à mon côté. Il n'y avait pas lieu de s'inquiéter de son ignorance de nos rites. On eût dit qu'elle n'avait jamais suivi d'autres offices que ceux de l'Eglise anglicane. Elle était assise, immobile, les yeux fixés gravement sur le pasteur, et, quand elle s'agenouilla, je remarquai qu'elle reposait entièrement sur ses genoux et ne restait pas à demi assise sur le banc comme Ambroise et moi en avions coutume. Elle ne s'agitait pas non plus, ne tournait pas la tête, ni ne regardait autour d'elle ainsi que Mrs. Pacoe et ses filles le faisaient continuellement dans leur stalle du bas-côté où le vicaire ne pouvait les voir. Lorsque vint le moment de chanter les hymnes, elle releva son voile et je vis ses lèvres suivre les paroles mais je ne l'entendis pas chanter. Elle abaissa de nouveau son voile lorsque nous nous assîmes pour écouter le sermon.

Je me demandai quelles avaient été les dernières femmes à s'asseoir ici dans le banc des Ashley. Tante Phoebé peut-être soupirant pour son pasteur, ou bien la femme d'oncle Philip, la mère d'Ambroise que je n'avais jamais vue. Peut-être mon père s'était-il assis ici avant d'aller combattre les Français et mourir, et ma mère également jeune et délicate, qui n'avait pas, me dit Ambroise, survécu plus de quelques mois à mon père. Je n'avais jamais beaucoup pensé à eux, ils ne m'avaient jamais manqué, Ambroise me tenait lieu de tous deux. A présent, en regardant ma cousine Rachel, je songeai à ma mère. S'était-elle agenouillée ici sur ce tabouret à côté de mon père, s'était-elle assise en croisant les mains sur ses genoux pour écouter le sermon? Ensuite, rentrée à la maison, m'avait-elle pris dans ses bras? Je me demandais, tandis que la voix de Mr. Pascoe poursuivait son bourdonnement, ce que j'avais pu éprouver, enfant dans les bras de ma mère. Avait-elle touché mes cheveux, baisé ma joue avant de me reposer en souriant dans mon berceau? J'aurais, tout à coup, voulu me le rappeler. Pourquoi la mémoire de l'enfant ne remonte-t-elle pas au-delà d'une certaine limite? J'avais été un petit garçon, sautillant derrière Ambroise, lui criant de m'attendre. Rien avant cela. Rien...

« Au nom du Père, du Fils et du Saint-Esprit. » Aux paroles du vicaire, je me relevai brusquement. Je n'avais pas entendu un seul mot du sermon. Je n'avais pas non plus arrêté les plans de la semaine à venir. J'étais resté à rêver en regardant ma cousine Rachel.

Je pris mon chapeau et lui touchai le bras.

« Vous avez été parfaite, lui dis-je tout bas, mais votre véritable épreuve commence maintenant.

— Merci, me répondit-elle sur le même ton, la vôtre aussi. Il faut vous excuser de n'avoir pas tenu votre promesse. »

Nous sortîmes de l'église en plein soleil au milieu d'une petite foule qui nous attendait : fermiers, connaissances, amis, et, parmi eux, Mrs. Pascoe, la femme du vicaire, et ses filles, de même que mon parrain et Louise. Un par un, ils s'avancèrent pour être présentés. On se fût cru à la cour. Ma cousine Rachel releva son voile et je me dis que je l'en taquinerais quand nous nous retrouverions seuls.

Comme nous descendions le chemin jusqu'aux voitures, elle me dit devant les autres de façon qu'il me devînt impossible de refuser — et je sentais bien au regard de ses yeux et au pétillement de sa voix qu'elle le faisait exprès :

« Philip, ne seriez-vous pas bien aise de conduire Miss Kendall dans votre voiture tandis que je rentrerai dans celle de Mr. Kendall?

— Ce sera comme vous préférez, dis-je.

— Cela me paraît parfait », dit-elle en souriant à mon parrain qui, s'inclinant à son tour, lui offrit son bras.

Ils se dirigèrent vers la voiture de Kendall. Il ne me restait rien d'autre à faire qu'à monter dans la nôtre avec Louise. J'avais l'impression d'être un écolier qu'on vient de gifler. Wellington fouetta les chevaux et l'on partit.

« Ecoutez, Louise, je suis bien fâché, commençai-je aussitôt, il m'a été tout à fait impossible de m'échapper hier après-midi. Ma cousine Rachel désirait voir les terres de Barton et j'ai dû l'accompagner. Il n'était plus temps de vous avertir ou je vous aurais fait porter un mot par le valet.

— Oh! ne vous excusez pas! dit-elle. J'ai attendu près de deux heures mais c'est sans importance. Il faisait beau heureusement et j'ai passé le temps à cueillir un panier de mûres.

— C'est très fâcheux, dis-je, je suis vraiment désolé.

— Je me suis doutée que vous étiez retenu par quelque chose de ce genre, dit-elle, mais je suis contente qu'il n'y ait rien eu de grave. Je connaissais vos sentiments au sujet de cette visite et je craignais un peu que vous vous laissiez aller à quelque violence.

quelque querelle, que sais-je, et que votre cousine ne vînt tout à coup se réfugier chez nous. Alors, que s'est-il passé? Etes-vous arrivé jusqu'ici sans une pique? Racontez-moi tout. »

J'abaissai mon chapeau sur les yeux et croisai les bras.

« Tout? Que voulez-vous dire par tout?

— Mais... tout. Que lui avez-vous dit, comment l'a-t-elle pris? A-t-elle été penaude ou bien n'a-t-elle montré aucun signe qu'elle se reconnût coupable? »

Elle parlait bas et Wellington ne pouvait pas entendre, malgré cela je me sentis très agacé. Quel moment et quel endroit pour une telle conversation, d'ailleurs, qu'était-ce que cet interrogatoire?

« Nous n'avons guère eu le temps de parler, dis-je. Le premier soir, elle était lasse et s'est couchée de bonne heure. La journée d'hier a été occupée par la visite du domaine : les jardins dans la matinée et les terres de Barton l'après-midi.

— Alors vous n'avez pas eu de conversation sérieuse?

— Cela dépend de ce que vous appelez sérieuse. Tout ce que je peux dire c'est qu'elle est une personne de tout autre sorte que celle que je croyais. Vous avez bien dû vous en apercevoir vous-même, dans le court instant où vous l'avez vue. »

Louise se tut. Elle ne s'adossa pas aux coussins de la voiture comme moi. Elle restait assise, très droite, les mains dans son manchon.

« Elle est très belle », dit-elle enfin.

Je repliai mes jambes que j'avais allongées sur la

banquette en face de moi et me tournai pour la regarder en face.

« Belle? dis-je stupéfait. Ma chère Louise, il faut que vous ayez perdu l'esprit.

— Oh! non, nullement, répondit Louise. Demandez à mon père, demandez à tout le monde. N'avez-vous point remarqué les regards quand elle a levé son voile? Vous êtes complètement aveugle devant les femmes, voilà pourquoi vous ne vous en êtes pas aperçu.

— De ma vie je n'avais entendu pareille sornette, dis-je. Elle a peut-être de beaux yeux mais pour le reste elle est tout à fait quelconque. La personne la plus quelconque que je connaisse. Je peux lui dire tout ce que je veux, je peux parler de n'importe quoi, je n'ai pas besoin de faire aucune cérémonie pour elle, c'est pour moi la chose la plus naturelle du monde de m'asseoir en face d'elle dans un fauteuil et d'allumer ma pipe.

— Je croyais que vous n'aviez pas eu le temps de lui parler?

— N'ergotez pas. Evidemment, nous avons parlé à dîner et en visitant les champs. Ce que je vous explique, c'est que cela ne me demandait aucun effort.

— Assurément.

— Quant à sa beauté, il faudra que je lui raconte cela. Ça la fera rire. Naturellement qu'on l'a regardée. On l'a regardée parce qu'elle est Mrs. Ashley.

— Certes, mais pas uniquement. En tout cas, qu'elle soit quelconque ou non, elle paraît avoir fait grande impression sur vous. Elle n'est plus jeune, ça c'est vrai. Je lui donne bien trente-cinq ans, et vous? Moins?

— Je n'en ai pas la moindre idée et ne m'en soucie nullement, Louise. Je ne m'intéresse pas à l'âge des gens. Vous me diriez qu'elle a quatre-vingt-dix-neuf ans, je répondrais : pourquoi pas?

— Ne dites pas de sottises. Les femmes n'ont pas ces yeux à quatre-vingt-dix-neuf ans, ni ce teint. Elle s'habille très bien. Sa robe est admirablement coupée, sa mante aussi. Le deuil ne fait pas pauvre sur elle.

— Seigneur, Louise, on croirait entendre Mrs. Pascoe. Je ne vous avais jamais vue si commère.

— Moi je ne vous avais jamais vu si enthousiaste. Nous sommes quittes. Quel changement en quarante-huit heures! Il y aura au moins une personne qui s'en réjouira, et c'est mon père. Il craignait des querelles sanglantes après ce que vous lui aviez dit, et qui s'en étonnerait? »

Je fus content lorsque nous atteignîmes la longue côte, ce qui me permit de descendre de voiture et de monter la pente à pied avec le valet pour soulager les chevaux; comme nous en avions l'habitude. Quelle attitude extraordinaire que celle de Louise! Au lieu de se réjouir que la visite de ma cousine Rachel se passât si bien, elle semblait s'en irriter. Cela me parut une triste façon de me témoigner son amitié. Au sommet de la côte je revins m'asseoir près d'elle dans la voiture mais nous n'échangeâmes plus une parole de tout le chemin. C'était absurde mais elle ne fit aucune tentative pour rompre le silence et, pour rien au monde, je n'eusse commencé. Je ne pouvais m'empêcher de penser que le trajet d'aller avait été infiniment plus agréable que celui du retour.

Je me demandai comment l'autre couple passait le temps dans la seconde voiture. Fort bien, à ce qu'il parut. Lorsque nous fûmes descendus de la nôtre et que Wellington eut fait avancer les chevaux pour laisser la place à l'autre équipage, Louise et moi restâmes debout devant la porte, attendant mon parrain et ma cousine Rachel. Ils bavardaient comme de vieux amis et mon parrain, généralement plutôt sec et taciturne, s'exprimait avec une chaleur inaccoutumée. Je perçus les mots « un scandale » et « le pays ne le permettra pas ». Je compris qu'il était lancé sur son sujet favori : le gouvernement et l'opposition. Je me dis que lui n'avait pas dû descendre de voiture pour soulager les chevaux.

« Le retour s'est bien passé? » demanda ma cousine Rachel, cherchant mes yeux, un frémissement à la lèvre, et j'aurais pu jurer qu'elle devinait à nos visages maussades comment il s'était passé.

« Mais oui, merci », dit Louise en s'effaçant poliment pour la laisser passer.

Mais ma cousine Rachel lui prit le bras et dit :

« Venez dans ma chambre avec moi retirer votre manteau et votre chapeau. Je veux vous remercier pour les jolies fleurs. »

Mon parrain et moi eûmes tout juste le temps de nous laver les mains et d'échanger quelques politesses, déjà toute la famille Pascoe envahissait les lieux et c'est à moi qu'échut le soin de faire faire au vicaire et à ses filles le tour des jardins. Le vicaire était inoffensif mais je me serais bien passé des filles. Quant à la femme du vicaire, Mrs. Pascoe, elle était montée rejoindre les dames comme un chien de chasse flairant une piste. Elle n'avait jamais vu la chambre bleue sans housses... Les filles ne tarissaient pas d'éloges sur ma cousine Rachel et, de même que Louise, la déclarèrent très belle. Cela me ravit de leur dire que je la trouvais petite et tout à fait insignifiante, tandis qu'elles poussaient de petits cris de protestation.

« Pas insignifiante, dit Mr. Pascoe en fouettant de sa canne un hortensia, certainement pas insignifiante. Je ne dirais peut-être pas, comme ces demoiselles, qu'elle est très belle. Mais féminine, voilà le mot, extrêmement féminine.

— Mais, père, dit une des filles, étonnée, que voudriez-vous que Mrs. Ashley fût d'autre?

— Ma chère, répondit le vicaire, tu n'imagines sans doute pas le nombre de femmes auxquelles cette qualité fait défaut. »

Je songeai à Mrs. Pascoe et à sa tête de cheval et m'empressai d'attirer l'attention de mes visiteurs sur les jeunes palmiers qu'Ambroise avait rapportés d'Egypte et qu'ils avaient déjà dû voir une douzaine de fois, en me félicitant du tact avec lequel j'avais détourné la conversation.

En rentrant à la maison, nous trouvâmes dans le salon Mrs. Pascoe en train de raconter bruyamment à ma cousine Rachel l'histoire de sa fille de cuisine séduite par le garçon jardinier.

« Ce que je ne puis comprendre, Mrs. Ashley, c'est

où la chose s'est passée! Elle couchait dans la chambre de la cuisinière et ne sortait jamais.

— Et la cave? » dit ma cousine Rachel.

Jamais, depuis le départ d'Ambroise, deux ans auparavant, je n'avais vu un dimanche passer aussi rapidement. Même lorsqu'il était là, la journée traînait souvent. Plein d'antipathie pour Mrs. Pascoe, d'indifférence pour ses filles et ne supportant Louise que parce qu'elle était la fille de son plus vieil ami, il essayait toujours de n'inviter que le vicaire et mon parrain. Alors nous respirions tous les quatre à notre aise. Lorsque les femmes étaient de la partie, les heures s'allongeaient comme des journées. Aujourd'hui, c'était différent.

Le dîner servi, les viandes disposées sur la table et l'argenterie bien astiquée semblaient s'offrir à nous comme en un banquet. J'étais assis au bout de la table, à la place d'Ambroise, ma cousine Rachel en face de moi. Cela me donnait pour voisine de droite Mrs. Pascoe mais, pour une fois, elle ne m'exaspéra point. Son gros visage curieux resta la plupart du temps tourné vers l'autre bout de la table; elle riait, elle mangeait, elle en oubliait de lancer des petits signes de désapprobation à son époux qui, sorti de sa coquille pour la première fois de sa vie peut-être, rouge et l'œil brillant, s'était mis à citer des poèmes. Toute la famille Pascoe s'épanouissait comme une rose et je n'avais jamais vu mon parrain s'amuser autant.

Louise seule observait un silence plein de réserve. Je fis de mon mieux pour la distraire mais en vain.

Assise, très raide, à ma gauche, elle mangeait à peine et émiettait son pain, le regard fixe comme si elle eût avalé une bille. Si elle tenait à bouder, libre à elle. Quant à moi je m'amusais bien trop pour m'inquiéter d'elle. Penché en avant, accoudé aux bras de mon fauteuil, je riais en regardant ma cousine Rachel encourager le pasteur et sa poésie. Ceci, pensai-je, est le dîner dominical le plus étonnant auquel j'aie jamais assisté, et j'aurais donné tout au monde pour qu'Ambroise pût être là et le partager avec nous. Le dessert terminé, comme on apportait le porto, je me demandai si je devais me lever ainsi que je le faisais d'habitude pour ouvrir la porte, ou si, maintenant que j'avais une hôtesse pour présider en face de moi, c'était à elle de donner le signal. Il y eut un silence. Elle me regarda et sourit. Je lui souris en réponse. Nous restâmes ainsi un instant attachés l'un à l'autre. C'était extraordinaire, et j'éprouvai une sensation inconnue.

Puis mon parrain dit de sa voix grave et grondeuse :

« Dites-moi, Mrs. Ashley, Philip ne vous rappelle-t-il pas beaucoup Ambroise? »

Il y eut un moment de silence. Elle posa sa serviette sur la table.

« A tel point, dit-elle que je me suis demandée pendant tout le dîner s'il y avait une différence. »

Elle se leva, les autres femmes l'imitèrent et, traversant la pièce, j'allai leur ouvrir la porte. Même après leur départ et quand je fus revenu à ma place, l'étrange sensation ne m'avait pas quitté.

CHAPITRE XII

Ils partirent tous vers six heures, le vicaire devant célébrer l'office du soir dans une autre paroisse. J'entendis Mrs. Pascoe inviter ma cousine Rachel à venir passer un après-midi chez elle, et toutes les filles Pascoe insister à leur tour. L'une désirait son avis sur une aquarelle, une autre travaillait à une tapisserie et ne savait quelles laines choisir, une troisième qui faisait la lecture tous les jeudis à une vieille femme malade du village priait ma cousine Rachel de l'accompagner dans cette charitable visite, la pauvre âme brûlant du désir de la voir.

« Il faut dire, reprit Mrs. Pascoe, comme nous traversions le vestibule et nous dirigions vers la porte, qu'il y a tant de gens, Mrs. Ashley, qui désirent faire votre connaissance, que je crois que vous pouvez compter sur des invitations pour tous les jours du mois au moins.

— Elle pourra fort bien s'y rendre de Pelyn, dit mon parrain, la situation est très commode pour se rendre à peu près partout. Plus qu'ici. Et je crois que nous aurons le plaisir de sa compagnie dans un jour ou deux. »

Il me regarda et je me hâtai de répondre et de mettre fin à ce projet avant qu'il ne fût plus avancé.

« Point, Monsieur, dis-je, ma cousine Rachel reste ici pour l'instant. Avant de se prêter à d'autres invitations, elle a tout le domaine à connaître. Nous commençons demain par prendre le thé à Barton. Ensuite, les autres fermes auront leur tour. On serait très offensé si elle ne rendait visite à tous les fermiers par ordre de préséance. »

Je vis Louise me regarder avec de grands yeux mais je n'y prêtai pas attention.

« Ah! évidemment, dit mon parrain surpris à son tour, cela se doit. J'aurais proposé d'y conduire Mrs. Ashley moi-même, mais si tu y es disposé c'est une autre affaire. D'autre part, continua-t-il en s'adressant à ma cousine Rachel, si vous ne vous trouvez pas assez commodément ici — je sais que Philip me pardonnera de dire cela, car on n'a pas eu coutume de recevoir des dames dans cette maison depuis bien des années, comme vous le savez sans doute, et la vie y est peut-être un peu rude — ou si vous désirez une compagnie féminine, ma fille ne sera que trop heureuse de vous recevoir.

— Nous avons une chambre d'ami à la cure, dit Mrs. Pascoe. Si jamais vous vous ennuyiez, rappelez-vous qu'elle est à votre disposition. Nous serions ravis de vous avoir parmi nous.

— En effet, en effet, confirma le vicaire; et je me

demandai si un nouveau bouquet de strophes se formait sur ses lèvres.

— Vous êtes tous très bons et extrêmement généreux, dit ma cousine Rachel. Nous en reparlerons, voulez-vous, quand j'aurais fait mon devoir ici, dans le domaine? En attendant, croyez que je vous suis très reconnaissante. »

Il y eut un grand brouhaha de conversations et d'adieux et les voitures s'éloignèrent dans l'avenue.

Nous revînmes au salon. Dieu sait que l'après-midi s'était passé des plus agréablement mais j'étais heureux qu'ils fussent partis et la maison rendue au silence. Elle dut penser la même chose car elle resta debout un moment à regarder autour d'elle et dit :

« J'aime le calme d'une pièce après une réception. Les sièges sont déplacés, les coussins en désordre, tout montre que des gens se sont amusés; et l'on revient dans le salon vide, heureux que ce soit terminé, heureux de se reposer et dire : nous revoilà seuls. Ambroise me disait à Florence que cela valait la peine de supporter l'ennui des visiteurs rien que pour le plaisir de leur départ. Comme il avait raison! »

Je la regardais lisser le dessus d'un fauteuil et remettre un coussin en place.

« Vous n'avez pas besoin de faire cela, lui dis-je. Seecombe, John et les autres s'en occuperont demain.

— Instinct de femme, me dit-elle. Ne me regardez pas, asseyez-vous et bourrez votre pipe. Vous êtes-vous amusé?

— Certes. » Je me couchai à moitié, étalé sur un tabouret. « Je ne sais pas pourquoi, ajoutai-je. D'ordinaire, je trouve le dimanche très ennuyeux. C'est parce que je ne brille pas dans la conversation. Mais aujourd'hui je n'ai rien eu d'autre à faire qu'à rester assis et vous laisser parler à ma place.

— C'est une de ces choses où les femmes peuvent être utiles, dit-elle; ça fait partie de leur éducation. L'instinct les avertit de ce qu'il convient de faire quand la conversation languit.

— Oui, mais avec vous on ne s'en aperçoit pas, dis-je. Mrs. Pascoe est bien différente. Elle n'arrête pas. Personne ne pouvait jamais placer un mot; les autres dimanches. Je me demande pourquoi tout a été si plaisant aujourd'hui.

— C'était donc plaisant?

— Mais oui, je vous l'ai dit.

— Alors, dépêchez-vous d'épouser votre Louise et d'avoir une vraie hôtesse et non un oiseau de passage. »

Je me redressai sur mon tabouret et la regardai. Elle lissait ses cheveux devant le miroir.

« Epouser Louise? dis-je. Ne soyez pas ridicule. Je ne veux épouser personne. Et elle n'est point *ma* Louise.

— Tiens! fit ma cousine Rachel. J'aurais cru. Votre parrain du moins m'a donné cette impression. »

Elle s'assit sur une chaise et prit sa broderie. A ce moment, le jeune John entra pour fermer les rideaux et je gardai le silence, mais je n'en étais pas moins furieux. De quel droit mon parrain faisait-il une telle supposition? J'attendis que John eût quitté la pièce.

« Que vous a dit mon parrain? demandai-je.

— Je ne me rappelle pas les termes, dit-elle; j'ai seulement eu l'impression qu'il considérait cela comme une affaire entendue. Dans la voiture, en rentrant de l'église, il a mentionné que sa fille était venue ici arranger les fleurs et que c'était une telle lacune pour vous d'avoir été élevé dans un ménage d'hommes, que plus tôt vous seriez marié et auriez une femme pour veiller sur vous mieux cela vaudrait. Il a dit que Louise et vous, vous vous entendiez fort bien. J'espère que vous vous êtes excusé pour votre conduite impolie de samedi.

— Oui, je me suis excusé, dis-je, mais cela n'a pas paru servir à grand-chose. Je n'ai jamais vu Louise de si méchante humeur. A propos, elle vous trouve très belle. Et les demoiselles Pascoe aussi.

— Combien flatteur!

— Le vicaire n'est pas de leur avis.

— Combien attristant!

— Mais il vous trouve féminine. Extrêmement féminine.

— Je me demande de quelle manière?

— D'une manière différente de Mrs. Pascoe, j'imagine. »

Une fusée de rire lui échappa et elle leva les yeux de sa broderie.

« Comment définiriez-vous cela, Philip?

— Définir quoi?

— La différence de féminité entre Mrs. Pascoe et moi.

— Oh! pour cela, dis-je en donnant des coups de pied dans les jambes du tabouret, je n'y connais rien.

Tout ce que je sais, c'est que j'aime à vous regarder et que je n'aime pas regarder Mrs. Pascoe.

— Voilà une réponse charmante et simple. Merci, Philip. »

J'aurais pu dire la même chose de ses mains. J'aimais aussi les regarder. Les mains de Mrs. Pascoe ressemblaient à du jambon cuit.

« Mais, au sujet de Louise, rien de tout cela n'a le sens commun, dis-je, aussi, oubliez-le, je vous prie. Je ne l'ai jamais considérée comme ma femme et n'en ai nullement l'intention.

— Pauvre Louise.

— C'est absurde à mon parrain de s'être mis une telle idée en tête.

— Pas tant que cela. Quand deux jeunes gens sont du même âge, se voient beaucoup et aiment la compagnie l'un de l'autre, il est tout naturel qu'en les voyant on songe à un mariage. D'ailleurs c'est une gentille et jolie fille et très capable. Elle ferait une excellente femme pour vous.

— Cousine Rachel, vous ne voulez pas vous taire? »

Elle leva les yeux de nouveau, me regarda et sourit.

« Un autre sujet sur lequel vous feriez également bien de vous taire, c'est cette idée ridicule d'aller habiter chez tout le monde, dis-je, à la cure, à Pelyn. Vous avez à vous plaindre de cette maison et de ma compagnie?

— Jusqu'ici, nullement.

— Alors...

— Je resterai jusqu'à ce que Seecombe soit las de moi.

— Seecombe n'a rien à faire là-dedans, dis-je, ni Wellington, ni Tamlyn, ni personne. Je suis le maître ici et c'est moi que cela regarde.

— Je ferai donc ce qu'on me commande, répondit-elle. Cela aussi fait partie de l'éducation des femmes. »

Je la regardai avec méfiance pour voir si elle se moquait, mais elle regardait son ouvrage et je ne pouvais voir ses yeux.

« Demain, dis-je, j'établirai la liste des fermiers par ordre d'ancienneté. Ceux qui servent la famille depuis le plus longtemps seront les premiers auxquels nous rendrons visite. Nous commencerons par Barton comme nous en sommes convenus samedi. Nous sortirons tous les après-midi à deux heures jusqu'à ce qu'il ne reste pas dans ce domaine une seule créature dont vous n'avez fait connaissance.

— Bien, Philip.

— Il faudra que vous écriviez une lettre d'excuse à Mrs. Pascoe et à ses filles pour leur expliquer que vous avez d'autres engagements.

— Je le ferai demain matin.

— Quand nous en aurons fini avec nos gens, vous devrez rester à la maison trois après-midi par semaine, je crois que les mardi, jeudi et samedi conviennent le mieux, au cas où les gens du comté viendraient vous voir.

— Comment savez-vous les jours qui conviennent le mieux?

— J'en ai souvent entendu discuter par les Pascoe et Louise.

— Je comprends. Mais recevrai-je seule dans ce salon ou recevrez-vous avec moi, Philip?

— Vous recevrez seule. C'est à vous qu'on rend visite, non à moi. Recevoir le comté ne fait pas partie des tâches d'un homme.

— Si l'on m'invite à dîner, puis-je accepter?

— On ne vous invitera pas. Vous êtes en deuil. S'il y a des dîners à donner, c'est nous qui les donnerons. Mais jamais plus de deux couples à la fois.

— Est-ce l'étiquette de ce pays?

— Au diable l'étiquette, lui répondis-je. Ambroise et moi ne suivions jamais l'étiquette; nous la faisions. »

Je la vis baisser la tête sur son ouvrage et je soupçonnai fortement que c'était pour cacher un rire, mais de quoi riait-elle, je n'en savais rien. Je ne plaisantais pas.

« J'aimerais bien, reprit-elle au bout d'un moment, que vous m'inscriviez une petite liste de règles à observer. Un code de conduite. Je pourrais l'étudier ici en attendant les visites. Cela serait trop fâcheux si je faisais quelque erreur et me couvrais de honte.

— Vous pouvez dire ce que vous voudrez à qui vous voudrez, dis-je; tout ce que je vous demande c'est de le dire ici, dans ce salon; de ne jamais, sous aucun prétexte, permettre à personne d'entrer dans la bibliothèque.

— Pourquoi? Que se passera-t-il dans la bibliothèque?

— Je m'y tiendrai. Les pieds sur la cheminée.

— Les mardi, jeudi et vendredi également?

— Pas le jeudi. Le jeudi je vais en ville à la banque. »

Elle approcha son écheveau de soie du candélabre pour en examiner la couleur, puis le replia et l'enveloppa dans son ouvrage. Elle roula l'ouvrage et le posa à côté d'elle.

Je regardai la pendule. Il était encore tôt. Pensait-elle déjà à monter? Je me sentis déçu.

« Et quand le comté aura fini de me faire visite, dit-elle, que se passera-t-il?

— Eh bien, mais vous devrez rendre les visites, toutes les visites. Je commanderai la voiture pour tous les après-midi à deux heures. Je vous demande pardon. Pas tous les après-midi. Mais tous les mardi, jeudi et samedi.

— Et j'irai seule?

— Vous irez seule.

— Et que ferai-je le lundi et le mercredi?

— Le lundi et le mercredi, voyons... »

Je réfléchis, mon imagination ne venait pas à mon aide.

« Vous dessinez un peu, vous chantez, comme les demoiselles Pascoe? Vous pourriez étudier le chant le lundi et dessiner ou peindre le mercredi.

— Je ne dessine ni ne chante, dit ma cousine Rachel, et je crains que vous ne composiez pour moi un programme de loisirs qui ne me convient nullement. Si, au lieu d'attendre les gens du comté, j'allais moi chez eux leur donner des leçons d'italien, cela serait beaucoup plus approprié. »

Elle se leva après avoir mouché les bougies du grand candélabre posé à côté d'elle. Je me levai de mon tabouret.

« Mrs. Ashley donner des leçons d'italien? dis-je en affectant d'en être scandalisé. Quel déshonneur sur le nom! Seules les vieilles filles donnent des leçons quand elles n'ont personne pour les faire vivre.

— Et que font les veuves qui se trouvent dans la même situation? demanda-t-elle.

— Les veuves? dis-je sans réfléchir. Oh! les veuves se remarient le plus vite possible ou bien elles vendent leurs bagues.

— Vraiment? Eh bien, je n'ai, moi, l'intention de faire ni l'un ni l'autre. Je préfère donner des leçons d'italien. »

Elle me tapota l'épaule et quitta la pièce en me souhaitant bonne nuit.

Je me sentis devenir cramoisi. Mon Dieu, qu'avais-je dit? J'avais parlé sans songer à sa condition, oubliant qui elle était et ce qui lui était arrivé. Je m'étais laissé aller à la drôlerie de la conversation avec elle comme j'aurais pu faire autrefois avec Ambroise et j'avais parlé sans réfléchir. Se remarier. Vendre ses bagues. Qu'allait-elle penser de moi, Seigneur!

Comme j'avais dû lui paraître lourdaud, insensible, sans tact, mal élevé! Je sentais la rougeur monter à ma nuque jusqu'à la racine de mes cheveux. Enfer et damnation! Inutile de m'excuser, cela ne ferait qu'enfler l'affaire. Mieux valait passer là-dessus en espérant, en priant qu'elle oubliât. J'étais heureux que personne d'autre n'eût été présent, mon parrain par exemple, pour me prendre à part et me reprocher ma grossièreté. Et si la chose s'était passée à table pendant que Seecombe faisait le service avec le jeune John!... Se remarier. Vendre ses bagues. Ciel!... Juste ciel!... Qu'est-ce qui m'avait pris? Je n'allais pas pouvoir dormir de la nuit, je resterais éveillé à me tourner et me retourner et, tout le temps, j'entendrais sa réplique rapide comme l'éclair : « Je n'ai l'intention de faire ni l'un ni l'autre. Je préfère donner des leçons d'italien. »

J'appelai Don et, sortant par la porte-fenêtre, me mis à marcher dans le parc. Au cours de ma promenade, mon offense au lieu de me paraître diminuer s'aggravait à mes yeux. Quel malotru stupide je faisais... Mais qu'avait-elle voulu dire, au fait? Etait-il possible qu'elle eût si peu d'argent qu'elle eût parlé sérieusement? Mrs. Ashley, donner des leçons d'italien! Je me rappelai sa lettre de Plymouth à mon parrain. Elle projetait, après un court repos, de se rendre à Londres. Je me rappelai ce que cet homme, Rainaldi, avait dit : elle était obligée de vendre sa villa de Florence. Je me rappelai ou plutôt je m'avisai, avec tout ce que cela impliquait, que, dans son testament, Ambroise ne lui avait rien laissé, absolument rien. Chaque centime de ses biens m'appartenait. Je me rappelai les bavardages des domestiques. Aucune donation à Mrs. Ashley. Que penserait-on dans le quartier des domestiques, dans les fermes, chez les voisins, dans le comté, si Mrs. Ashley donnait des leçons d'italien?

Deux ou trois jours auparavant, je ne m'en fusse pas soucié. Elle aurait bien pu mourir de faim, cette femme imaginaire, et elle l'aurait mérité. Plus maintenant. Maintenant, c'était bien différent. La situation était entièrement changée. Il fallait faire quelque chose, et je ne savais quoi. Il m'était impossible d'en discuter avec elle. A cette seule idée, je recommençais à rougir de confusion. Puis je me rappelai avec un sentiment de soulagement que l'argent et le domaine ne m'appartenaient pas encore légalement, ne m'appartiendraient que dans six mois, à mon anniversaire. Donc cela ne me regardait pas. Toute la responsabilité incombait à mon parrain. Il était l'administrateur du domaine et mon tuteur. C'était à lui de s'entendre avec ma cousine Rachel et de lui faire un versement sur la propriété. Je décidai d'aller le voir au plus tôt. Mon nom n'aurait pas à être prononcé. Toute l'affaire pourrait être présentée comme d'ordre purement juridique, conforme aux us et coutumes du pays. Oui, là était la solution. Je me félicitai d'y avoir pensé. Des leçons d'italien? Quelle honte, quelle pitié!...

L'esprit allégé, je revins à la maison mais je n'avais pas, pour autant, oublié ma terrible indélicatesse. Se remarier, vendre ses bagues... Je remontai le long de la pelouse et sifflai doucement Don qui flairait les buissons. Mon pas grinçait légèrement sur le gravier de l'allée. J'entendis une voix m'appeler :

« Vous courez souvent les bois, la nuit? »

C'était ma cousine Rachel. Elle était assise, sans

lumière, à la fenêtre ouverte de la chambre bleue. La conscience de ma faute m'envahit et je rendis grâce au Ciel qu'elle ne pût pas voir mon visage.

« Parfois, dis-je, quand je suis préoccupé.

— Est-ce à dire que vous êtes préoccupé ce soir?

— Mon Dieu, oui, répondis-je. Je suis arrivé à une conclusion très grave en courant les bois.

— Laquelle?

— Je suis arrivé à la conclusion que vous aviez parfaitement raison de détester jusqu'à mon nom avant même de me voir, et de me considérer comme un gamin vaniteux, insolent et gâté. Je suis tout cela et pire encore. »

Elle se pencha en avant, les bras sur le bord de la fenêtre.

« Dans ce cas, courir les bois ne vous vaut rien, dit-elle, et vos conclusions sont stupides.

— Cousine Rachel...

— Quoi donc? »

Mais je ne savais formuler mon excuse. Les mots qui étaient sortis si facilement pour composer une grossièreté dans le salon ne venaient plus, maintenant que je voulais la racheter. Je demeurai debout sous sa fenêtre, la langue liée et tout penaud. Tout à coup, je la vis se retourner et tendre le bras derrière elle, puis elle se pencha de nouveau en avant et me jeta quelque chose par la fenêtre. Cela frôla ma joue et tomba par terre. Je me courbai pour le ramasser. C'était une des fleurs de sa jardinière, un crocus d'automne.

« Ne faites pas le nigaud, Philip; allez vous coucher », dit-elle.

Elle ferma sa fenêtre et tira les rideaux; et, je ne sais comment, ma honte me quitta, le sentiment de mon indignité aussi et je me sentis le cœur léger.

Je ne pus me rendre à Pelyn dès le début de la semaine, à cause du programme de visites aux fermiers que j'avais établi. En outre, il ne m'aurait guère été facile d'aller chez mon parrain sans emmener ma cousine Rachel voir Louise. L'occasion que je guettais se présenta enfin le jeudi. Le voiturier arriva ce jour-là de Plymouth avec tous les arbustes qu'elle avait apportés d'Italie et, aussitôt que Seecombe lui en eut donné la nouvelle — je finissais mon petit déjeuner — ma cousine Rachel descendit tout habillée, son châle de dentelle enroulé autour de la tête, prête à se rendre au jardin. La porte de la salle à manger était ouverte sur le vestibule et je la vis passer. Je sortis pour la saluer.

« Je croyais, fis-je, qu'Ambroise vous avait dit qu'aucune femme n'était en état de se montrer avant onze heures du matin. Que faites-vous hors de votre chambre à huit heures et demie?

— Le voiturier est arrivé, dit-elle, et à huit heures et demie le dernier matin de septembre, je ne suis pas une femme. Je suis un jardinier. Tamlyn et moi avons à travailler. »

Elle semblait gaie, heureuse comme un enfant à l'approche d'une récompense.

« Allez-vous compter les plants? demandai-je.

— Les compter? Non, répondit-elle, il faut que je

voie comment ils ont supporté le voyage et choisisse ceux qui sont en état d'être plantés immédiatement. Tamlyn ne saura pas. Pour les arbres, nous avons le temps mais je serai contente quand les plantes seront en terre. »

Je remarquai qu'elle portait une vieille paire de gros gants d'un aspect qui jurait avec sa petite personne soignée.

« Vous n'allez pas gratter le sol vous-même? lui demandai-je.

— Mais si. Vous allez voir. Je travaillerai plus vite que Tamlyn et ses hommes. Ne m'attendez pas pour déjeuner.

— Et cet après-midi? protestai-je. Nous sommes attendus à Lankelly et à Coombe. Les cuisines seront astiquées et le thé prêt.

— Envoyez un mot pour remettre notre visite, dit-elle. Je ne connais plus rien quand il y a quelque chose à planter. Adieu. »

Elle agita la main et sortit.

« Cousine Rachel! lui criai-je par la fenêtre de la salle à manger.

— Qu'y a-t-il? fit-elle sans se retourner.

— Ambroise se trompait à propos des femmes, criai-je. A huit heures et demie du matin elles sont tout à fait présentables.

— Ambroise n'a jamais parlé de huit heures et demie, me répondit-elle sur le même ton; il parlait de six heures et demie, et pas en plein air. »

Je revins en riant dans la salle à manger et vis Seecombe debout près de la table, la bouche froncée.

Il se dirigea d'un air désapprobateur vers le buffet et fit signe au jeune John d'ôter le couvert du petit déjeuner. Il y avait au moins un avantage dans cette journée consacrée aux plantations : on n'aurait pas besoin de moi. Je modifiai l'emploi du temps prévu pour la matinée et donnai l'ordre de seller Gipsy. A dix heures, j'étais sur la route de Pelyn. Je trouvai mon parrain dans son cabinet et lui dis sans préambule l'objet de ma visite.

« Vous comprenez donc, lui dis-je, qu'il faut faire quelque chose, et tout de suite. Voyons, mais s'il venait aux oreilles de Mrs. Pascoe que Mrs. Ashley songe à donner des leçons d'italien, moins de vingt-quatre heures après, tout le comté en parlerait! »

Mon parrain, comme je m'y attendais, parut choqué et peiné.

« Extrêmement fâcheux, déclara-t-il, tout à fait hors de question. Cela ne se peut. L'affaire est délicate, certes. Il m'y faut réfléchir... »

Je commençais à m'impatienter. Je connaissais son tour d'esprit prudent et juridique. Il allait fouiller la question pendant des jours.

« Nous n'avons pas de temps à perdre, dis-je. Vous ne connaissez pas comme moi ma cousine Rachel. Elle est tout à fait capable de dire à l'un des fermiers avec son parfait naturel : ne connaissez-vous personne qui désire apprendre l'italien? Que ferons-nous alors? D'ailleurs, j'ai déjà entendu quelques commérages, rapportés par Seecombe. Tout le monde sait qu'il ne lui a rien été laissé par testament. Il faut réparer tout cela et sur-le-champ. »

Il parut pensif et mordilla sa plume.

« Ce conseiller italien ne m'a rien écrit de sa situation, dit-il. Il est regrettable que je ne puisse pas discuter cette affaire avec lui. Nous n'avons aucun moyen de connaître le chiffre de son revenu personnel ni les dispositions prises à l'occasion de son premier mariage.

— Je crois que tout a été employé à payer les dettes de Sangalletti. Je me rappelle qu'Ambroise m'avait écrit quelque chose comme cela. C'est une des raisons pour lesquelles ils n'étaient pas venus ici l'an dernier, ses affaires financières étant très embrouillées. C'est sûrement pour cela qu'elle est obligée de vendre cette villa. Elle est sans doute complètement sans le sou! Il faut faire quelque chose pour elle, et sans attendre. »

Mon parrain triait des papiers épars sur son bureau.

« Je suis très heureux, Philip, dit-il en me regardant par-dessus ses lunettes, que tu aies changé d'attitude. J'étais fort inquiet avant l'arrivée de ta cousine Rachel. Tu étais décidé à te montrer insolent, impoli, et à ne rien faire pour elle, ce qui eût provoqué le scandale. Au moins, tu es devenu raisonnable.

— Je me trompais, dis-je, oublions cela.

— Eh bien, donc, reprit-il, je vais écrire une lettre à Mrs. Ashley et une à la banque. J'y expliquerai ce que le domaine est prêt à faire. Le meilleur parti sera de lui ouvrir un compte et d'y verser chaque trimestre une certaine somme. Lorsqu'elle s'installera à Londres, ou ailleurs, la succursale de notre banque recevra nos instructions. Dans six mois, lorsque tu auras vingt-cinq ans, tu seras en état de régler cette affaire toi-même. Quant à la somme trimestrielle, que proposes-tu? »

Je réfléchis un instant et dis un chiffre.

« C'est généreux, Philip, dit-il. C'est presque excessif. Elle n'aura guère besoin de tant. Pour l'instant, du moins.

— Oh! pour l'amour de Dieu, ne lésinons pas! dis-je. Si nous faisons cette chose, faisons-la comme Ambroise l'eût faite ou pas du tout.

— Hum », fit-il.

Il griffonna quelques chiffres sur son buvard.

« Je suppose qu'elle sera contente, dit-il; cela devrait remédier à la déception du testament. »

Que de dureté et de sécheresse dans l'esprit juridique! Sa plume traçait des chiffres, additionnait des centimes, calculait combien l'opération coûterait au domaine. Seigneur, comme je détestais l'argent!

« Hâtez-vous, Monsieur, dis-je, et écrivez votre lettre. Je pourrai ainsi l'emporter avec moi. Je pourrai également passer à la banque déposer l'autre lettre. Ainsi ma cousine Rachel pourra tout de suite toucher ce qui lui faudra.

— Mon cher garçon, Mrs. Ashley ne doit pas être à ce point pressée d'argent. Tu vas d'un extrême à l'autre. »

Il soupira et sortit une feuille de papier de son buvard.

« Elle avait raison quand elle a dit que tu étais comme Ambroise », ajouta-t-il.

Je restai debout derrière lui tandis qu'il écrivait sa lettre, afin d'être bien sûr de ce qu'il lui disait. Il ne mentionna pas mon nom. Il parlait du domaine. C'était le devoir du domaine de pourvoir à ses besoins. Le domaine avait fixé la somme à verser chaque trimestre. Je le surveillais comme un épervier.

« Si tu souhaites ne pas paraître en cette affaire, me dit-il, mieux vaut que tu n'emportes pas la lettre. Dobson doit aller de votre côté cet après-midi. Il pourra la porter. Cela aura meilleure apparence.

— Parfait, dis-je, et moi je vais à la banque. Merci, parrain.

— N'oublie pas de saluer Louise avant de t'en aller, dit-il. Je crois qu'elle est dans la maison. »

Je me serais facilement passé de voir Louise dans l'impatience où j'étais, mais je ne pouvais pas le dire. Elle était d'ailleurs dans le salon et force me fut de passer devant la porte ouverte en sortant du cabinet de mon parrain.

« J'avais cru reconnaître votre voix, dit-elle. Vous passez la journée avec nous? Laissez-moi vous offrir des gâteaux et des fruits. Vous devez avoir faim.

— Il faut que je parte sur l'heure, dis-je, je vous remercie Louise. Je suis venu au galop, uniquement pour parler d'une affaire à mon parrain.

— Ah! si c'est ainsi... » dit-elle.

Son expression gaie et naturelle fit place à la raideur du dimanche.

« Et comment va Mrs. Ashley? demanda-t-elle.

— Ma cousine Rachel va bien; elle est extrêmement occupée, dis-je. Tous les arbustes qu'elle a ramenés d'Italie sont arrivés ce matin et elle les plante dans la forcerie avec Tamlyn.

— Je m'étonne que vous ne soyez pas resté à l'aider », dit Louise.

Je ne sais ce qu'avait cette fille mais son nouveau ton était singulièrement irritant. Je me rappelai soudain certaines de ses attitudes, autrefois, à l'époque où nous courions dans le jardin et où, alors que je m'amusais de tout mon cœur, elle se mettait sans aucune raison à secouer ses boucles en disant : « Non, décidément, je n'ai pas envie de jouer » et me regardait avec ce même air têtu.

« Vous savez parfaitement que je n'entends rien au jardinage », dis-je, puis, par pure malice, j'ajoutai : « Vous n'êtes pas encore au bout de votre méchante humeur? »

Elle se redressa et rougit.

« Méchante humeur? Je ne sais ce que vous voulez dire, fit-elle vivement.

— Oh! que si, répondis-je. Vous avez été d'une humeur exécrable toute la journée, dimanche. Cela était criant. Je m'étonne que les demoiselles Pascoe ne l'aient point remarqué.

— Les demoiselles Pascoe, dit-elle, étaient sans doute, comme tout le monde, beaucoup trop occupées à remarquer quelque chose d'autre.

— Et quoi donc? demandai-je.

— La facilité avec laquelle une femme du monde comme Mrs. Ashley doit faire ce qu'elle veut d'un jeune homme comme vous », dit Louise.

Je tournai les talons et quittai la pièce. Je l'aurais battue.

CHAPITRE XIII

Je repris la grande route à la sortie de Pelyn, galopai jusqu'à la ville puis rentrai à la maison, couvrant dix bonnes lieues. Je m'étais arrêté en ville à l'auberge du quai pour avaler une pinte de cidre mais je n'avais rien mangé et, à quatre heures, j'avais grand-faim.

L'horloge de la tour sonnait justement, comme j'entrais à l'écurie où ma malchance voulut que je trouvasse Wellington au lieu du valet.

Il fit claquer tristement sa langue à la vue de Gipsy écumante.

« Ce n'est pas bien, Mr. Philip », dit-il comme je mettais pied à terre, et je me sentis coupable comme au temps où je venais en vacances de Harrow. « Vous savez que la jument prend froid quand on l'échauffe, et vous nous la ramenez en nage. Elle n'est pas faite pour chasser, si c'est à ça que vous l'avez employée.

— Si j'avais chassé je serais allé sur la lande de Bodmin, fis-je. Ne dites pas de sottises, Wellington. J'ai été voir Mr. Kendall pour affaires, puis je me suis rendu en ville. Je regrette l'état de Gipsy, mais je n'y pouvais rien. Je ne crois pas qu'elle en sera malade.

— J'espère que non, Monsieur », dit Wellington.

Il se mit à caresser les flancs de la pauvre Gipsy. On aurait dit que je la ramenais d'une course d'obstacles.

Je revins à la maison et entrai dans la bibliothèque. Un beau feu y brillait mais je ne vis pas trace de ma cousine Rachel. Je sonnai Seecombe.

« Où est Mrs. Ashley? demandai-je lorsqu'il entra.

— Madame est rentrée, un peu après trois heures, Monsieur, dit-il. Elle avait travaillé avec les jardiniers depuis votre départ. Tamlyn est avec moi à présent dans le bureau de l'intendant. Il dit qu'il n'a jamais rien vu de pareil à la façon dont la maîtresse s'y prend. Il dit qu'elle est admirable.

— Elle doit être épuisée, dis-je.

— Je l'ai craint, Monsieur. Je lui ai conseillé de se coucher, mais elle n'a rien voulu entendre. « Dites « aux garçons de me monter de l'eau chaude, je vais « prendre un bain, Seecombe, m'a-t-elle dit, et je vais « aussi me laver les cheveux. » Je voulais faire chercher ma nièce, ce n'est pas l'affaire d'une dame de se laver les cheveux elle-même, mais là non plus elle n'a rien voulu entendre.

— Les garçons pourront me rendre le même service, lui dis-je. Moi aussi j'ai eu une dure journée. Et j'ai diablement faim. Je veux dîner de bonne heure.

— Très bien, Monsieur. A cinq heures moins le quart?

— Si c'est possible, Seecombe. »

Je montai en sifflotant, goûtant d'avance le plaisir de me déshabiller en jetant mes vêtements à la volée et de m'asseoir dans la baignoire fumante devant le feu de ma chambre. Les chiens parurent dans le couloir, venant de chez ma cousine Rachel. Ils étaient tout à fait habitués à la visiteuse et la suivaient partout. Le vieux Don agita la queue à ma vue, du haut de l'escalier.

« Bonjour, mon vieux camarade, dis-je. Tu es infidèle, sais-tu bien? Tu m'abandonnes pour une dame. »

Il me lécha la main de sa large langue râpeuse et me regarda avec de grands yeux.

Le valet entra, portant le broc, et remplit la baignoire. Je trouvai mon bain très agréable. Assis dans l'eau chaude, les jambes croisées, je m'étrillai en sifflant une chanson sans parole dans la vapeur. Comme je m'essuyais avec une serviette, je m'aperçus qu'il y avait une coupe de fleurs sur la table à côté de mon lit. Des rameaux de la forêt, des orchidées et des cyclamens. Personne n'avait jamais mis de fleurs dans ma chambre. Ce n'était pas là une idée de Seecombe, ni des valets. Ce devait être ma cousine Rachel. La vue des fleurs ajouta encore à ma bonne humeur. Elle s'était occupée toute la journée de ses arbustes et de ses plantations mais elle avait trouvé le temps de remplir cette coupe de fleurs. Je nouai ma cravate et mis ma veste de dîner, toujours fredonnant ma chanson sans air. Puis je suivis la galerie et frappai à la porte du boudoir.

« Qui est-ce? demanda-t-elle de l'intérieur.

— C'est moi, Philip, répondis-je. Je suis venu vous dire que le dîner sera servi de bonne heure ce soir. Je meurs de faim, et vous aussi sans doute si j'en crois ce qu'on m'a raconté. Qu'avez-vous donc fait, Tamlyn et vous, qu'il vous faille prendre un bain et laver vos cheveux? »

Son rire en cascade, si contagieux, fut sa réponse.

« Nous avons creusé la terre comme des taupes, dit-elle à travers la porte.

— Aviez-vous de la terre jusqu'aux sourcils?

— De la terre partout, répondit-elle. J'ai pris mon bain et maintenant je me sèche les cheveux. J'ai des épingles par toute la tête et l'air très respectable, je ressemble à tante Phoebé. Vous pouvez entrer. »

J'ouvris la porte et entrai dans le boudoir. Elle était assise sur le tabouret devant le feu et, l'espace d'un moment, j'hésitai à la reconnaître, tant elle paraissait différente hors de ses vêtements de deuil. Elle était enveloppée d'un peignoir blanc noué à la gorge et aux poignets par des rubans, et ses cheveux étaient épinglés au sommet de la tête au lieu d'être lissés et partagés par une raie.

Je n'avais jamais rien vu qui ressemblât moins à tante Phoebé ou à aucune tante que ce fût. Je m'arrêtai debout sur le seuil à la regarder.

« Entrez et asseyez-vous. N'ayez pas l'air si interdit », me dit-elle.

Je fermai la porte derrière moi et vins m'asseoir sur une chaise.

« Excusez-moi, fis-je, mais il faut vous dire que je n'avais encore jamais vu une femme en déshabillé.

— Ceci n'est pas un déshabillé, dit-elle, c'est ce que je porte au petit déjeuner. Ambroise l'appelait ma robe de nonne. »

Elle leva les bras et se mit à planter des épingles dans ses cheveux.

« A vingt-quatre ans, dit-elle, il est grand temps que vous voyiez un spectacle aimable et familier tel que tante Phoebé en train de se coiffer. Etes-vous très gêné? »

Je croisai les bras et les jambes et continuai à la regarder.

« Pas le moins du monde, dis-je. Stupéfait seulement. »

Elle rit puis, tenant les épingles entre ses lèvres, les prit l'une après l'autre, tordit ses cheveux et en fit un chignon bas. Toute l'opération ne prit que quelques secondes, me sembla-t-il.

« Vous faites cela tous les jours aussi rapidement? lui demandai-je, tout étonné.

— Oh! Philip, que vous avez de choses à apprendre! dit-elle. N'avez-vous jamais vu votre Louise se coiffer?

— Non, et je n'en ai aucune envie », répondis-je vivement en me rappelant les propos de Louise au moment où je quittais Pelyn.

Ma cousine Rachel se mit à rire et me lança une épingle à cheveux sur les genoux.

« Un souvenir, dit-elle. Mettez-la sur votre oreiller et regardez la figure que fera Seecombe. »

Elle passa du boudoir dans sa chambre en laissant la porte grande ouverte.

« Vous pouvez rester là et continuer à me parler pendant que je m'habille », cria-t-elle de l'autre pièce.

Je jetai un regard furtif au petit bureau, cherchant une trace de la lettre de mon parrain, mais je ne vis rien. Je me demandais ce qui s'était passé. Peut-être l'avait-elle dans sa chambre. Il se pouvait qu'elle ne m'en dît rien, qu'elle considérât cette affaire comme strictement entre mon parrain et elle. Je l'espérais.

« Qu'avez-vous fait toute la journée? me cria-t-elle.

— J'ai dû aller en ville, dis-je, j'avais des gens à voir. »

Je préférais ne pas parler de la banque.

« J'ai été ravie de Tamlyn et des jardiniers, dit-elle. Il y avait très peu de plantes à jeter. Mais vous savez, Philip, il y a encore beaucoup à faire dans cette plantation; la haie autour de la pelouse devrait être taillée et il faudrait tracer une allée et donner tout le terrain aux camélias. De cette façon, dans vingt ans, vous aurez un jardin de fleurs que toute la Cornouailles vous enviera.

— Je sais, dis-je, c'est ce qu'Ambroise avait l'intention de faire.

— Il faut étudier cela très soigneusement, dit-elle, et ne pas se contenter de s'en remettre à la chance et à Tamlyn. C'est un brave homme mais ses connaissances sont limitées. Pourquoi ne vous y intéressez-vous pas davantage vous-même?

— Je ne m'y connais pas assez, dis-je. Cela n'a jamais été mon fort. Ambroise le savait.

— Il doit y avoir des gens capables de vous aider,

dit-elle. Vous pouvez faire venir un jardinier de Londres pour dessiner les plans. »

Je ne répondis pas. Je n'avais pas envie de faire venir un jardinier de Londres. J'étais sûr qu'elle en savait plus que tous les dessinateurs.

Seecombe apparut alors dans la galerie.

« Qu'est-ce, Seecombe, le dîner est servi? demandai-je.

— Non, Monsieur, répondit-il. Le domestique de Mr. Kendall, Dobson, vient d'apporter une lettre pour Madame. »

Mon cœur se serra. Le maudit messager devait s'être arrêté au cabaret pour arriver si tard. Maintenant, j'allais être présent à sa lecture. Quel contretemps! J'entendis Seecombe cogner à la porte ouverte et lui remettre la lettre.

« Je descends vous attendre dans la bibliothèque, dis-je.

— Ne partez pas! cria-t-elle, je suis prête. Nous descendrons ensemble. Voici une lettre de Mr. Kendall. Peut-être nous invite-t-il tous deux à Pelyn. »

Seecombe s'éloigna dans la galerie. Je me levai et eusse souhaité le suivre. Je me sentis tout à coup nerveux et mal à l'aise. Aucun son ne sortait de la chambre bleue. Elle devait être en train de lire la lettre. Des siècles s'écoulèrent. Enfin, elle parut et s'arrêta sur le seuil de sa chambre, le lettre ouverte à la main. Elle était habillée pour le dîner. Peut-être était-ce le contraste de la robe de deuil qui la faisait paraître si pâle.

« Qu'avez-vous fait? » dit-elle.

Sa voix semblait changée, presque étranglée.

« Moi? dis-je. Rien. Pourquoi?

— Ne mentez pas, Philip. Vous ne savez pas mentir. »

Debout et misérable devant le feu, je regardais n'importe où pour ne pas voir ces yeux scrutateurs, accusateurs.

« Vous êtes allé à cheval à Pelyn, dit-elle; vous êtes allé aujourd'hui voir votre tuteur. »

Elle disait vrai : je ne savais pas mentir; à elle, en tout cas.

« C'est possible, dis-je. Et alors?

— C'est vous qui lui avez fait écrire cette lettre, dit-elle.

— Non, dis-je en avalant ma salive. Je n'en ai rien fait. Il a écrit de lui-même. Nous avions des affaires à discuter et, dans la conversation, certains sujets se présentèrent à nous, et...

— Et vous lui avez raconté que votre cousine Rachel se proposait de donner des leçons d'italien, n'est-il point vrai? » dit-elle.

J'avais chaud, j'avais froid, j'étais affreusement mal à l'aise.

« Pas tout à fait, dis-je.

— Vous aviez bien compris, n'est-ce pas, que je plaisantais lorsque je vous ai dit cela? », dit-elle.

Si elle avait plaisanté, me dis-je, pourquoi donc était-elle à présent si fâchée contre moi?

« Vous ne vous rendez pas compte de ce que vous avez fait, dit-elle, vous me couvrez de honte. »

Elle s'approcha de la fenêtre en me tournant le dos.

« Si vous aviez l'intention de m'humilier, dit-elle, par le Ciel vous avez réussi!

— Je ne comprends pas pourquoi vous êtes si orgueilleuse, dis-je.

— Orgueilleuse? »

Elle se retourna, ses yeux agrandis et très sombres me regardant avec fureur.

« Comment osez-vous me traiter d'orgueilleuse? » dit-elle.

Je la regardai. J'étais stupéfait qu'un être qui, un instant auparavant, riait avec moi, pût soudain se mettre dans une telle colère. Puis, à mon propre étonnement, ma confusion se dissipa. Je m'approchai d'elle.

« Oui, je vous traiterai d'orgueilleuse, dis-je, j'irai plus loin et je dirai : follement orgueilleuse. Ce n'est pas vous qu'il était question d'humilier, mais moi. Vous ne plaisantiez pas en parlant de leçons d'italien. Votre réplique a été beaucoup trop rapide pour une plaisanterie. Ce que vous avez dit, vous le pensiez.

— Et quand bien même je l'aurais pensé? dit-elle. Y a-t-il de la honte à donner des leçons d'italien?

— Ordinairement non, dis-je, mais, dans votre cas, oui. Pour Mrs. Ambroise Ashley, donner des leçons d'italien est honteux; c'est un blâme pour l'époux qui a négligé, dans son testament, de pourvoir à ses besoins. Et moi, Philip Ashley, son héritier, ne le tolérerai pas. Vous toucherez cette pension chaque trimestre, cousine Rachel, et lorsque vous recevrez la somme convenue à la banque, rappelez-vous, je vous prie, qu'elle ne vient pas du domaine, ni de l'héritier du domaine, mais de votre époux, Ambroise Ashley. »

Une onde de colère égale à la sienne m'avait envahi à mesure que je parlais. Je n'entendais point supporter qu'une petite créature fragile se dressât devant moi en m'accusant de l'humilier, et j'entendais encore moins supporter qu'elle refusât l'argent qui lui revenait de droit.

« Eh bien, vous avez compris ce que je vous ai dit? » demandai-je.

Je crus un instant qu'elle allait me frapper. Elle était debout, immobile, et me regardait fixement. Puis ses yeux s'emplirent de larmes, elle passa devant moi et gagna sa chambre en claquant la porte. Je descendis. J'entrai dans la salle à manger, sonnai et dis à Seecombe que je croyais que Mrs. Ashley ne descendrait point dîner. Je me versai un verre de bordeaux et m'assis, seul au bout de la table. Mordieu, me dis-je, c'est donc ainsi que se conduisent les femmes? Je ne m'étais jamais senti si furieux ni si exténué. Les longues journées de travail en plein air au temps de la moisson, les discussions avec les fermiers en retard pour payer leurs fermages ou biens engagés avec un voisin dans quelque querelle que je devais régler; rien de tout cela ne pouvait se comparer avec cinq minutes en présence d'une femme dont la gaieté vient, en un instant, de se changer en hostilité. Et l'arme finale était-elle toujours les pleurs? Parce qu'elles savaient trop bien leur effet sur le spectateur? Je bus un second verre de bordeaux. Seecombe s'attardait à mon côté, je l'eusse souhaité au bout du monde.

« Madame est-elle souffrante, Monsieur? » me demanda-t-il.

J'aurais pu lui dire que Madame n'était point tant souffrante qu'en furie et qu'elle allait sans doute sonner dans un instant et donner l'ordre à Wellington de la ramener à Plymouth.

« Non, dis-je, ses cheveux ne sont pas encore secs. Dites à John de monter un plateau dans le boudoir. »

Voilà donc ce qui attendait les hommes mariés. Des portes claquées, puis le silence. Un dîner solitaire, où l'appétit, aiguisé par une longue journée active, le repos de la baignoire et la perspective d'une aimable soirée passée auprès du feu à causer tranquillement en regardant de petites mains blanches travailler à un ouvrage de broderie, disparaissait tristement. Avec quelle allégresse je m'étais habillé pour dîner, j'avais suivi la galerie, frappé à la porte du boudoir, avec quel plaisir je l'avais trouvée assise sur le tabouret dans son peignoir blanc, ses cheveux remontés au sommet de la tête! Avec quel naturel nous avions plaisanté dans une espèce d'intimité qui éclairait d'avance toute la soirée à venir. Et voici que je me trouvais seul à table devant un beefsteak qui, pour le cas que j'en faisais, aurait aussi bien pu être une semelle de botte. Que faisait-elle, de son côté? Etait-elle couchée? les bougies soufflées, les rideaux tirés, la chambre plongée dans l'obscurité? Ou bien son humeur avait-elle déjà changé et était-elle tranquillement assise dans son boudoir, les yeux secs, et mangeait-elle le dîner qu'on venait de lui monter, pour donner la comédie à Seecombe? Je ne savais pas. Je ne m'en souciais pas. Comme Ambroise avait raison quand il disait que les femmes étaient une race à part! Une chose, à présent, était sûre : je ne me marierais jamais...

Le dîner terminé, j'allai m'asseoir dans la bibliothèque. J'allumai ma pipe, posai les pieds sur les chenets et me disposai à ce léger somme d'après dîner qui peut être parfois doux et facile, mais manquait ce soir de tout attrait. Je m'étais habitué à la voir dans le fauteuil en face du mien, les épaules tournées de façon que la lumière tombât sur son ouvrage, Don à ses pieds. Ce fauteuil semblait ce soir étrangement vide. Au diable! C'était par trop ridicule qu'une femme pût troubler ainsi la fin d'un beau jour. Je me levai, pris un livre sur les rayons et le feuilletai. Ensuite, je dus m'assoupir car, lorsque je relevai la tête, les aiguilles de la pendule marquaient presque neuf heures. Au lit donc, il était temps d'aller dormir. Que faire plus longtemps devant ce feu éteint? J'emmenai les chiens au chenil — le temps avait changé, le vent soufflait et il bruinait —, puis je verrouillai la porte et montai à ma chambre. J'allais jeter ma veste sur la chaise lorsque je vis un billet posé près de la coupe de fleurs, à côté de mon lit. Je m'approchai, pris le billet et le lus. Il était de ma cousine Rachel.

« Cher Philip, écrivait-elle, si vous le pouvez, excusez, je vous prie, mon impolitesse de ce soir. Je suis impardonnable de m'être conduite ainsi avec vous dans votre maison. Je n'ai pas d'excuses, sinon que je ne suis pas tout à fait moi-même en ce moment :

l'émotion affleure au moindre prétexte. J'ai écrit à votre tuteur pour le remercier de sa lettre et accepter la pension. Vous êtes tous deux bons et généreux d'avoir pensé à moi. Bonne nuit. Rachel. »

Je lus la lettre deux fois, puis la mis dans ma poche. Son orgueil était-il donc dissipé ainsi que sa colère? Les sentiments fondaient-ils dans les larmes? Le fait qu'elle acceptât la pension me retirait un poids. J'avais envisagé une nouvelle démarche à la banque et des explications pour contremander mes premières instructions, puis des entretiens avec mon parrain, des discussions, et toute l'affaire se terminant lamentablement par le départ de ma cousine Rachel quittant brusquement la maison pour se rendre à Londres et y vivre de leçons d'italien dans un garni.

Cette lettre lui avait-elle beaucoup coûté? Comment était-elle passé de l'orgueil à l'humilité? J'étais peiné de l'effort qu'elle avait dû faire. Pour la première fois depuis qu'il était mort, je me pris à blâmer Ambroise. Il aurait dû penser un peu à l'avenir. La maladie, la mort peuvent surprendre n'importe qui. Il aurait dû savoir qu'en n'y pourvoyant pas, il abandonnait sa femme à notre discrétion, à notre charité. Une lettre à mon parrain eût paré à tout cela. Je me la représentais, assise dans le boudoir de tante Phoebé, en train de m'écrire ce billet. Je me demandais si elle était encore dans le boudoir ou déjà couchée. J'hésitai un instant, puis suivis la galerie jusqu'à la baie par où l'on passait dans son appartement.

La porte du boudoir était ouverte, celle de la chambre à coucher fermée. Je frappai à la porte de la chambre. Elle ne répondit pas tout de suite, enfin elle dit : « Qui est là? »

Je ne répondis pas « Philip », j'ouvris la porte et entrai. La chambre était plongée dans l'obscurité, et la lumière de ma bougie éclairait les rideaux du lit entrouverts. Je distinguai sa forme sous la courtepointe.

« Je viens de lire votre billet, dis-je, je voulais vous en remercier et vous souhaiter bonne nuit. »

Je pensais qu'elle se lèverait et allumerait sa bougie, mais elle n'en fit rien. Elle resta couchée sur ses oreillers derrière les rideaux.

« Je voulais aussi que vous sachiez que je n'avais aucun désir de me poser en protecteur, ajoutai-je. Croyez-m'en, je vous prie. »

La voix qui sortit des rideaux était étrangement douce et soumise.

« Je n'ai jamais pensé cela de vous », répondit-elle.

Nous gardâmes tous deux le silence, puis elle dit :

« Cela ne m'aurait pas gênée de donner des leçons d'italien. Je n'ai pas de fierté de cette sorte. Ce que je n'ai pu supporter, c'est que vous disiez qu'en le faisant je jetterais le discrédit sur Ambroise.

— Je disais vrai, fis-je, mais n'y pensez plus. Oublions cela.

— C'était si gentil à vous, et tellement vous, dit-elle, de courir à Pelyn voir votre tuteur. J'ai dû vous paraître bien ingrate, bien dénuée de reconnaissance. Je ne puis me le pardonner. »

Cette voix, de nouveau toute proche des larmes, me

toucha. Je sentis quelque chose se serrer dans ma gorge et dans mon ventre.

« J'aimerais mieux que vous me battiez que de vous voir pleurer. »

Je l'entendis remuer dans son lit, chercher un mouchoir, se moucher. Ce geste et ce son, si simples et naturels, perçus dans l'obscurité et derrière les rideaux, résonnèrent douloureusement dans mes entrailles.

Elle dit :

« J'accepterai la pension, Philip, mais je ne veux pas abuser davantage de votre hospitalité. Je pense partir lundi prochain, si cela vous convient, et m'installer à Londres, sans doute. »

Une espèce de faiblesse me prit en entendant ces mots.

« A Londres? dis-je. Mais pourquoi? A quoi bon?

— Je n'étais venue ici que pour quelques jours, répondit-elle. Je suis déjà restée plus longtemps que je n'en avais l'intention.

— Mais vous n'avez pas encore vu tout le monde, dis-je, vous n'avez pas fait tout ce qui était projeté.

— Cela a-t-il tant d'importance? dit-elle. Tout cela paraît... si vain, après tout. »

Combien surprenant chez elle, ce manque d'élan dans sa voix!

« Je croyais, dis-je, que cela vous faisait plaisir de parcourir le domaine, de rendre visite aux fermiers. Vous paraissiez heureuse chaque fois que nous avons passé ainsi la journée, et aujourd'hui encore, d'avoir planté ces arbustes avec Tamlyn. Etait-ce une feinte par simple politesse? »

Elle ne répondit pas tout de suite, puis elle dit :

« Parfois, Philip, je me dis que vous ne comprenez rien à rien. »

C'était peut-être vrai. Je me sentis blessé et décidai de ne plus m'en soucier.

« Parfait, dis-je, si vous voulez partir, à votre aise. Cela fera parler, mais tant pis.

— J'aurais pensé, dit-elle, que si je reste cela fera parler davantage.

— Parler, si vous restez? dis-je. Que voulez-vous dire? Vous ne vous rendez donc pas compte que votre place est ici, de droit, que si Ambroise n'avait pas été si léger, cette maison eût été la vôtre?

— Seigneur! s'écria-t-elle dans un éclat de soudaine colère, pourquoi donc croyez-vous que je sois venue? »

J'avais commis une nouvelle maladresse. Lourdaud, sans tact, je disais tout ce qu'il ne fallait pas dire. Je me sentis tout à coup insuffisant, incapable. Je m'approchai du lit, écartai les rideaux et la regardai. Elle était étendue, le buste soutenu par ses oreillers et tenait ses mains croisées devant elle. Elle portait un vêtement blanc ruché autour du cou comme un surplis d'enfant de chœur, et ses cheveux tombant étaient noués par un ruban comme ceux de Louise enfant. Je fus ému et surpris par son air de jeunesse.

« Ecoutez, dis-je, je ne sais pas pourquoi vous êtes venue, ni pour quels motifs vous avez fait tout ce que vous avez fait. Je ne sais rien de vous ni d'aucune femme. Tout ce que je sais, c'est que je suis content que vous soyez là. Et que je ne veux pas que vous partiez. Est-ce très compliqué? »

Elle avait mis les mains devant son visage en un geste presque de défense, comme si elle craignait que je lui fisse du mal.

« Oui, dit-elle, très.

— C'est donc vous qui le rendez tel et non moi », dis-je.

Je croisai les bras et la dévisageai, affichant une aisance que j'étais fort loin de posséder. Toutefois, dans une certaine mesure, de me sentir debout là tandis qu'elle était couchée dans ce lit me donnait une espèce d'avantage. Je ne concevais point qu'une femme aux cheveux défaits et redevenue petite fille pût me tenir tête.

Je vis son regard devenir lointain. Elle cherchait dans sa pensée quelque prétexte, quelque nouvelle raison de s'en aller et, dans un éclair d'inspiration, je m'avisai d'un coup de stratégie magistral.

« Vous m'avez dit ce soir, commençai-je, que je devais faire venir un dessinateur de Londres pour ordonner les jardins. Je sais qu'Ambroise en avait toujours eu l'intention. Oui, mais je ne connais personne, et il est certain que je deviendrais fou d'agacement si je devais avoir un être de ce genre à tourner autour de moi. Si vous avez un peu de tendresse pour cet endroit, sachant ce qu'il représentait pour Ambroise, vous devriez passer quelques mois ici et faire cela pour moi. »

La flèche atteignit son but. Elle regardait devant elle, jouant avec sa bague. J'avais remarqué cette manie chez elle lorsqu'elle était préoccupée. Je poussai mon avantage.

« Je ne pourrai jamais suivre les plans tracés par Ambroise, lui dis-je, et Tamlyn pas davantage. Il fait des merveilles, je sais, mais uniquement lorsqu'il est bien dirigé. Il est venu à plusieurs reprises, cette année, me demander des instructions que j'étais bien incapable de lui donner. Si vous restez ici — rien que pendant l'automne, la saison des plantations —, cela nous rendra service. »

Elle faisait tourner sa bague autour de son doigt.

« J'ai envie de demander à votre parrain ce qu'il en pense, me dit-elle.

— Cela ne regarde point mon parrain, dis-je. Pour qui me prenez-vous? Pour un écolier? Il n'y a qu'une chose qui importe, et c'est de savoir si vous-même souhaitez rester. Si vous désirez réellement vous en aller, je ne puis vous retenir. »

Elle dit, chose surprenante, et d'une toute petite voix :

« Pourquoi le demandez-vous? Vous savez bien que je désire rester. »

Dieu du ciel, comment l'aurais-je su? Elle avait affirmé tout le contraire.

« Vous resterez donc quelque temps, dis-je, pour ordonner le jardin? C'est entendu, et vous ne reviendrez pas sur votre parole?

— Je resterai quelque temps », dit-elle.

J'eus peine à ne pas sourire. Ses yeux étaient graves et j'eus l'impression que, si je souriais, elle changerait d'avis. Par-devers moi, je triomphais.

« Très bien donc, dis-je. Je vais vous souhaiter la bonne nuit et vous laisser. Et votre lettre à mon parrain? Voulez-vous que je la mette dans le sac du courrier?

— Seecombe l'a prise, dit-elle.

— Vous allez donc dormir maintenant et ne serez plus fâchée contre moi?

— Je n'étais pas fâchée, Philip.

— Que si! J'ai cru que vous alliez me frapper. »

Elle leva les yeux vers moi.

« Vous êtes parfois si stupide que je crois bien qu'un jour je le ferai, dit-elle. Venez ici. »

J'approchai, mon genou touchait la courtepointe.

« Penchez-vous », dit-elle.

Elle prit mon visage entre ses mains et m'embrassa.

« Maintenant, dit-elle, allez vous coucher comme un garçon sage et dormez bien. »

Elle me repoussa et ferma ses rideaux. Je sortis de la chambre bleue en trébuchant, ma bougie à la main, la tête légère et un peu étourdi, comme si j'avais bu de l'eau-de-vie, et il me sembla que l'avantage que je m'étais cru sur elle lorsque je la regardais de haut, couchée sur ses oreillers, était à présent bien perdu. Elle avait eu le dernier mot et aussi le dernier geste. L'air de petite fille et le surplis d'enfant de chœur m'avaient égaré. Elle était toujours une femme. Malgré tout cela, j'étais heureux. Le malentendu était dissipé et elle avait promis de rester. Il n'y avait pas eu de nouvelles larmes.

Au lieu de me coucher sur-le-champ, je redescendis dans la bibliothèque écrire un mot à mon parrain, l'assurer que tout s'était bien passé. Il n'aurait pas besoin de savoir jamais la soirée mouvementée que nous venions tous deux de passer. Je griffonnai la lettre et allai la mettre dans le sac du courrier du lendemain.

Seecombe l'avait laissé, à mon intention, sur la table du vestibule, avec sa clef, comme d'habitude. Lorsque j'ouvris le sac, deux lettres me tombèrent dans la main, toutes deux écrites par ma cousine Rachel. L'une était destinée à mon parrain Nick Kendall, comme elle me l'avait dit. La seconde lettre était adressée au signor Rainaldi, à Florence. Je considérai un instant cette dernière, puis la remis avec les autres dans le sac de poste. Cela était sot à moi, et même insensé et ridicule; cet homme était son ami, pourquoi ne lui eût-elle pas écrit une lettre? Pourtant, lorsque je montai me coucher, j'éprouvais la même impression que si elle m'avait quand même frappé.

CHAPITRE XIV

Le lendemain, lorsqu'elle fut descendue et que je la rejoignis dans le jardin, ma cousine Rachel semblait aussi heureuse et naturelle que s'il n'y avait jamais eu de conflit entre nous. La seule différence dans son attitude envers moi était un air plus doux, plus tendre; elle me taquinait moins, riait avec moi et non de moi et demandait sans cesse mon opinion sur la plantation des arbustes, non à cause de mes connaissances mais pour mon plaisir à venir lorsque je les contemplerais.

« Faites ce que vous voudrez, lui dis-je, ordonnez aux hommes de couper les haies, d'abattre les arbres, d'écraser les parterres, tout ce que vous ferez sera bien, je n'ai pas le sens de la géométrie.

— Mais je veux que le résultat vous plaise, Philip, dit-elle. Tout ceci vous appartient et appartiendra un jour à vos enfants. Songez, si j'allais faire dans le parc des changements qui, une fois faits, vous déplairont?

— Ils ne me déplairont point, dis-je, et cessez de parler de mes enfants. Je suis résolu à demeurer garçon.

— Cela est extrêmement égoïste, dit-elle, et absurde à vous.

— Je ne crois pas, répondis-je. Je pense qu'en restant garçon je m'épargnerai bien des malheurs et des inquiétudes.

— Avez-vous jamais pensé à ce que vous manquerez?

— Je me doute assez, lui dis-je, que les béatitudes de l'état conjugal ne sont pas tout ce qu'on prétend. Si c'est de chaleur et de réconfort qu'un homme a besoin, et d'un bel objet à contempler, sa seule maison les lui dispensera s'il l'aime assez. »

A mon étonnement, elle rit tellement de ce que je venais de dire que Tamlyn et les jardiniers qui travaillaient à l'autre bout de la plantation levèrent la tête pour nous regarder.

« Un jour, me dit-elle, quand vous tomberez amoureux, je vous rappellerai cette parole. Chercher sa chaleur et son réconfort dans des murs de pierre à vingt-quatre ans! Oh! Philip! »

Et la cascade de rire recommença à se déverser.

Je ne voyais point ce qu'il y avait là de si drôle.

« Je sais bien à quoi vous pensez, dis-je; simplement, il se trouve que je n'ai jamais éprouvé ce genre d'émotion.

— C'est évident, dit-elle. Vous devez briser bien des cœurs dans le voisinage. Cette pauvre Louise... »

Mais je ne voulais point me laisser entraîner dans une conversation sur Louise ni dans une nouvelle discussion sur l'amour et le mariage. Les travaux du jardin m'intéressaient bien davantage.

Octobre arriva, tiède et ensoleillé, et pendant les trois premières semaines c'est à peine s'il plut, de sorte que Tamlyn et les jardiniers purent, sous la surveillance de ma cousine Rachel, poursuivre très avant leurs plantations. Nous parvînmes aussi à rendre à tour de rôle visite à tous les fermiers du domaine, ce qui leur fit grand plaisir, comme je m'y attendais. Je les connaissais tous depuis mon enfance et allais souvent les voir, car cela faisait partie de mes obligations. Mais c'était là une expérience nouvelle pour ma cousine Rachel, élevée en Italie et accoutumée à une existence très différente. Son attitude envers nos gens était la grâce et la mesure mêmes et c'était un spectacle passionnant de l'observer au milieu d'eux. Le mélange de noblesse et de familiarité dont elle témoignait leur inspirait le respect tout en les mettant à leur aise. Elle posait les questions, faisait les réponses qu'il fallait. Un autre trait qui contribua à la faire aimer de beaucoup était la connaissance qu'elle semblait posséder de leurs maux et les remèdes qu'elle leur dispensait. « A mon amour du jardinage, leur disait-elle, se joint la science des herbes. En Italie, nous étudions ces choses. » Et elle confectionnait un baume tiré de plantes pour frictionner les poitrines oppressées, ou une huile pour les brûlures; elle leur enseignait aussi à faire de la tisane, comme un remède contre l'indigestion et l'insomnie, et leur apprenait que le jus de certains fruits guérissait presque toutes les maladies, depuis le mal de gorge jusqu'au compère-loriot.

« Vous savez ce qui va arriver, lui dis-je, vous allez

prendre la place de la sage-femme du pays. On vous fera chercher au milieu de la nuit pour mettre les bébés au monde et, une fois que ç'aura commencé, on ne vous laissera plus de repos.

— Il existe une tisane pour cela aussi, dit-elle, faite de feuilles de framboisiers et d'orties. Si une femme en boit pendant six mois avant ses couches, elle a son enfant sans douleur.

— C'est de la sorcellerie, dis-je. Ils penseront que ce n'est pas bien de faire cela.

— Quelle sottise! Pourquoi faut-il que les femmes souffrent? » dit ma cousine Rachel.

Parfois, l'après-midi, quelqu'un du comté venait lui rendre visite, comme je l'en avais prévenue. Elle réussissait aussi bien avec la « noblesse », comme disait Seecombe, qu'avec les humbles. Seecombe, je m'en aperçus bientôt, était à présent au septième ciel. Lorsque les équipages s'arrêtaient devant notre porte, un mardi ou un jeudi, à trois heures de l'après-midi, il était de faction dans le vestibule. Il portait toujours le deuil, mais son habit était neuf et il ne le mettait qu'à ces occasions. A John incombait la tâche plus obscure d'ouvrir la porte aux visiteurs et de les diriger vers son supérieur qui, d'un pas lent et digne (John me racontait tout cela ensuite), les précédait à travers le vestibule jusqu'au salon. Ouvrant la porte avec un grand geste cérémonieux (rapport de ma cousine Rachel), il annonçait les noms du ton qu'on annonce les toasts à un banquet. Auparavant, me dit-elle, il avait discuté avec elle la probabilité de la venue de tel ou tel voisin en lui donnant un bref aperçu de l'histoire de leur famille jusqu'à ce jour. Ses prédictions sur les visites à attendre étaient généralement exactes et nous nous demandions si les domestiques disposaient de moyens à eux pour envoyer des messages et s'avertir d'office à office, comme les sauvages communiquent entre eux en battant le tam-tam dans la jungle. Par exemple, Seecombe disait à ma cousine Rachel qu'il savait de façon certaine que Mrs. Tremayne avait commandé sa voiture pour le jeudi après-midi et qu'elle amènerait sa fille mariée, Mrs. Gough, et sa fille non mariée, Miss Isobel, et que ma cousine Rachel devait prendre garde en parlant à Miss Isobel, la pauvre demoiselle souffrant d'une affliction de la langue. Une autre fois, un jeudi, l'on verrait probablement Lady Penryn, car elle rendait toujours visite ce jour-là à sa petite-fille qui n'habitait qu'à quatre lieues de chez nous; et ma cousine Rachel devait se rappeler de ne parler sous aucun prétexte de renard, car Lady Penryn avait eu grand-peur d'un renard avant la naissance de son fils aîné et il en portait encore une marque sur l'épaule gauche.

« Et, Philip, me dit ensuite ma cousine Rachel, tout le temps qu'elle est restée avec moi j'ai fait des efforts pour que la conversation ne dérivât pas sur le sujet de la chasse. Je n'y pouvais rien, elle y revenait sans cesse, comme une souris qui flaire un fromage. Enfin, pour la calmer, j'ai inventé une histoire impossible de chasse au jaguar dans les Alpes. »

Elle m'accueillait toujours avec quelque récit amusant de ce genre lorsque je rentrais à la maison après m'être glissé à travers bois à la vue du dernier équipage tournant dans l'avenue, et nous riions ensemble. Elle lissait ses cheveux devant le miroir et remettait les coussins en place tandis que j'avalais les derniers petits gâteaux du goûter. Tout cela ressemblait à un jeu, à une conspiration, mais je crois qu'elle se plaisait à recevoir. Les gens l'intéressaient, leurs pensées, leurs façons de vivre, et elle me disait : « Vous ne comprenez pas, Philip, tout cela est si nouveau pour moi, si différent de la société florentine. Je m'étais toujours demandé ce qu'était la vie à la campagne en Angleterre. Je commence maintenant à le savoir. Et cela me plaît infiniment. »

Je prenais un morceau de sucre dans le sucrier et le croquais, puis me coupais une tranche de biscuit.

« Je n'imagine rien de plus monotone, lui disais-je, que d'échanger des banalités avec qui que ce soit, à Florence ou en Cornouailles.

— Ah! vous êtes désespérant, disait-elle, et vous deviendrez un esprit borné, ne pensant qu'à ses choux et à ses navets. »

Je me jetais dans un fauteuil et faisais exprès de poser sur un tabouret mes pieds chaussés de bottes boueuses en la surveillant du coin de l'œil. Elle ne me le reprochait jamais, elle ne semblait même point s'en apercevoir.

« Continuez, disais-je, racontez-moi le dernier scandale du comté.

— Pourquoi, répondait-elle, puisque cela ne vous intéresse pas?

— Parce que j'aime à vous entendre parler. »

Alors, avant de monter s'habiller pour le dîner, elle

me régalait des potins du comté : les dernières fiançailles, les mariages, les morts, les bébés annoncés; elle en récoltait plus en vingt minutes de conversation avec un inconnu que moi en une vie entière de relations.

« Comme je l'imaginais, dit-elle, vous faites le désespoir de toutes les mères à vingt lieues à la ronde.

— Pourquoi cela?

— Parce que vous ne daignez regarder aucune de leurs filles. Un jeune homme si grand, si bien fait, si accompli! Je vous en prie, Mrs. Ashley, insistez auprès de votre cousin pour qu'il sorte davantage.

— Et que répondez-vous?

— Que vous trouvez toute la chaleur et la distraction dont vous avez besoin entre ces quatre murs. En y songeant, ajouta-t-elle, cela pourrait être mal compris. Il faut que je fasse attention à ce que je dis.

— Vous pouvez leur dire tout ce que vous voudrez, répondis-je, tant que vous ne m'engagerez pas dans des mondanités. Je n'ai aucune envie de voir les filles de ces dames.

— On parie généralement pour Louise, dit-elle; nombreux sont ceux qui affirment qu'elle finira par vous conquérir. Mais la troisième demoiselle Pascoe a, paraît-il, quelques chances.

— Grand Dieu! m'écriai-je. Belinda Pascoe? J'aimerais encore mieux épouser Katie Searle, qui vient faire la lessive. Vraiment, cousine Rachel, vous devriez me protéger. Pourquoi ne répondez-vous pas à ces commères que je suis un ours et que je passe tous mes loisirs à composer des vers latins? Cela les ferait peut-être changer d'avis.

— Rien ne les ferait changer d'avis, dit-elle. L'idée d'un jeune célibataire de bonne mine aimant la solitude et la poésie vous parerait de plus de romantisme encore. Les détails de ce genre ne font qu'aiguiser les appétits.

— Eh bien, ces appétits devront se satisfaire ailleurs, répliquai-je. Ce qui me confond, c'est la façon dont l'esprit des femmes, dans ce pays — peut-être en est-il de même partout — tourne toujours autour du mariage.

— Elles n'ont pas grand-chose d'autre à quoi penser, dit-elle; le choix des sujets est maigre. Je dois vous dire que je n'y échappe pas plus que vous. Une liste de veufs à marier m'a été proposée. Il y a un pair en Cornouailles occidentale dont on m'assure qu'il me conviendrait tout à fait. Cinquante ans, un héritier et deux filles à marier.

— Ce n'est pas le vieux Saint-Ives? fis-je d'un ton indigné.

— Mais si, je crois bien que c'est ce nom-là. On le dit charmant.

— Charmant, vraiment? lui dis-je. Il est toujours soûl dès midi, et court dans les couloirs après les femmes de chambre. Billy Rowe, de la ferme Barton, avait une nièce en service chez lui. Elle a dû rentrer chez ses parents, tant il lui faisait peur.

— Qui fait des commérages, à présent? dit cousine Rachel. Pauvre Lord Saint-Ives, peut-être que s'il avait une femme, il ne courrait plus dans les couloirs. Cela dépendrait évidemment de la femme.

— En tout cas, vous ne l'épouserez pas, déclarai-je d'un ton ferme.

— Vous pourriez toujours l'inviter à dîner ici, suggéra-t-elle, les yeux pleins de cette gravité où j'avais appris à déchiffrer la malice. Nous pourrions donner une soirée, Philip. Les plus jolies jeunes femmes pour vous et les veufs les plus favorisés pour moi. Mais je crois que mon choix est fait. Je crois que, si je m'y décidais jamais, je prendrais votre parrain, Mr. Kendall. Il a une façon de parler nette et franche que j'admire beaucoup. »

Peut-être le faisait-elle exprès, mais je mordis à l'hameçon et explosai.

« Vous ne pouvez pas dire cela sérieusement? m'écriai-je. Epouser mon parrain? Mais, morbleu, cousine Rachel, il a près de soixante ans et il est toujours à traîner un catarrhe ou autre chose.

— Cela prouve qu'il ne trouve pas comme vous de chaleur et de réconfort dans sa maison », répondit-elle.

Je compris alors qu'elle plaisantait et ris avec elle; mais j'y songeai ensuite avec méfiance. Certes, mon parrain se montrait des plus empressés lorsqu'il venait le dimanche et ils s'entendaient au mieux. Nous avions dîné une ou deux fois chez lui et il avait brillé d'un esprit que je ne lui connaissais point. Mais mon parrain était veuf depuis dix ans. Il ne pouvait certainement pas nourrir un projet aussi insensé que de tenter sa chance avec ma cousine Rachel! Et elle ne pouvait évidemment pas l'accepter! Je devins tout rouge à cette pensée. Ma cousine Rachel à Pelyn! Ma cousine Rachel, Mrs. Ashley, devenant Mrs. Kendall! C'était monstrueux. Si une telle présomption pouvait loger dans la cervelle du vieillard, je voulais bien être damné si je continuais à l'inviter à nos dîners dominicaux. Cependant, cesser les invitations serait rompre une habitude vieille de bien des années. Cela n'était pas possible.

Force me fut donc de continuer comme par le passé mais, le dimanche suivant, lorsque je vis mon parrain à droite de ma cousine Rachel pencher vers elle son oreille à demi sourde puis se renverser brusquement sur sa chaise en riant et en disant : « Oh! prodigieux, prodigieux », je me demandai, très maussade, de quoi il était question et ce qui les faisait tant rire ensemble. Voilà bien, me dis-je, un autre tour des femmes : jeter en l'air une plaisanterie qui laisse derrière elle un sillage empoisonné.

Elle était particulièrement belle et de bonne humeur, ce dimanche-là, mon parrain à sa droite et le pasteur à sa gauche, tous trois engagés dans une conversation des plus animées, et je me mis soudain à bouder sans raison et à me taire, comme Louise avait fait le premier dimanche, si bien que notre bout de table ressemblait à une réunion de Quakers. Louise regardait son assiette et moi la mienne, lorsque, en levant soudain les paupières, je vis Belinda Pascoe qui me contemplait avec des yeux ronds; sur quoi, me rappelant les potins du comté, je devins encore plus maussade. Notre silence excita ma cousine Rachel à de plus grands efforts, dans le dessein, j'imagine, de le couvrir; mon parrain, le pasteur et elle se renvoyaient la balle et citaient des vers, tandis que je boudais de plus en plus. Heureusement, Mrs. Pascoe, souffrante, n'était point venue. Louise ne comptait point. Je n'étais pas obligé de me mettre en frais de conversation pour Louise.

Quand ils nous eurent tous quittés, ma cousine Rachel me prit à partie.

« Quand je reçois vos amis, dit-elle, je compte sur quelque soutien de votre part. Qu'aviez-vous donc, Philip? Vous étiez sombre, le front têtu, et n'avez adressé la parole à aucune de vos voisines. Ces pauvres jeunes filles... »

Elle me regarda en hochant la tête d'un air mécontent.

« Il y avait une telle gaieté de votre côté, répondis-je, que je ne voyais pas la nécessité d'y ajouter. Toutes ces niaiseries à propos de la façon de dire : je vous aime, en grec! Et le vicaire qui vous racontait que délice de mon cœur sonne très bien en hébreu!

— C'était vrai, dit-elle. Cela roulait sur sa langue et m'a fait grande impression. Et votre parrain veut me montrer la pointe du phare au clair de lune. Un spectacle inoubliable, dit-il.

— Eh bien, il ne vous le montrera pas, dis-je. Le phare est ma propriété. Il y a un vieux promontoire qui fait partie des terres de Pelyn. Qu'il vous montre cela s'il veut. C'est couvert de broussailles. »

Et je jetai un morceau de charbon dans l'âtre. espérant que le bruit lui serait désagréable.

« Je ne sais ce qui vous prend, dit-elle; vous ne comprenez plus la plaisanterie. »

Elle me tapa l'épaule et monta. Voilà un trait exaspérant des femmes : toujours le dernier mot. Elles vous laissent bouillonnant de mauvaise humeur, avec une parfaite sérénité. Une femme n'était jamais dans son tort, eût-on dit. Ou, si elle l'était, elle tournait la chose à son avantage, la faisant paraître sous un autre jour. Rachel jetait des pointes en l'air, des allusions à cette promenade au clair de lune avec mon parrain ou à quelque autre expédition, une visite au marché de Lostwithiel, par exemple, et me demandait fort sérieusement si elle devait mettre la nouvelle capote arrivée par poste de Londres; le voile en était d'un réseau plus large qui ne la dissimulait point, et mon parrain lui avait dit qu'elle lui seyait. Si je devenais maussade et lui disais que peu m'importait qu'elle cachât ses traits sous un masque, son humeur ne devenait que plus sereine. Cette conversation avait lieu le lundi à dîner et, tandis que je me renfrognais, elle continuait de deviser avec Seecombe, me faisant paraître encore plus maussade.

Ensuite, sans témoin, dans la bibliothèque, elle parut se détendre; elle conservait sa sérénité, mais nuancée de tendresse. Elle ne rit point de mon manque de bonne humeur, ni ne me gronda de mon esprit bougon. Elle me demanda de tenir ses soies, de choisir les couleurs que je préférais, car elle voulait me broder un coussin pour le fauteuil du bureau du domaine. Tranquillement, sans irritation, sans insistance, elle me posa des questions sur la façon dont j'avais passé la journée, et ma bouderie fondit peu à peu. Je me trouvais à mon aise et reposé, et je me demandais, en regardant ses mains touchant les soies et les lissant, pourquoi il n'en avait pas été ainsi tout à l'heure, pourquoi d'abord les pointes d'épingle, les banderilles qui irritaient l'atmosphère, à seule fin d'avoir ensuite la peine de la calmer? On eût dit que mes mécontentements lui faisaient plaisir; pourquoi, je n'en avais pas la moindre idée. Je savais seulement que lorsqu'elle me taquinait, je détestais cela et souffrais, et que, lorsqu'elle se montrait tendre, j'étais heureux et en paix.

Vers la fin du mois, le temps se gâta. Il plut trois jours sans arrêt et l'on ne pouvait travailler aux jardins; j'étais obligé, moi aussi, d'interrompre mes occupations, car j'aurais été trempé jusqu'aux os à parcourir à cheval le domaine; de leur côté, tous nos voisins restaient chez eux comme nous. Ce fut Seecombe qui nous rappela ce que nous essayions tous deux d'oublier, je crois, à savoir que le moment était venu de ranger les effets d'Ambroise. Il le dit un matin, tandis que ma cousine Rachel et moi regardions la pluie tomber derrière les fenêtres de la bibliothèque.

« Pour moi, le bureau du domaine », venais-je juste de dire, « et pour vous une journée dans votre boudoir. Qu'y a-t-il dans ces cartons qui viennent d'arriver de Londres? Encore des toilettes à examiner, à essayer devant votre miroir et à renvoyer?

— Non, pas des toilettes, dit-elle, mais de l'étoffe pour des rideaux. Je trouve le goût de tante Phoebé un peu terne. Il faut que la chambre bleue mérite son nom. Elle est grise et non bleue. Et il y a des mites dans les capitons du lit, mais n'en dites rien à Seecombe. Les mites des siècles. Je vous ai choisi de nouveaux rideaux et un nouveau couvre-lit. »

C'est à ce moment que Seecombe entra et, nous voyant apparemment inoccupés, dit :

« Le temps étant si inclément, Monsieur, j'ai pensé que les garçons pourraient faire un peu de ménage à fond dans la maison. Votre ancienne chambre en aurait besoin. Mais ils ne peuvent la balayer tant que les malles et les caisses de Mr. Ambroise encombrent le plancher. »

Je la regardai, craignant que ce manque de tact ne l'eût peinée, mais elle accueillit la proposition avec un calme étonnant.

« Vous avez tout à fait raison, Seecombe, dit-elle; on ne pourra pas nettoyer la chambre tant que ces malles ne seront pas déballées. Nous n'avons tardé que trop longtemps. Eh bien, Philip, qu'en dites-vous?

— Comme vous voudrez, dis-je. Faisons allumer un feu là-haut et quand la chambre sera réchauffée, montons-y. »

Je crois que chacun essayait de cacher ses sentiments à l'autre. Nous nous efforcions à une espèce de gaieté dans nos manières et nos propos. Elle était résolue, pour mon bien, à ne pas montrer de tristesse. Et moi, souhaitant de même l'épargner, j'affectais une animation fort éloignée de mon caractère. La pluie fouettait les vitres de mon ancienne chambre et une tache d'humidité s'étalait au plafond. Le feu, qu'on n'avait pas allumé depuis l'hiver précédent, brûlait en crépitant. Les caisses, alignées sur le sol, attendaient d'être ouvertes et, sur le couvercle de l'une d'elles, était posée la couverture de voyage bleu foncé que je me rappelais si bien, brodée de son grand monogramme « A. A. » en jaune dans un coin. Je me revis soudain en train de la poser sur ses genoux à l'instant de son départ.

Ma cousine Rachel rompit le silence.

« Allons, dit-elle. Si nous commencions par les malles de vêtements? »

Son ton était volontairement sec et pratique. Je lui tendis les clefs qu'elle avait confiées à Seecombe le jour de son arrivée.

« Comme vous voudrez », dis-je.

Elle mit la clef dans la serrure, la tourna, leva le couvercle. La vieille robe de chambre était sur le dessus. Je la connaissais bien. Elle était d'une soie épaisse, rouge sombre. Ses pantoufles étaient là également, longues et plates. Je les regardais et j'avais l'impression de remonter le passé. Je me le rappelais entrant dans ma chambre un matin, tandis que je me faisais la barbe, le visage blanc de savon. « Ecoute, garçon, j'ai pensé... » Dans cette même chambre où nous nous trouvions à présent. Vêtu de cette robe de chambre, chaussé de ces pantoufles. Ma cousine Rachel les sortit de la malle.

« Qu'en faisons-nous? » dit-elle, et la voix, tout à l'heure sèche, était douce à présent et docile.

« Je ne sais pas, répondis-je, c'est à vous de décider.

— Les porteriez-vous si je vous les donnais? » demanda-t-elle.

C'était étrange. J'avais pris son chapeau. J'avais pris sa canne et je portais constamment la vieille veste de chasse aux coudes rapiécés de cuir qu'il avait laissée derrière lui en partant pour son dernier voyage. Mais cette robe de chambre, ces pantoufles... J'avais presque l'impression d'avoir ouvert son cercueil et de regarder son cadavre.

« Non, dis-je. Non, je ne crois pas. »

Elle ne dit rien. Elle les posa sur le lit. Elle sortit ensuite un costume, un costume d'étoffe légère qu'il avait dû porter les jours de grosse chaleur. Je ne le reconnus point, mais elle semblait le trouver familier. Il était froissé d'être resté plié dans la malle. Elle le posa sur le lit avec la robe de chambre.

« Il faudrait le repasser », dit-elle; puis elle se mit à sortir les vêtements de la malle et à les empiler très rapidement sur le lit sans presque y toucher.

« Je crois, si vous n'en voulez pas, Philip, dit-elle, que les gens du domaine, qui l'ont tant aimé, seront contents de les avoir. Vous saurez mieux que moi quoi donner et à qui. »

Elle ne regardait pas ce qu'elle faisait. Elle vidait la malle avec une espèce de hâte nerveuse.

« Et la malle? dit-elle. C'est toujours utile, une malle. Vous gardez la malle? »

Elle leva les yeux vers moi et sa voix s'étrangla. Soudain, elle fut dans mes bras, sa tête contre ma poitrine.

« Oh! Philip, dit-elle, pardonnez-moi. J'aurais dû

vous laisser faire cela avec Seecombe. J'ai été folle de monter ici. »

C'était étrange. J'avais l'impression de tenir un enfant, de tenir une bête blessée. Je touchai ses cheveux et mis ma joue contre sa tête.

« Ça ne fait rien, dis-je, ne pleurez pas. Retournez dans la bibliothèque. Je finirai cela seul.

— Non, dit-elle, je suis trop faible, trop sotte. C'est aussi pénible pour vous que pour moi. Vous l'aimiez tant... »

Je remuais les lèvres sur ses cheveux. C'était une sensation étrange. Elle était toute petite, debout contre moi.

« Un homme peut supporter cela, dis-je. C'est plus dur pour une femme. Laissez-moi faire, Rachel, descendez. »

Elle s'écarta et s'essuya les yeux avec son mouchoir.

« Non, dit-elle. Je suis mieux à présent. C'est passé. J'ai déballé les vêtements, et si vous voulez bien les donner aux gens du domaine, je vous en serai reconnaissante. Mais s'il y a quelque chose que vous désiriez pour vous, portez-le. Ne craignez point de le porter. Cela ne me chagrinera pas, cela me fera plaisir. »

Les caisses de livres étaient à côté de la cheminée. Je lui avançai une chaise près du feu et, m'agenouillant devant les caisses, les ouvris l'une après l'autre.

J'espérais qu'elle ne s'était pas aperçue — je m'en étais à peine aperçu moi-même — que, pour la première fois, je ne l'avais pas appelée cousine, mais Rachel. Je ne sais comment c'était arrivé. Je crois que c'est parce que, debout devant elle et la tenant embrassée, je l'avais sentie tellement plus petite que moi.

Les livres n'avaient pas un caractère aussi personnel que les vêtements. Il y avait de vieux favoris que je connaissais, qu'il emportait toujours en voyage, et qu'elle me donna pour que je les conservasse auprès de mon lit. Il y avait aussi les boutons de manchette, sa montre, son crayon; tout cela, elle me pressa de le prendre et j'en fus heureux. Certains livres m'étaient complètement inconnus. Elle me les expliqua, feuilletant un volume, puis un autre, et la besogne n'était plus aussi triste; il avait trouvé ce livre à Rome, disait-elle, c'était une occasion, il en était content; cet autre, dans sa reliure ancienne, et cet autre encore venaient de Florence. Elle décrivait l'échoppe où il les avait achetés et le vieillard qui les lui avait vendus, et l'on eût dit, tandis qu'elle causait ainsi, que sa peine l'avait quittée, s'était écoulée avec les larmes essuyées. Nous posâmes les livres par terre l'un après l'autre, j'allai chercher un chiffon et elle les essuya. Parfois, elle m'en lisait un passage et me disait combien tel paragraphe avait plu à Ambroise; ou bien elle me montrait une image, une gravure, et je la vis sourire à quelque page dont il lui souvenait.

Elle tomba sur un volume de dessins consacré à l'art des jardins.

« Ceci va nous être très utile », dit-elle; et, quittant sa chaise, elle l'approcha de la fenêtre pour mieux le voir à la lumière.

J'ouvris un autre livre au hasard. Un bout de papier s'en échappa. Il portait l'écriture d'Ambroise. On eût dit un fragment de lettre déchiré et oublié. « *C'est une maladie, assurément, dont j'ai souvent entendu parler comme de la kleptomanie et d'autres désordres, et qui lui a certainement été léguée par son père prodigue Alexander Coryn. Depuis combien de temps elle en est atteinte, je ne sais; peut-être depuis toujours; cela explique dans une large mesure ce qui m'a tant troublé jusqu'ici en cette affaire. Ce que je sais, mon cher garçon, c'est que je ne peux plus, que je ne dois plus lui laisser gouverner ma bourse, ou je serai ruiné et le domaine en pâtira. Il faut absolument que tu préviennes Kendall, au cas où...* » La phrase s'arrêtait là. Le bout de papier n'était pas daté. L'écriture était normale. A ce moment, elle revint de la fenêtre et je froissai le feuillet dans ma main.

« Qu'avez-vous là? demanda-t-elle.

— Rien », répondis-je.

Je jetai la page au feu. Elle la vit brûler. Elle vit l'écriture sur le papier s'enrouler et s'émietter dans la flamme.

« C'est l'écriture d'Ambroise, dit-elle. Qu'était-ce? Une lettre?

— Quelques mots seulement, dis-je, jetés sur un vieux bout de papier. »

Je sentais mes joues brûlantes à la lumière du feu. Je sortis un autre volume de la caisse. Elle fit de même. Nous continuâmes à trier les livres côte à côte mais le silence pesait sur nous.

CHAPITRE XV

Nous finîmes de trier les livres vers midi. Seecombe nous envoya John et le jeune Arthur pour nous demander si nous désirions faire descendre des paquets avant qu'ils n'allassent dîner.

« Laissez les vêtements sur le lit, John, dis-je, et couvrez-les d'une étoffe. Je demanderai à Seecombe de m'aider plus tard à en faire des paquets. Descendez cette pile de livres dans la bibliothèque.

— Et portez ceux-ci dans le boudoir, Arthur, je vous prie », dit ma cousine Rachel.

C'étaient les premiers mots qu'elle prononçait depuis que j'avais brûlé le bout de papier.

« Vous voulez bien, Philip, fit-elle, que je garde les livres de jardinage dans ma chambre?

— Assurément, répondis-je. Tous les livres sont à vous, vous le savez.

— Non, dit-elle, non. Ambroise aurait mis les autres dans la bibliothèque. »

Elle se leva, lissa les plis de sa jupe et rendit le chiffon à John.

« Un déjeuner froid est servi en bas, Madame, dit-il.

— Merci, John, je n'ai pas faim. »

J'hésitai près de la porte ouverte, quand les valets eurent disparu, emportant les livres.

« Ne descendez-vous pas dans la bibliothèque m'aider à ranger ces volumes?

— Je ne crois pas », dit-elle, puis s'arrêta un instant, comme prête à ajouter quelque chose, mais se ravisa.

Elle s'éloigna dans la galerie sur laquelle donnait sa chambre.

Je déjeunai seul en regardant par les fenêtres de la salle à manger. Il pleuvait toujours très fort. Inutile d'essayer de sortir. Mieux valait finir la besogne du tri des vêtements avec l'aide de Seecombe. Cela lui ferait plaisir d'être consulté. Que convenait-il de donner à Barton, à Trenant, au pavillon des gardiens? Il fallait choisir chaque objet avec un grand soin, afin de n'offenser personne. Cela nous occuperait tous les deux tout l'après-midi. J'essayai de fixer mon esprit sur ces questions, mais, me narguant comme une rage de dents qui se réveille soudain, puis se calme, l'image du bout de papier revenait me tourmenter. Que faisait-il entre les pages de ce livre, et combien de temps y était-il demeuré, oublié? Six mois, un an, ou davantage? Ambroise avait-il commencé une lettre à mon intention que je n'avais jamais reçue ou bien d'autres bouts de papier, fragments de cette même lettre, reposaient-ils encore, pour quelque raison inconnue, entre les pages d'un livre? La lettre avait dû être écrite avant sa maladie. L'écriture en était ferme et claire.

Donc l'hiver dernier, l'automne dernier peut-être... Je fus envahi par une espèce de honte. De quel droit allais-je fouiller dans ce passé, m'interroger au sujet d'une lettre qui ne m'était jamais parvenue? Cela ne me regardait point. J'aurais voulu ne l'avoir pas trouvée.

Tout l'après-midi, Seecombe et moi triâmes les habits et il en fit des paquets tandis que j'écrivais les étiquettes destinées à les accompagner. Il suggéra que les paquets fussent remis à leurs bénéficiaires à l'occasion de Noël, ce qui me parut une idée raisonnable et dont nos fermiers seraient touchés. Lorsque nous eûmes terminé, je redescendis dans la bibliothèque et rangeai les livres sur les rayons. Je me surpris à secouer les pages de chaque volume avant de les mettre en place; et j'avais, en faisant cela, une impression de sournoiserie, le sentiment d'accomplir une indélicatesse. « ... une maladie, assurément, comme la kleptomanie et d'autres désordres... » Pourquoi devais-je me rappeler ces mots? Qu'avait voulu dire Ambroise?

J'ouvris un dictionnaire et cherchai le mot kleptomanie : « Tendance irrésistible au vol chez des personnes qui n'y sont point poussées par le besoin. » Ce n'était pas là ce dont il l'accusait. Il l'accusait de prodigalité, de gaspillage. Comment le gaspillage pouvait-il être une maladie? Cela ne ressemblait guère à Ambroise, le plus généreux des hommes, de porter une accusation de ce genre. Comme je remettais le dictionnaire en place sur le rayon, la porte s'ouvrit et ma cousine Rachel entra.

Je me sentis aussi confus que si elle m'eût surpris à voler.

« Je viens de finir de ranger les livres », dis-je et je me demandai si ma voix sonnait aussi faux à ses oreilles qu'aux miennes.

« Je le vois », répondit-elle et elle vint s'asseoir près du feu.

Elle était habillée pour le dîner. Je ne m'étais pas rendu compte qu'il était si tard.

« Nous avons trié les vêtements, dis-je. Seecombe a été d'un grand secours. Nous pensons que ce serait une bonne idée, si vous l'approuvez, de distribuer ces effets pour Noël.

— Oui, dit-elle, c'est ce qu'il vient de me dire. Je trouve cela parfait. »

Je ne sais si cela tenait à moi ou à elle, mais il y avait dans nos manières une espèce de contrainte.

« La pluie n'a pas cessé de tout le jour, dis-je.

— Non », répondit-elle.

Je regardai mes mains souillées par la poussière des livres.

« Si vous voulez bien m'excuser, dis-je, je vais aller me laver et me changer pour dîner. »

Je montai, m'habillai, et, lorsque je redescendis, le dîner était servi. Nous nous assîmes en silence. Seecombe avait toujours eu l'habitude de prendre la parole en servant à table lorsqu'il avait quelque chose à dire; ce soir-là, comme nous finissions de dîner, il demanda à ma cousine Rachel :

« Avez-vous montré les nouvelles tentures à Mr. Philip, Madame?

— Non, Seecombe, répondit-elle, nous n'en avons pas encore eu le loisir. S'il désire les voir, je les lui montrerai après dîner. John pourrait les descendre dans la bibliothèque.

— Des tentures? dis-je, surpris. Des tentures, pourquoi?

— Vous ne vous rappelez pas? fit-elle. Je vous ai dit que j'avais commandé des tentures pour la chambre bleue. Seecombe les a vues et en est très impressionné.

— Mais oui, dis-je, maintenant je me rappelle.

— Je n'ai jamais rien vu de pareil, Monsieur, dit Seecombe. Il n'y a pas un manoir dans les environs dont le mobilier puisse se comparer à cela.

— Ah! mais, c'est que ces tissus sont importés d'Italie, Seecombe, dit ma cousine Rachel. Il n'y a qu'une maison à Londres où l'on puisse se les procurer. On me l'avait dit à Florence. Voulez-vous voir les tentures, Philip, ou bien cela ne vous intéresse-t-il pas? »

Elle posa cette question avec un mélange d'espoir et d'inquiétude, comme si elle désirait connaître mon opinion mais craignait de m'ennuyer.

Je ne sais pourquoi, je me sentis devenir écarlate.

« Mais si, dis-je, je serai très content de les voir. »

Nous nous levâmes de table et passâmes dans la bibliothèque. Seecombe nous suivit et, quelques instants plus tard, John et lui déployaient devant nous les nouvelles tentures.

Seecombe avait raison. Il n'existait rien de pareil en Cornouailles. Je n'avais vu nulle part, ni à Oxford ni à Londres, de ces somptueux brocarts et de ces lourds satins. C'était le genre de tissus qu'on voit dans les musées.

« Ça, c'est de la belle qualité, Monsieur », dit Seecombe.

Il parlait à voix basse, comme à l'église.

« J'ai pensé à ce bleu pour les tentures du lit, dit ma cousine Rachel, au bleu plus foncé pour les rideaux, et au satin ouaté pour la courtepointe. Qu'en dites-vous, Philip? »

Elle me regardait presque anxieusement. Je ne savais que répondre.

« Ne les aimez-vous point? me demanda-t-elle.

— Je les aime beaucoup, dis-je, mais... »

Je me sentis de nouveau rougir.

« ... tout cela n'est-il pas très cher?

— Oh! si, très cher, répondit-elle, les étoffes de ce genre sont forcément chères, mais elles dureront des années, Philip. Votre petit-fils et votre arrière-petit-fils pourront coucher dans la chambre bleue sous cette courtepointe et entre ces rideaux. N'est-ce pas, Seecombe?

— Oui, Madame, dit Seecombe.

— La seule chose qui importe, c'est qu'elles vous plaisent, Philip, insista-t-elle.

— Assurément, dis-je. Comment ne me plairaient-elles point?

— Elles sont donc à vous, me dit-elle, c'est un cadeau que je vous offre. Emportez-les, Seecombe. J'écrirai demain matin à Londres que nous les gardons. »

Seecombe et John plièrent les étoffes et les emportèrent. Je sentais les yeux de ma cousine Rachel sur moi et, pour ne pas les rencontrer, sortis ma pipe et l'allumai plus lentement que d'habitude.

« Vous êtes soucieux, dit-elle. Qu'avez-vous? »

Je ne savais trop comment lui répondre. Je ne voulais point la blesser.

« Vous ne devez pas me faire un cadeau pareil, dis-je gauchement, cela va vous coûter beaucoup trop cher.

— Je tiens à vous offrir ce présent, dit-elle, vous avez tant fait pour moi. C'est bien peu, en comparaison. »

Sa voix était douce et presque suppliante et, lorsque je la regardai, je vis de la peine dans ses yeux.

« C'est très généreux à vous, dis-je, mais je ne pense pas que vous deviez le faire.

— Laissez-moi en être juge, répondit-elle, je sais que lorsque vous verrez la pièce terminée vous en serez content. »

Je me sentais mal à l'aise, gêné, non qu'elle souhaitât me faire un cadeau, ce qui était de sa part généreux et spontané et ce que j'eusse accepté sans arrière-pensée la veille encore. Mais ce soir, depuis que j'avais lu cet infernal bout de papier, j'étais obsédé par la pensée que ce qu'elle voulait faire pour moi pût tourner de quelque manière à son désavantage et qu'en lui cédant je cédais à une chose que je ne comprenais pas tout à fait.

Elle me dit au bout d'un moment :

« Ce livre des jardins nous sera très utile pour nos plans d'ici. J'avais oublié que je l'avais donné à

Ambroise. Il faudra que vous regardiez les gravures. Assurément, les jardins représentés ne conviendraient point à ce pays, mais certains traits pourraient en être adoptés. Une terrasse, par exemple, donnant sur la mer au bout des champs, et, de l'autre côté, un jardin d'eaux en contrebas, comme dans le parc d'une villa que j'ai habitée à Rome. Il y en a une image dans ce livre. Je sais exactement où l'installer; ici, à la place de ce vieux mur. »

Je ne sais trop comment je me mis à lui demander, d'un ton presque dégagé :

« Avez-vous toujours vécu en Italie, depuis votre naissance?

— Oui, répondit-elle. Ambroise ne vous l'avait-il pas dit? La famille de ma mère était romaine et mon père, Alexander Coryn, était un de ces hommes qui ont peine à se fixer où que ce soit. Il n'avait jamais pu supporter l'Angleterre, je crois qu'il ne s'entendait pas très bien avec sa famille de Cornouailles. Il aimait la vie de Rome, et lui et ma mère étaient très bien assortis. Mais ils menaient une existence précaire, toujours sans argent, voyez-vous. Enfant, j'y étais accoutumée, mais j'en souffris en grandissant.

— Sont-ils morts tous les deux? demandai-je.

— Oh! oui, mon père mourut quand j'avais seize ans. Mère et moi demeurâmes seules pendant cinq ans. Jusqu'à mon mariage avec Cosimo Sangalletti. Cinq affreuses années à errer de ville en ville, pas toujours assurées du prochain repas. Je n'ai pas eu une jeunesse préservée, Philip. Je songeais dimanche encore combien elle avait été différente de celle de Louise. »

Elle avait donc vingt et un ans lors de son premier mariage. L'âge de Louise. Je me demandai comment elles avaient vécu, elle et sa mère, avant de connaître Sangalletti. Peut-être donnaient-elles des leçons d'italien...

« Ma mère était très belle, reprit-elle. Je n'ai rien d'elle, que le teint. Elle était grande, sculpturale. Comme beaucoup de femmes de ce type, elle perdit sa beauté tout d'un coup, grossit, renonça à toute coquetterie; j'étais contente que mon père ne fût plus là pour la voir. J'étais contente qu'il ne fût plus là pour voir bien des choses qu'elle fit alors, et, je dois le dire, moi aussi. »

Sa voix était simple et naturelle, elle parlait sans amertume; pourtant, je me dis en la regardant ainsi, assise devant le feu de ma bibliothèque, que je savais réellement bien peu de chose d'elle, et que je ne saurais jamais que bien peu de chose de son passé. Elle avait fait allusion à la vie préservée de Louise; elle disait vrai. Je m'avisai que cela s'appliquait aussi à moi. J'avais vingt-quatre ans et, à part les années conventionnelles de Harrow et d'Oxford, je ne connaissais rien du monde que ces cinq cents arpents de terre. Quand une personne comme ma cousine Rachel changeait de ville, quittait un foyer pour un autre, puis un troisième, se mariait et se remariait, quel effet cela lui faisait-il? Refermait-elle le passé derrière elle comme une porte pour n'y plus jamais penser, ou bien était-elle hantée de souvenirs?

« Etait-il beaucoup plus âgé que vous? demandai-je.

— Cosimo? fit-elle. Mais non, d'un an ou deux à

peine. Ma mère lui avait été présentée à Florence, elle avait toujours désiré connaître les Sangalletti. Il mit près d'un an à se décider entre ma mère et moi. Là-dessus elle perdit sa beauté, la pauvre, et le perdit du même coup. La belle affaire que je semblais faire se révéla déficitaire. Mais Ambroise a dû vous écrire toute cette histoire. Elle n'a pas été heureuse. »

J'allais dire : « Non, Ambroise était plus discret que vous ne pensez. Quand une chose le blessait ou le choquait, il affectait de l'ignorer. Il ne m'a jamais rien écrit de votre vie avant qu'il ne vous ait épousée, sauf que Sangalletti avait été tué en duel. » Je me tus. Je compris que moi non plus je ne désirais pas savoir, ni ce qui concernait Sangalletti, ni ce qui concernait la mère de ma cousine Rachel et leur vie à Florence. Je désirais fermer la porte à triple verrou sur tout cela.

« Oui, dis-je, oui, Ambroise m'a écrit... »

Elle soupira et tapota le coussin derrière sa tête.

« Oh! fit-elle, tout cela paraît si loin maintenant. La jeune femme qui a vécu toutes ces années était une autre créature. Cela a duré près de dix ans, vous savez, ma vie d'épouse de Cosimo Sangalletti. Je ne souhaite pas redevenir jeune, quand on m'offrirait le monde. Mais mon expérience a été faussée.

— Vous parlez, dis-je, comme si vous aviez quatre-vingt-dix-neuf ans.

— J'en ai trente-cinq. Pour une femme, c'est presque la même chose », répondit-elle.

Elle me regarda et sourit.

« Tiens? fis-je, je vous croyais plus âgée.

— La plupart des femmes prendraient cela pour une insulte, moi je l'accepte comme un compliment, dit-elle. Merci, Philip. »

Sans me laisser le temps de formuler une réponse, elle reprit :

« Qu'y avait-il au juste sur le bout de papier que vous avez jeté au feu ce matin? »

La soudaineté de l'attaque me trouva sans réplique. Je la regardai et avalai ma salive avec effort.

« Le papier? fis-je pour gagner du temps. Quel papier?

— Vous le savez parfaitement, dit-elle, le bout de papier portant l'écriture d'Ambroise et que vous avez brûlé pour que je ne le voie pas. »

Je décidai qu'une demi-vérité valait mieux qu'un mensonge. Malgré le sang qui me montait au visage, je soutins son regard.

« C'était un fragment de lettre déchirée, dis-je, une lettre qui m'était, je crois, destinée. Il se disait simplement préoccupé par des dépenses. Il n'y avait qu'une ou deux lignes, je ne m'en rappelle même pas les termes. J'ai jeté ce papier au feu parce que le trouver juste à ce moment risquait de vous attrister. »

A ma surprise, mais aussi à mon soulagement, les yeux qui me fixaient d'un regard si intense semblèrent s'adoucir, la main crispée sur la bague retomba sur les genoux.

« C'est tout? dit-elle. Je me demandais... Je ne pouvais comprendre. »

Dieu merci, elle admettait mon explication.

« Pauvre Ambroise, dit-elle, c'était là pour lui une

source constante d'inquiétude. Il me taxait de prodigalité; je m'étonne que vous n'en ayez pas entendu parler plus souvent. L'existence, là-bas, était tellement différente de celle dont il avait l'habitude chez lui. Il n'avait jamais pu s'y accoutumer. Et puis — loin de moi, mon Dieu, de l'en blâmer — je sais qu'au fond de son cœur il nourrissait un certain ressentiment au sujet de la vie qu'il m'avait fallu mener avant de le connaître. Ces affreuses dettes qu'il a toutes payées!... »

Je gardai le silence, mais, tandis que je la regardais en fumant, je sentis mon esprit allégé. La demi-vérité avait réussi et elle me parlait à présent sans contrainte.

« Il était si généreux pendant les premiers mois, dit-elle. Vous n'imaginez pas, Philip, ce qu'il a été pour moi... Enfin quelqu'un en qui je pouvais avoir confiance et, plus merveilleux encore, quelqu'un que je pouvais aimer! Je crois qu'il n'est rien sur terre qu'il ne m'eût donné si je le lui avais demandé. C'est pourquoi, lorsqu'il tomba malade... » Elle s'interrompit et ses yeux s'embuèrent. « C'est pourquoi j'ai eu tant de peine à comprendre... ce changement.

— Vous voulez dire, fis-je, qu'il n'était plus généreux?

— Si, il était encore généreux, dit-elle, mais plus de la même façon. Il m'achetait des choses, des cadeaux, des bijoux, presque comme pour m'éprouver; je ne puis expliquer... Mais si je lui demandais de l'argent pour des dépenses nécessaires, pour la maison, pour un objet dont nous avions besoin, il me le refusait. Il me regardait avec une espèce de méfiance étrange, hostile; il me demandait pourquoi je voulais cet argent, comment j'entendais le dépenser, si j'allais le donner à quelqu'un... Finalement, j'étais obligée de m'adresser à Rainaldi. J'étais obligée, Philip, de demander de l'argent à Rainaldi pour payer les gages des domestiques. »

Elle s'interrompit de nouveau et me regarda.

« Ambroise découvrit-il ce que vous faisiez là? demandai-je.

— Oui, dit-elle. Il n'avait jamais aimé Rainaldi, je crois vous l'avoir déjà dit. Mais lorsqu'il sut que je m'adressais à lui pour avoir de l'argent, ce fut fini, il ne pouvait plus supporter qu'il vînt à la villa. Vous ne le croirez pas, Philip, mais j'étais obligée de sortir en cachette pendant qu'Ambroise faisait la sieste, pour aller trouver Rainaldi afin d'avoir de l'argent pour le ménage. »

Soudain, elle fit un geste des deux mains et se leva de son fauteuil.

« Mon Dieu! dit-elle, je ne voulais pas vous raconter tout ça. »

Elle s'approcha de la fenêtre, écarta le rideau et regarda tomber la pluie.

« Pourquoi? demandai-je.

— Parce que je veux que vous vous le rappeliez tel que vous l'avez connu ici, dit-elle. Vous avez votre image de lui dans cette maison. Il était votre Ambroise alors. Restez-en là. Les derniers mois ont été pour moi et je ne désire les partager avec personne. Surtout pas avec vous. »

Je ne le désirais pas non plus. Je voulais qu'elle

fermât toutes ces portes sur le passé, l'une après l'autre.

« Vous savez ce qui est arrivé? dit-elle en se retournant pour me regarder. Nous avons eu tort d'ouvrir ces caisses là-haut. Nous aurions dû les laisser dans la chambre. Nous avons eu tort de toucher à ses affaires. Je l'ai senti tout de suite, dès que j'ai eu ouvert la malle et vu sa robe de chambre et ses pantoufles. Nous avons laissé sortir quelque chose qui n'était pas auprès de nous auparavant. Une espèce d'amertume. »

Elle était devenue très pâle. Ses mains étaient croisées devant elle.

« Je n'ai pas oublié, dit-elle, les lettres que vous avez brûlées. J'en repoussais la pensée mais, aujourd'hui, depuis que nous avons ouvert les malles, il me semble que je viens de les relire. »

Je quittai mon fauteuil et vins m'adosser à la cheminée. Je ne savais que lui dire. Elle se mit à marcher de long en large par la pièce.

« Il disait dans une de ces lettres que je le surveillais, reprit-elle. Certes, je le surveillais pour qu'il ne se fît point de mal. Rainaldi voulait que je fasse venir des religieuses du couvent pour m'aider, mais je n'ai pas voulu; Ambroise les aurait prises pour des espionnes chargées de le surveiller. Il n'avait confiance en personne. Les docteurs étaient des hommes bons et patients mais, le plus souvent, il refusait de les voir. Il m'a demandé de renvoyer les domestiques l'un après l'autre. A la fin, il ne restait plus que Giuseppe. Il avait confiance en lui. Vous lui avez trouvé des yeux de chien fidèle... »

Elle se tut et détourna la tête. Je songeai au domestique près du portail de la villa et à son désir de ne pas me faire de peine. Ambroise avait donc eu confiance, lui aussi, dans ces yeux honnêtes. Moi je ne les avais vus qu'une fois.

« A quoi bon à présent parler de ces choses? lui dis-je. Cela ne sert à rien à Ambroise et ne fait que vous torturer. Quant à moi, ce qui s'est passé entre vous et lui ne me regarde pas. Tout cela est fini et oublié. La villa n'était pas son foyer, et elle a cessé d'être le vôtre, du jour où vous avez épousé Ambroise. Votre foyer est ici. »

Elle se retourna et me regarda.

« Parfois, dit-elle lentement, vous lui ressemblez tant que j'ai peur. Je vois vos yeux me regarder avec la même expression; l'on dirait qu'il n'est pas mort et que tout ce qui a été souffert doit l'être une seconde fois. Je ne pourrai pas supporter de nouveau ce soupçon, cette amertume continue, au cours des jours et des nuits. »

Tandis qu'elle parlait je voyais nettement la villa Sangalletti. Je voyais la petite cour et le cytise tel qu'il devait être au printemps, couvert d'une floraison jaune. Je voyais le fauteuil où Ambroise était assis, sa canne à côté de lui. Je percevais le sombre silence de ces lieux. Je respirais l'odeur de moisi, je regardais couler goutte à goutte la fontaine et, pour la première fois, la femme qui regardait du haut du balcon était non pas le fruit de mon imagination, mais Rachel. Elle regardait Ambroise du même regard suppliant et douloureux. Je me sentis soudain très vieux et très sage et plein d'une force nouvelle que je ne comprenais point. Je lui tendis les mains.

« Rachel. Venez ici », dis-je.

Elle vint à moi et posa ses mains dans les miennes.

« Il n'y a pas d'amertume dans cette maison. lui dis-je. Cette maison est à moi. L'amertume disparaît avec les êtres lorsqu'ils meurent. Tous les effets sont empaquetés et rangés. Ils ne nous concernent plus, ni l'un ni l'autre. Désormais, nous nous rappellerons Ambroise tel que moi je me le rappelle. Nous garderons son vieux chapeau sur le banc du vestibule et sa canne avec les autres dans le porte-parapluie. Votre place est ici, comme y est la mienne. Nous sommes chez nous dans ce domaine, tous trois ensemble. Comprenez-vous? »

Elle leva les yeux vers les miens. Elle ne retira pas ses mains.

« Oui », dit-elle.

Je me sentais singulièrement ému. J'avais l'impression que tout ce que je disais et faisais était inscrit d'avance, m'était ordonné, cependant qu'une petite voix chuchotait dans quelque obscure cellule de ma cervelle : « Tu ne pourras jamais revenir sur ce moment. Jamais... jamais... »

Nous étions debout l'un devant l'autre et nous nous tenions les mains. Elle me dit :

« Pourquoi êtes-vous si bon avec moi, Philip? »

Je me rappelai que, le matin, elle avait, en pleurant, posé sa tête contre mon cœur. Je l'avais un instant entourée de mes bras et j'avais penché ma bouche sur ses cheveux. Je désirais que cela recommençât. Je le désirais plus que tout au monde. Mais, ce soir, elle ne pleurait plus. Ce soir, elle ne posa pas sa tête contre mon cœur. Elle resta devant moi en me tenant les mains.

« Je ne suis pas bon avec vous, dis-je, je désire seulement que vous soyez heureuse. »

Elle s'éloigna et prit son bougeoir pour monter se coucher. En sortant de la pièce, elle me dit :

« Bonne nuit, Philip, et que Dieu vous bénisse. Vous connaîtrez peut-être un jour certain bonheur que j'ai connu. »

Je l'entendis monter l'escalier. Je m'assis et regardai le feu. Il me semblait que, s'il restait quelque amertume dans la maison, elle n'émanait point d'elle ni d'Ambroise, mais d'un germe enfoui dans mon propre cœur dont je ne lui parlerais jamais et qu'elle ne connaîtrait jamais. Le vieux péché de jalousie que je croyais enterré, oublié, vivait de nouveau en moi. Or, cette fois, j'étais jaloux non de Rachel, mais d'Ambroise, l'être que j'avais, jusqu'ici, connu et aimé plus que tout autre au monde.

CHAPITRE XVI

NOVEMBRE et décembre passèrent très rapidement, à ce qu'il me sembla du moins. Les autres années, quand les jours raccourcissaient et que le temps devenait rude, à cette époque où j'avais peu à faire au-dehors et où la nuit tombait à quatre heures et demie, les longues soirées à la maison me paraissaient monotones. Je n'ai jamais été grand lecteur, et comme je suis peu sociable et n'aime point à chasser ni à dîner avec mes voisins, je guettais avec impatience le tournant de l'année où, la Noël passée et les jours les plus courts derrière soi, l'on peut guetter le printemps. Le printemps vient de bonne heure dans ce pays d'Ouest. Dès avant le Nouvel An, les premiers arbustes sont en fleur. Cette fois, l'automne passa sans monotonie. Les feuilles tombèrent, tous les champs de Barton étaient boueux, un vent aigre soufflait sur la mer grise. Je regardais tout cela sans ennui.

Ma cousine Rachel et moi avions adopté une espèce de routine assez peu variée mais qui nous convenait. Quand le temps le permettait, elle passait la matinée dans le parc à diriger Tamlyn et les jardiniers ou à surveiller la construction de la terrasse que nous avions décidée et pour laquelle on avait dû engager de nouveaux ouvriers outre ceux qui travaillaient dans les bois. Cependant, je faisais ma ronde à travers le domaine ou allais visiter des fermes éloignées que je possédais. Nous nous retrouvions à onze heures et demie pour partager un rapide repas, généralement froid, de jambon ou de pâté et de gâteaux. Les domestiques déjeunant à cette heure-là, nous nous servions nous-mêmes. C'était ma première rencontre de la journée avec elle, car elle prenait toujours son petit déjeuner dans sa chambre.

Que je fusse à cheval à travers champs ou bien assis dans mon bureau, lorsque j'entendais l'horloge de la tour sonner midi, suivie du grand carillon qui appelait les domestiques à table, je sentais le plaisir me gonfler le cœur.

Ce que j'étais en train de faire perdait soudain tout intérêt. Si je me trouvais dans les bois ou les champs, au son de l'horloge et de la cloche que l'écho répétait — car il voyageait loin et je l'ai entendu parfois à plus d'une lieue quand le vent était de même sens — je tournais avec impatience la tête de Gipsy vers la maison, comme si je craignais en m'attardant de perdre une seconde de l'heure du déjeuner. Dans mon bureau, il en allait de même. Je regardais les papiers posés devant moi, mordais ma plume, me renversais dans mon fauteuil et ce que j'écrivais devenait tout à coup insignifiant. Cette lettre pouvait attendre. Ces chiffres n'avaient pas à être vérifiés, cette affaire de

Bodmin se réglerait une autre fois et, remettant tout à plus tard, je quittais le bureau et me hâtais vers la maison et la salle à manger.

Elle s'y trouvait généralement avant moi pour m'y accueillir et me souhaiter le bonjour. Elle posait souvent une fleur sur mon assiette en un geste d'offrande et je la mettais à ma boutonnière, ou bien c'était un nouveau cordial qu'elle me faisait goûter, une de ces décoctions d'herbes dont elle semblait posséder les recettes par centaines qu'elle faisait essayer au cuisinier. Il y avait déjà plusieurs semaines qu'elle habitait avec moi, lorsque Seecombe me confia en grand secret et la main en écran devant sa bouche que le cuisinier allait chaque jour prendre les ordres de Madame et que c'était à cela que nous devions d'être à présent si bien nourris.

« La maîtresse, dit Seecombe, ne voulait point que Mr. Ashley le sût, de crainte de paraître présomptueuse. »

Je ris et ne dis point à ma cousine Rachel ce que je venais d'apprendre mais je m'amusais parfois à m'écrier en goûtant d'un mets : « Je ne comprends pas ce qui se passe à la cuisine : ces garçons deviennent de véritables chefs français! » A quoi elle répondait d'un air innocent : « Vous aimez cela? Est-ce vraiment meilleur que ce qu'on vous servait autrefois? »

Tout un chacun l'appelait maintenant « la maîtresse » et cela ne me fâchait point. Je crois même que cela me plaisait et m'inspirait de la fierté.

Le déjeuner terminé, elle montait se reposer mais, parfois, le mardi ou le jeudi, je commandais pour elle la voiture et Wellington l'emmenait rendre dans le voisinage les visites qu'elle avait reçues. Lorsque j'avais affaire dans la même direction, je l'accompagnais une demi-lieue puis descendais de voiture et la laissais continuer son chemin. Elle prenait grand soin de sa mise lorsqu'elle allait ainsi en visite. Elle choisissait son plus beau manteau, sa capote et sa voilette neuves. Je m'asseyais, le dos aux chevaux, de façon à pouvoir la regarder; elle, pour me taquiner, sans doute, refusait de lever sa voilette.

« Je vous laisse à vos commérages, lui disais-je, à vos médisances et à vos scandales. Je donnerais cher pour être une petite mouche sur la tapisserie.

— Venez avec moi, répondait-elle. Cela vous fera le plus grand bien.

— Jamais de la vie. Vous me raconterez tout à dîner. »

Je restais debout au bord de la route, suivant des yeux la voiture à la portière de laquelle elle agitait pour me tenter un fin mouchoir. Je ne la revoyais pas avant le dîner de cinq heures, et les heures intermédiaires devenaient un simple espace de temps à passer en attendant le soir. Que je réglasse quelque affaire, inspectasse le domaine ou m'entretinsse avec nos gens, j'étais constamment habité par une espèce d'impatience d'en avoir terminé. Quelle heure était-il? Je consultais la montre d'Ambroise. Quatre heures et demie seulement? En rentrant à la maison par les écuries, je savais immédiatement si elle était de retour car j'apercevais alors la voiture dans la remise et les chevaux en train de boire. J'entrais dans la maison, traversais la bibliothèque et le salon et, trouvant les deux pièces vides, comprenais qu'elle était montée se reposer. Elle se reposait toujours avant dîner. J'allais alors prendre un bain ou me laver, changer de vêtements, puis redescendais l'attendre dans la bibliothèque. Mon impatience croissait à mesure que les aiguilles de la pendule approchaient de cinq heures. Je laissais ouverte la porte de la bibliothèque pour l'entendre descendre.

D'abord venait le pas des chiens — je ne comptais plus pour rien à leurs yeux, ils la suivaient partout comme des ombres — puis le bruissement de sa robe balayant les marches. C'était, je crois, de toute la journée, l'instant que je préférais. Il y avait dans ces sons quelque chose qui me remplissait d'un tel émoi d'anticipation, d'une telle attente, que je ne savais plus que dire ou que faire lorsqu'elle paraissait. J'ignore de quelle étoffe étaient faites ses robes, de faille, de satin ou de brocart mais elles paraissaient glisser sur le sol, se soulever et glisser de nouveau, et était-ce dû à la robe elle-même qui flottait ou bien à la démarche de celle qui la portait avec tant de grâce, mais la bibliothèque, austère et sombre avant son entrée, s'emplissait soudain de vie.

Une douceur nouvelle l'auréolait aux bougies, qu'elle n'avait pas dans la journée. On eût dit que la clarté du matin et les ombres de l'après-midi étaient consacrées au travail, aux choses pratiques et inspiraient une vivacité de mouvement sèche et froide; à présent, au contraire, le soir tombé, les volets clos, les intempéries ignorées et la demeure rentrée en elle-même, ma visiteuse rayonnait d'un éclat resté jusque-là étouffé. Il y avait plus de couleurs à ses joues et dans ses cheveux, plus de profondeur dans son regard et, qu'elle tournât la tête pour parler ou bien s'approchât des rayons pour choisir un volume ou encore se penchât et caressât Don étendu devant le feu, il y avait dans tout ce qu'elle faisait une grâce naturelle qui attachait le regard à chacun de ses mouvements. Je me demandais à ces moments comment j'avais jamais pu la trouver insignifiante.

Seecombe annonçait le dîner, nous passions dans la salle à manger et prenions place, moi au haut bout de la table, elle à ma droite, et il me semblait qu'il en avait toujours été ainsi, qu'il n'y avait là rien d'inusité, que je n'avais jamais dîné tout seul, vêtu de la vieille veste que j'avais traînée tout le jour, un livre ouvert devant moi afin d'échapper aux bavardages de Seecombe. Pourtant, s'il en avait toujours été comme à présent, je n'aurais pas éprouvé cette excitation qui faisait de la simple cérémonie du repas une passionnante aventure.

L'excitation ne diminua pas à mesure que passaient les semaines, elle croissait au contraire, de sorte que je trouvais des prétextes afin de rentrer plus tôt à la maison, rien que pour la chance de la voir quelques minutes, ajoutant ainsi à nos rencontres régulières du déjeuner et du dîner.

Elle était dans la bibliothèque ou bien traversait le vestibule ou attendait des visites dans le salon; elle me souriait et disait d'un air surpris : « Philip, qu'est-ce qui vous ramène à pareille heure? » m'obligeant à inventer une excuse. Quant aux jardins, moi qui bâillais autrefois et qui piaffais quand Ambroise essayait de m'y intéresser, je tenais absolument à présent à assister aux consultations qui avaient lieu au sujet de la plantation ou de la terrasse et, le soir, après dîner, nous regardions ensemble ses livres italiens, en comparions les gravures et discutions des plus propres à imiter. Je crois que, si elle avait proposé de bâtir une réplique du Forum romain sur le champ Barton, j'aurais été d'accord. Je disais : oui, non, très beau vraiment, et hochais la tête mais, au fond, je n'écoutais point. C'était de voir l'intérêt qu'elle prenait à ces choses qui me faisait plaisir, de la regarder examiner pensivement une gravure puis une autre, les sourcils froncés, une plume à la main pour marquer la page, puis de contempler ses doigts feuilletant les volumes.

Nous ne passions pas toujours la soirée dans la bibliothèque. Parfois, elle me demandait de monter avec elle dans le boudoir de tante Phoebé et nous étalions par terre les livres et les plans de jardins. Si, dans la bibliothèque, j'étais l'hôte, dans le boudoir c'était elle l'hôtesse. Je crois que cela me plaisait encore davantage. Nous abandonnions toute cérémonie. Seecombe ne nous dérangeait plus — avec un tact infini elle l'avait dispensé du service si solennel du thé sur son plateau d'argent — et elle nous faisait à tous deux de la tisane, disant que c'était là une coutume continentale bien plus salutaire pour les yeux et la peau.

Ces moments d'après dîner passaient trop vite et

j'espérais toujours qu'elle oublierait de demander l'heure, mais la terrible horloge de la tour, bien trop proche pour sonner dix heures sans que nous l'entendissions, troublait toujours notre paix.

« Je ne me doutais pas qu'il était si tard », disait-elle en se levant et en fermant les livres. Je savais que cela signifiait mon congé. J'avais beau essayer de m'attarder à la porte en prolongeant la conversation, dix heures avaient sonné, je devais me retirer. Parfois elle me donnait sa main à baiser. Parfois elle me tendait une joue. Parfois elle me tapotait l'épaule comme elle eût fait à un petit chien. Jamais elle ne s'approcha tout près de moi et ne prit mon visage entre ses mains comme le soir où je l'avais trouvée au lit. Je n'attendais point, je n'espérais point cela mais, lorsque je lui avais souhaité la bonne nuit, que j'avais regagné ma chambre et ouvert les volets pour regarder le jardin immobile et entendre le murmure lointain de la mer se briser dans la petite baie de l'autre côté du bois, je me sentais étrangement seul comme un enfant après la fête.

La soirée qui s'était construite heure par heure tout au long du jour dans un rêve impatient était terminée. Le temps allait me sembler long jusqu'à son retour. Ni mon esprit ni mon corps n'étaient prêts au repos. Autrefois, du temps que j'étais seul dans ma maison, je somnolais après dîner devant le feu d'hiver puis, m'étirant et bâillant, montais lourdement l'escalier, heureux de me laisser tomber dans mon lit et de dormir jusqu'à sept heures. Maintenant, ce n'était plus la même chose. J'aurais pu marcher toute la nuit, j'aurais pu parler jusqu'à l'aube. Le premier paraissait absurde, le second était impossible, je me jetais donc dans un fauteuil devant la fenêtre ouverte et fumais en regardant la pelouse. Il m'arrivait de me déshabiller à une heure ou deux heures du matin, n'ayant fait autre chose jusque-là que rêvasser dans mon fauteuil sans penser à rien.

En décembre, les premières gelées arrivèrent avec la pleine lune, et mes heures de veille devinrent plus dures à supporter. Elles avaient une espèce de beauté froide et claire qui saisissait le cœur et me laissait émerveillé. De ma fenêtre, les longues pelouses se perdaient dans les prairies et les prairies dans la mer, et toute l'étendue était blanche de gel et blanche de lune. Les arbres qui bordaient la pelouse s'élevaient, noirs et immobiles. Des lapins surgissaient, sautaient dans l'herbe puis couraient à leurs terriers et, soudain, au milieu de ce calme et de ce silence, j'entendais l'aboiement aigu d'une renarde et le petit sanglot qui le suit, reconnaissable entre tous les appels nocturnes, et je voyais la longue échine basse se glisser hors du bois sur la pelouse et se cacher sous les arbres. Plus tard, j'entendais de nouveau son cri au loin dans le parc. La pleine lune dominait les arbres et possédait le ciel, et plus rien ne bougeait sur les pelouses sous ma fenêtre. Je me demandais si Rachel dormait dans la chambre bleue ou si elle laissait comme moi ses rideaux ouverts. L'horloge qui m'avait conduit à ma chambre à dix heures, sonnait un coup, souvent deux coups, et je me disais qu'il y avait là des trésors de beauté que nous aurions pu partager.

Aux médiocres, le tumulte du monde. Ceci n'était pas le monde, ceci était un enchantement qui m'appartenait. Je n'aurais pas voulu le garder pour moi seul.

Ainsi, pareil au pendule, j'oscillais de l'exultation à des états d'abattement ou, me rappelant sa promesse de ne faire auprès de moi qu'un court séjour, je me demandais combien de temps encore elle allait rester. Et si, après Noël, elle me disait : « Vous savez, Philip, la semaine prochaine je vais à Londres »...? La période de mauvais temps avait mis fin à toutes les plantations et l'on ne ferait plus grand-chose à présent avant le printemps. Les travaux de la terrasse exigeaient une période sèche mais, le plan tracé, les ouvriers n'auraient plus besoin d'elle. Elle pouvait décider de partir d'un jour à l'autre, et je serais incapable de trouver un prétexte pour la retenir.

Autrefois, à Noël, lorsque Ambroise était là, il donnait un dîner pour les fermiers. J'avais manqué à le faire ces derniers hivers où il était absent et il leur avait offert à souper un soir d'été après son retour. Je décidai de reprendre la vieille coutume du repas de Noël, pour la seule raison que Rachel y assisterait.

Quand j'étais enfant, cette soirée marquait le sommet de mes vacances. Les hommes apportaient un grand sapin, une semaine environ avant la veillée de Noël, et le dressaient dans la longue salle du festin au-dessus de la remise. Je ne devais pas savoir qu'il était là. Mais lorsqu'il n'y avait personne, à midi généralement, tandis que les domestiques déjeunaient, je me glissais vers l'entrée des communs et, grimpant l'escalier de la longue salle, j'allais voir le grand arbre debout dans sa caisse et, appuyées au mur, prêtes à être dressées en lignes, les longues tables à tréteaux du souper. Je n'aidais point à sa décoration avant mes premières vacances de Harrow. C'était une promotion considérable. Je ne m'étais jamais senti si fier. Petit garçon, j'étais assis à côté d'Ambroise à la table d'honneur mais après cette promotion je présidais moi-même une table.

Une fois de plus, je donnai mes ordres aux bûcherons et même allai avec eux dans les bois choisir l'arbre. Rachel était dans le ravissement. Aucune fête n'aurait pu lui plaire davantage. Elle tenait de graves conseils avec Seecombe et le cuisinier, visitait les placards, les réserves des chambres de gibier; elle obtint même de mon personnel mâle la permission de faire venir deux jeunes filles de Barton pour qu'elles confectionnassent de la pâtisserie française sous sa direction. Tout n'était que plaisir et mystère, je ne voulais point qu'elle vît l'arbre et elle avait décrété que je ne devrais point connaître le menu du souper.

Des paquets arrivèrent à son adresse et furent prestement montés dans sa chambre. Quand je cognais à la porte du boudoir, j'entendais froisser du papier puis, des heures après à ce qu'il me semblait, sa voix me répondait : « Entrez », et je la trouvais à genoux par terre, les yeux brillants, les joues en feu, une couverture jetée sur divers objets épars sur le tapis et qu'elle me disait de ne pas regarder.

J'étais revenu à mon enfance, à la fièvre des pieds nus dans l'escalier où je me glissais pour écouter le murmure des voix et où Ambroise surgissait soudain et me criait en riant : « Va te coucher, chenapan, ou je te donne une raclée. »

Une chose me préoccupait. Quel présent offrir à Rachel? Je passai une journée à Truro, fouillant les librairies à la recherche d'un ouvrage sur les jardins, mais en vain. D'ailleurs, les livres qu'elle avait apportés d'Italie étaient plus beaux que tous ceux que j'aurais pu trouver. Je n'avais aucune idée de ce qui pouvait faire plaisir à une femme. Mon parrain, quand il choisissait un cadeau pour Louise, lui donnait généralement de l'étoffe pour une robe, mais Rachel était encore en deuil. Je ne pouvais lui offrir cela. Je me rappelai qu'un jour Louise avait été fort aise d'un médaillon qu'il lui avait rapporté de Londres. Elle le portait parfois le dimanche soir quand elle venait dîner avec nous... Ce souvenir m'éclaira.

Il devait y avoir parmi nos bijoux de famille quelque objet que je pourrais donner à Rachel. Ils n'étaient pas à la maison dans le coffre avec les papiers des Ashley mais à la banque. Ambroise jugeait cela plus prudent en cas d'incendie. J'ignorais ce qu'il y avait. Je me rappelais vaguement avoir un jour accompagné Ambroise à la banque lorsque j'étais très jeune, il avait pris un collier entre ses doigts et m'avait dit en souriant qu'il avait appartenu à ma grand-mère et que ma mère l'avait porté le jour de son mariage, mais ce jour-là seulement, à titre de prêt, mon père n'étant pas dans la ligne directe de succession. Ambroise avait ajouté qu'un jour, si j'étais bien sage, il me permettrait de le donner à ma femme.

Je me rendais compte à présent que tout ce qui se trouvait à la banque était à moi, ou le serait dans trois mois, le délai était négligeable.

Mon parrain savait certainement quels bijoux se trouvaient là-bas mais il était à Exeter pour affaires et ne rentrerait que la veille de Noël, à temps pour le souper auquel il était convié ainsi que Louise. Je résolus de me rendre moi-même à la banque et de demander à voir les bijoux.

Mr. Couch me reçut avec sa courtoisie accoutumée et, me faisant entrer dans son bureau qui donnait sur le port, écouta ma requête.

« Je suppose que Mr. Kendall n'a pas d'objections? demanda-t-il.

— Assurément, fis-je avec impatience, nous sommes d'accord », ce qui était inexact mais, à vingt-quatre ans, à quelques mois de mon anniversaire, demander la permission à mon parrain pour la moindre bagatelle était ridicule. Cela m'agaçait.

Mr. Couch envoya chercher les bijoux au sous-sol. Ils arrivèrent en boîtes scellées. Il brisa les cachets et, étalant un morceau d'étoffe sur son bureau, sortit un à un les joyaux.

Je ne savais pas la collection si belle. Il y avait des bagues, des bracelets, des boucles d'oreilles, des broches; beaucoup de pièces étaient assorties, tel un diadème de rubis et des boucles d'oreilles de rubis pour l'accompagner, tel un bracelet de saphir avec le pendentif et la bague. Toutefois, en les regardant, n'osant pas même les toucher, je me rappelai avec dépit que Rachel était en deuil et ne portait point de pierres de couleur. Si je lui faisais cadeau de celles-ci, cela n'aurait aucun sens, elle ne saurait qu'en faire.

Mr. Couch ouvrit le dernier coffret et en sortit un collier de perles. Il y en avait quatre rangs faits pour entourer le cou comme un ruban et fermés par un seul fermoir de diamants. Je le reconnus aussitôt. C'était le collier qu'Ambroise m'avait montré lorsque j'étais enfant.

« J'aime ceci, dis-je, c'est le plus bel objet de toute la collection. Je me rappelle que mon cousin Ambroise me l'avait montré.

— Affaire de goût, dit Mr. Couch. Pour moi, je préférerais les rubis. Mais il y a des sentiments de famille autour du collier de perles. Votre grand-mère, Mrs. Ambroise Ashley, l'a porté la première, jeune mariée, à la cour de Saint-James. Puis votre tante, Mrs. Philip, l'a reçu tout naturellement lorsque votre oncle hérita du domaine. Diverses dames de la famille l'ont porté le jour de leur mariage. Votre mère, entre autres; en fait, je crois bien qu'elle fut la dernière. Votre cousin Mr. Ambroise Ashley, ne permettait point qu'il sortît du comté lorsqu'on célébrait un mariage ailleurs. »

Il tenait le collier dans sa main, et la lumière de la fenêtre tombait sur la rondeur lisse des perles.

« Oui, dit-il, c'est une belle chose. Depuis vingt-cinq ans aucune femme ne l'a porté. J'assistais au mariage de votre mère. Quelle ravissante créature! Ce bijou lui seyait. »

Je tendis la main et lui pris le collier.

« Je désire le garder désormais », dis-je et mis le collier dans l'écrin.

Il parut un peu déconcerté.

« Je ne sais si c'est très prudent, Mr. Ashley, dit-il. S'il se perdait ou s'égarait, ce serait terrible.

— Il ne se perdra pas », répondis-je sèchement.

Il n'avait pas l'air content et je me hâtai de m'en aller de crainte qu'il ne formulât quelque argument plus puissant.

« Si vous vous inquiétez de ce que dira mon tuteur, lui dis-je, rassurez-vous. Je m'arrangerai avec lui à son retour d'Exeter.

— Je l'espère bien, dit Mr. Couch, mais j'aurais préféré qu'il fût présent. Certes, en avril, lorsque vous entrerez légalement en possession de vos biens, vous pourrez emporter toute la collection et en faire ce qu'il vous plaira. Je ne vous le conseillerais point, mais ce serait parfaitement légal. »

Je lui tendis la main et lui souhaitai un agréable Noël, puis revins à la maison tout joyeux. Eussé-je couru tout le pays que je n'eusse pas trouvé cadeau mieux approprié. Quelle chance que les perles fussent blanches! J'aimais à songer aussi que la dernière femme qui les avait portées avant elle, était ma mère. Je le lui dirais. Je pouvais à présent penser aux fêtes de Noël d'un cœur joyeux.

Deux jours à attendre... Le temps était beau, le gel léger, et tout promettait un soir clair et sec pour notre souper. Les domestiques étaient très affairés. Le matin du grand jour, la veille de Noël, les tables et les bancs dressés dans la longue salle, les couverts mis.

les guirlandes vertes suspendues aux poutres, je demandai à Seecombe et aux valets de venir m'aider à décorer l'arbre. Seecombe s'arrogea le rôle de maître des cérémonies. Il se tenait un peu à l'écart pour mieux juger de l'ensemble et lorsque nous tournions l'arbre de côté ou d'autre, levant une branche pour équilibrer les pommes de pin argentées et les boules de gui qui le garnissaient, il agitait la main comme un chef d'orchestre dirigeant un sextuor à cordes.

« Cet angle ne me plaît pas, Mr. Philip, disait-il l'arbre ferait meilleur effet si on le poussait un tantinet vers la gauche. Pas si loin!... Oui, c'est mieux ainsi. John, la quatrième branche à droite penche. Relevez-la légèrement. Ts, ts... j'ai dit légèrement! Etalez les branches, Arthur, étalez. Il faut que l'arbre ait l'air naturel. Ne marchez pas sur les boules, Jim. Mr. Philip, n'y touchez plus. Un mouvement de plus et tout sera gâté. »

Je ne lui connaissais point un tel sens artistique. Il fit un pas en arrière, les mains sur les pans de son habit, les yeux à demi fermés.

« Mr. Philip, me dit-il, nous avons atteint la perfection. » Je vis le jeune John donner un coup de coude dans les côtes d'Arthur et détourner le visage.

Le souper était annoncé pour cinq heures. Les Kendall et les Pascoe seraient les seules gens « à équipage », comme on dit. Le reste viendrait en charrette ou en carriole et même, pour les plus voisins, à pied.

J'avais inscrit tous les noms sur des cartes pour indiquer la place de chacun. Ceux qui lisaient difficilement ou pas du tout avaient des voisins qui viendraient à leur secours. Il y avait trois tables. Je devais en présider une, en face de Rachel. Billy Row de Barton, et Peter Johns de Coombe, présideraient les deux autres.

La coutume voulait que tous les invités fussent rassemblés dans la longue salle et se missent à table aussitôt sonné cinq heures. Nous faisions notre entrée lorsque chacun avait trouvé sa place. Après le dîner, Ambroise et moi distribuions les cadeaux de l'arbre : de l'argent aux hommes, des fichus aux femmes et des paniers de victuailles à tous. Les cadeaux ne variaient jamais, tout changement dans les habitudes les eût choqués. Cette fois-ci, toutefois, j'avais demandé à Rachel d'offrir les présents avec moi.

Avant de m'habiller pour le dîner, j'avais fait porter le collier de perles dans la chambre de Rachel. Je l'avais laissé dans son écrin et y avais joint un billet ainsi libellé : « Ma mère l'a porté. Maintenant, il est à vous. Je vous demande de le mettre ce soir, et toujours. PHILIP. »

Je pris mon bain et m'habillai. A cinq heures moins le quart, j'étais prêt.

Les Kendall et les Pascoe se rendaient toujours directement à la longue salle où ils conversaient avec les fermiers et aidaient à briser la glace. Ambroise appréciait beaucoup cela. Les domestiques étaient également dans la longue salle lorsque Ambroise et moi, traversant les galeries de pierre des communs, puis la cour, gagnions la longue salle au-dessus de la remise. Ce soir, Rachel et moi suivrions seuls ce chemin.

Je descendis l'attendre dans le salon. J'étais très

ému car jamais encore je n'avais fait de cadeau à une femme. Peut-être était ce là une faute d'étiquette, peut-être seules des fleurs eussent-elles convenu à l'occasion, ou bien des livres ou des tableaux. Si elle allait s'irriter comme au sujet de la pension trimestrielle et s'imaginer, l'on ne sait pourquoi, que j'avais voulu l'insulter?... Cette supposition me mettait au désespoir. Les minutes qui passaient étaient une lente torture. Enfin j'entendis un pas dans l'escalier. Ce soir, les chiens ne l'accompagnaient point. On les avait enfermés de bonne heure.

Elle marchait lentement, le bruissement familier de sa robe approchait. La porte s'ouvrit et elle parut devant moi. Elle était en noir comme je m'y attendais mais je ne connaissais point cette robe. Elle était très ample et ne touchait le corps qu'au buste et à la taille. L'étoffe brillante semblait capter la lumière. Ses épaules étaient nues. Elle avait épinglé ses cheveux plus haut que d'habitude, découvrant ses oreilles. Les rangs de perles enserraient son cou. Elle ne portait point d'autre bijou. Il luisait doucement sur sa peau. Je ne lui avais jamais vu un air aussi radieux, aussi heureux. Louise et les Pascoe avaient raison : Rachel était très belle.

Elle demeura un moment à me regarder puis me tendit les mains et dit : « Philip. » J'approchai. Elle mit ses mains sur mes épaules et me serra contre elle. Il y avait des larmes dans ses yeux mais, ce soir, elles ne me chagrinaient point. Elle lâcha mes épaules, leva les mains vers ma nuque et caressa mes cheveux.

Puis elle m'embrassa mais d'un baiser différent de

celui qu'elle m'avait donné un soir et je me dis à ce moment : « Ce n'est point du mal du pays, ni de maladie du sang, ni d'un transport au cerveau qu'Ambroise est mort... c'est pour cela. »

Je lui rendis son baiser. L'horloge de la tour sonna cinq heures. Elle ne dit rien et moi non plus. Elle me donna la main. Nous suivîmes ensemble le corridor des cuisines, traversâmes la cour et nous dirigeâmes vers la longue salle dont les fenêtres étaient brillamment illuminées, vers les voix rieuses et les visages brillants d'une joyeuse attente.

CHAPITRE XVII

TOUTE la compagnie se leva à notre entrée. Les chaises raclèrent le sol, le murmure des voix se tut, toutes les têtes se tournèrent vers nous. Rachel s'arrêta un instant sur le seuil — sans doute ne s'attendait-elle pas à cette mer de visages — puis elle aperçut l'arbre et poussa un cri de plaisir. Le silence était brisé et un brouhaha amical et gai, provoqué par la surprise, se fit entendre de toutes parts.

Nous gagnâmes nos places aux deux bouts de la table d'honneur et Rachel s'assit. Nous l'imitâmes tous et un grand bruit de conversations s'éleva aussitôt dans le tintement des couteaux et des assiettes. Chacun plaisantait avec son voisin, on échangeait des politesses. J'avais à ma droite Mrs. Bill Row de Barton, en robe de mousseline et parée de façon à éclipser toutes ses rivales; je remarquai que Mrs. Johns, de Coombe, à ma gauche, la regardait avec malveillance. J'avais, dans mon respect pour le protocole, oublié qu'elles « ne se causaient point. » Leur désaccord, dû à un malentendu à propos d'œufs, un jour de marché, durait depuis quinze ans. Tant pis, il fallait se montrer galant envers toutes deux et ignorer leur querelle. Des carafes de cidre vinrent à mon aide et, saisissant la plus proche, je les servis et moi-même fort libéralement puis me mis à lire le menu. Les cuisines nous avaient honnêtement traités. Jamais, de tous les soupers de Noël dont je gardais la mémoire, on ne nous avait servis avec une telle abondance. Oies rôties, dindes rôties, côtes de bœuf et de mouton, jambons fumés décorés de collerettes, pâtés de toutes formes et de toutes tailles, entremets gonflés de fruits confits et, parmi ces plats généreux, plateaux de pâtisseries délicates et fragiles, légères comme des duvets d'oiseaux et que Rachel avait préparées avec les filles de Barton.

Des sourires d'attente et de gourmandise éclairaient les visages des invités et le mien aussi, tandis que de grands éclats de rire s'élevaient déjà des autres tables où, plus éloignés de l'intimidante présence du « maître », les plus truculents de mes fermiers se laissaient aller jusqu'à desserrer leurs ceintures et leurs cols. J'entendis Jack Libby dire d'une voix enrouée à sa voisine — il avait dû boire déjà un ou deux verres en route — : « Par Dieu... après tout ça, on pourrait nous donner à manger aux cochons on ne s'en apercevrait même pas. » A ma gauche, la petite Mrs. Johns, à la bouche pincée, entamait son aile d'oie avec une fourchette qu'elle tenait à la manière d'un crayon tandis que son autre voisin lui chuchotait avec un clin d'œil dans ma direction : « Allons, mon petit, mets-y les doigts. Mords dedans. »

Je remarquai alors que chacun de nous avait, à côté de son assiette, un petit paquet à son nom, de l'écriture de Rachel. Chacun parut s'en apercevoir en même temps et, pendant un instant, les mets furent oubliés dans le bruit impatient des papiers déchirés. Je regardai autour de moi avant d'ouvrir mon paquet. Je compris dans une vague d'attendrissement ce qu'elle avait fait. Elle avait donné un cadeau à chacun des hommes et des femmes assemblés là. Elle les avait enveloppés elle-même, joignant à chacun un billet. Il n'y avait là rien d'important ni de grand prix, mais des bibelots qui leur faisaient plaisir. C'était donc là, la raison de ces mystérieux préparatifs derrière la porte du boudoir. Je comprenais tout.

Quand mes deux voisines furent revenues à leur assiette, j'ouvris mon paquet. Je le développai sur mes genoux sous la table désirant être seul à voir ce qu'on m'avait donné. C'était une chaîne d'or pour mes clefs terminée par un disque portant nos initiales P.A.-R.A., et la date. Je regardai Rachel et lui souris. Elle me regardait. Je levai mon verre à son adresse. Elle leva le sien. Dieu que j'étais heureux!

Le dîner continuait, bruyant et gai. Les plateaux chargés de victuailles se vidaient comme par magie. On emplissait les verres et les emplissait de nouveau. Un convive à notre table se mit à chanter, et le refrain fut repris en chœur à toutes les tables. Les bottes battaient la mesure sur le plancher, les couteaux et les fourchettes sur les assiettes, les bustes se balançaient au rythme et Mrs. Johns de Coombe, aux lèvres pincées, me disait que j'avais les cils beaucoup trop longs pour un homme. Je lui versai du cidre.

A la fin, me rappelant la précision avec laquelle Ambroise savait choisir son moment, je frappai longuement et assez fort sur la table. Les voix se turent. « Ceux qui désirent sortir, dis-je, peuvent le faire maintenant et revenir. Dans cinq minutes, Mrs. Ashley et moi distribuerons les cadeaux de l'arbre. Messieurs et Mesdames, je vous remercie. »

Il y eut vers la porte la ruée prévue. Cependant, le sourire aux lèvres, je regardai Seecombe suivre la file d'un air très digne. Ceux qui restaient repoussaient les tables et les tréteaux contre le mur. Une fois les cadeaux distribués, nous nous retirerions et ceux qui en seraient encore capables entraîneraient leur cavalière dans une danse. La fête battrait son plein jusqu'à minuit. Enfant, j'écoutais de ma fenêtre les bruits du bal. Ce soir, je me dirigeai vers le petit groupe debout près de l'arbre. Le vicaire s'y trouvait ainsi que Mrs. Pascoe, trois filles et un étudiant en théologie; mon parrain et Louise également. Louise était en beauté mais un peu pâle. Je leur serrai la main. Mrs. Pascoe me sourit, toute en dents. « Vous vous êtes surpassé. Jamais nous ne nous étions autant amusés. Les petites sont aux anges. »

Elles en avaient bien l'air, avec un étudiant en théologie pour trois.

« Je suis heureux de vous l'entendre dire », fis-je et, me tournant vers Rachel :

« Vous êtes contente? »

Ses yeux rencontrèrent les miens et sourirent.

« Devinez, dit-elle, contente à crier... »

Je saluai mon parrain.

« Je vous présente mes devoirs, Monsieur, et mes vœux de Noël, dis-je. Comment avez-vous trouvé Exeter?

— Froid, dit-il sèchement, froid et maussade. »

Il n'était pas aimable. Il tenait une main derrière le dos et, de l'autre, tiraillait sa moustache blanche. Je me demandai si quelque chose, au cours du repas, l'avait mécontenté. Le cidre avait-il coulé trop généreusement à son avis? Je le vis regarder Rachel. Ses yeux étaient fixés sur le collier de perles enserrant son cou. Il vit que je l'observais et regarda ailleurs. Je me retrouvai soudain en classe de quatrième à Harrow, à l'instant où le maître découvrait quelque jeu dissimulé sous ma grammaire latine. Je haussai les épaules. J'étais Philip Ashley et j'avais vingt-quatre ans. Personne au monde, ni mon parrain ni un autre, ne me dicterait à qui donner ou ne pas donner de cadeaux de Noël. Je me demandai si Mrs. Pascoe avait déjà laissé tomber quelque remarque bien sentie. Peut-être la bonne éducation serait-elle la plus forte. En tout cas, elle ne pouvait reconnaître le collier. Ma mère était morte avant que Mr. Pascoe ne vînt édifier les vivants. Louise, elle, l'avait remarqué. C'était visible. Je surpris ses yeux bleus tournés vers Rachel, puis baissés.

Nos gens rentraient à pas lourds dans la salle. Ils s'approchèrent de l'arbre en riant, s'interpellant et se bousculant, tandis que Rachel et moi prenions place devant le grand sapin. Puis je me penchai vers les cadeaux et, lisant tout haut les noms, passai les paquets à Rachel, devant qui ils défilaient un à un pour recevoir leurs présents. Elle était debout, les joues roses, joyeuse, souriante. J'avais peine à lire les noms au lieu de la regarder. « Merci. Dieu vous bénisse, Monsieur », me disaient-ils, puis à elle : « Merci, Madame. Dieu vous bénisse aussi. »

Nous mîmes près d'une heure à distribuer les cadeaux en disant un mot à chacun. Quand tout fut terminé et le dernier présent reçu avec une révérence, le silence tomba soudain. Les gens, debout en groupes contre le mur, attendaient que je dise quelque chose.

« Joyeux Noël à tous », lançai-je.

« Joyeux Noël à vous, Monsieur, et à Madame Ashley », s'écrièrent-ils tous en chœur.

Puis Billy Row, sa mèche pommadée sur le front pour la circonstance, cria de sa voix aiguë :

« Un ban pour eux deux! »

Les hourras qui résonnèrent sous les poutres de la longue salle firent trembler le plancher, et ce fut tout juste s'il ne s'écroula pas, nous précipitant tous parmi les voitures de la remise. Je regardai Rachel. Il y avait des larmes à présent dans ses yeux. Je lui fis un signe de tête, elle sourit, cligna des paupières pour les écraser et me donna la main. Je vis mon parrain nous regarder d'un air raide et pincé. Je me rappelai insolemment une riposte de collégien à quelque remontrance : « Si ça ne te plaît pas, va te faire... » Mais je me contentai de sourire et de glisser le bras de Rachel sous le mien pour sortir de la longue salle et revenir vers la maison.

Quelqu'un — le jeune John probablement, car Seecombe se mouvait avec une sage lenteur — s'était élancé au salon après la distribution des cadeaux et y avait disposé des gâteaux et du vin. Nous étions rassasiés, personne ne toucha à la collation, sauf l'étudiant en théologie, que je vis se servir d'un biscuit au caramel. Peut-être mangeait-il pour trois. Puis Mrs. Pascoe, qui n'avait, eût-on dit, été mise au monde que pour en troubler l'harmonie avec sa voix criarde, se tourna vers Rachel et dit :

« Mrs. Ashley, il faut me pardonner, mais c'est plus fort que moi : quel magnifique collier vous avez là! Je n'ai eu d'yeux pour rien d'autre, de toute la soirée. »

Rachel lui sourit et, touchant le collier du bout des doigts :

« Oui, dit-elle, c'est une belle chose.

— Belle, je vous crois, dit sèchement mon parrain, elle vaut une petite fortune. »

Je crois que seuls Rachel et moi remarquâmes le ton de sa voix. Elle le regarda, stupéfaite, puis se tourna de lui à moi et allait parler, lorsque j'intervins :

« Je crois que les voitures sont avancées », dis-je.

J'allai me poster près de la porte. Mrs. Pascoe ellemême, généralement aveugle à tout signal de départ, comprit à mon attitude que la soirée était terminée.

« Venez, mes filles, dit-elle, vous devez être lasses et nous avons une journée fatigante en perspective. Pas de repos pour la famille d'un pasteur, le jour de Noël, Mr. Ashley. »

J'escortai la famille Pascoe jusqu'à la porte d'entrée. Par bonheur, j'avais dit vrai, les équipages attendaient. Les Pascoe emmenèrent leur étudiant. Il se blottit comme un petit oiseau entre deux filles très étoffées. Comme leur voiture s'éloignait, celle des Kendall s'avança à son tour. Je retournai au salon et n'y trouvai plus que mon parrain.

« Où sont les autres? demandai-je.

— Louise et Mrs. Ashley sont montées, dit-il, elles vont redescendre dans un moment. Je suis heureux de trouver l'occasion de te dire un mot, Philip. »

Je m'approchai de la cheminée et restai là, les mains derrière le dos.

« Quoi donc? » demandai-je.

Il ne répondit pas tout de suite. Visiblement, il était embarrassé.

« Je n'ai pas eu le loisir de te voir avant de partir pour Exeter, dit-il, sinon je t'en aurais parlé plus tôt, Philip. J'ai reçu un message de la banque qui m'a beaucoup préoccupé. »

Le collier, sans doute, me dis-je. Mais cela ne regardait que moi.

« De Mr. Couch, je suppose? fis-je.

— Oui, répondit-il. Il m'annonce, comme c'est son devoir, que Mrs. Ashley a déjà sur son compte un découvert de plusieurs centaines de livres. »

Je me sentis glacé. Je le regardai puis me repris et le sang afflua à ma face.

« Ah? fis-je.

— Je n'y comprends rien, reprit-il en arpentant la pièce. Elle ne peut pas avoir beaucoup de dépenses ici. Elle est ton invitée. La seule explication plausible est qu'elle envoie de l'argent hors de ce pays. »

J'étais toujours debout près du feu et mon cœur battait contre mes côtes.

« Elle est très généreuse, dis-je, vous avez dû le remarquer ce soir. Un cadeau pour chacun de nous. Ce n'est pas l'affaire de quelques shillings.

— Quelques centaines de livres représentent douze fois au moins ce qu'elle a pu payer ces bibelots, répondit-il. Je ne doute point de sa générosité, mais des cadeaux ne peuvent expliquer un tel découvert.

— Elle a décidé de faire à ses frais des embellissements dans la maison, dis-je. Il y a eu des achats pour la chambre bleue. Il faut prendre cela en considération.

— Peut-être, dit mon parrain, mais il n'en demeure pas moins que la somme que nous avons décidé de lui verser chaque trimestre se trouve déjà doublée, presque triplée, par ce qu'elle a retiré. Que décidons-nous pour l'avenir?

— De doubler, de tripler ce que nous lui versons à présent, dis-je. Il est évident que c'était insuffisant.

— Mais c'est ridicule, Philip! s'écria-t-il. Aucune femme, menant la vie qu'elle mène ici, ne peut raisonnablement dépenser autant. Une dame de qualité vivant à Londres aurait du mal à gaspiller tout cela.

— Elle a peut-être des dettes que nous ignorons, dis-je, des créanciers de Florence qui la harcèlent. Cela ne nous regarde pas. Je désire que vous augmentiez sa pension et remboursiez le découvert. »

Il était debout devant moi et fronçait les lèvres.

J'aurais voulu en avoir terminé de cette affaire. Mes oreilles guettaient le bruit des pas dans l'escalier.

« Autre chose, dit-il, gêné. Tu n'avais pas le droit, Philip, de sortir ce collier de la banque. Tu te rends compte, n'est-ce pas, qu'il fait partie des biens du domaine et que tu n'as pas le droit d'y toucher?

— C'est à moi, dis-je, je puis faire de ma fortune ce qui me plaît.

— Cette fortune n'est pas encore à toi, dit-il, pas avant trois mois.

— Et après? fis-je avec un geste négligent. Trois mois sont vite passés. Il n'arrivera rien à ce collier entre ses mains. »

Il me regarda.

« Je n'en suis pas sûr », dit-il.

L'arrière-pensée que je percevais dans ces mots m'enragea.

« Grand Dieu, dis-je, qu'insinuez-vous là? Qu'elle pourrait emporter ce collier pour le vendre? »

Il garda un instant le silence. Il tiraillait sa moustache.

« Depuis mon départ pour Exeter, dit-il, j'en sais un peu plus long sur ta cousine Rachel.

— Que diable voulez-vous dire? » demandai-je.

Son regard alla de moi à la porte, puis revint.

« J'ai par hasard rencontré d'anciens amis, dit-il, des gens que tu ne connais pas, de grands voyageurs. Ils passent l'hiver en France et en Italie depuis des années. Il paraît qu'ils ont connu ta cousine à l'époque où elle était mariée avec Sangalletti.

— Et alors?

— Tous deux faisaient beaucoup parler d'eux. Leur gaspillage effrené et, je dois ajouter, leur existence dissolue étaient de notoriété publique. La raison du duel où Sangalletti fut tué était qu'on parlait d'un autre homme à propos d'elle. Ces gens m'ont dit que l'annonce du mariage d'Ambroise avec la comtesse Sangalletti les avait consternés. Ils prédirent alors qu'elle dévorerait sa fortune en quelques mois. Il n'en a pas été ainsi. Ambroise est mort avant qu'elle eût eu la possibilité de le faire. Je suis désolé, Philip. Mais ces nouvelles m'ont beaucoup inquiété. »

Il recommença à arpenter la pièce.

« Je ne pensais pas que vous descendriez si bas que de prêter l'oreille à des ragots de voyageurs, lui dis-je. Qui sont ces gens? Comment osent-ils se faire l'écho de commérages vieux de dix ans? Ils n'auraient point l'audace de les répéter devant ma cousine Rachel.

— Peu importe, répliqua-t-il. Ce qui m'inquiète, pour l'instant, ce sont ces perles. Je regrette beaucoup, mais étant ton tuteur pour trois mois encore, je dois te demander de la prier de rendre le collier. Je tiens à ce qu'il retourne à la banque avec les autres bijoux. »

C'était à mon tour de marcher à travers la pièce. Je ne savais plus ce que je faisais.

« Rendre le collier? dis-je. Mais comment pourrais-je lui demander une chose pareille? Je le lui ai donné ce soir en cadeau de Noël. C'est la dernière chose au monde que je pourrais faire.

— Dans ce cas, il faudra que je le fasse pour toi », répondit-il.

Je détestai soudain son visage têtu, la raideur de son attitude, son épaisse indifférence à tout sentiment.

« Pour cela, non! » m'écriai-je.

Je l'aurais voulu à mille lieues de là. Je l'aurais voulu mort.

« Allons, Philip, dit-il en changeant de ton, tu es très jeune, très impressionnable, et je comprends parfaitement que tu désires donner à ta cousine un gage d'estime. Mais les bijoux de famille sont un peu plus que cela.

— Elle y a droit, dis-je. Dieu sait que si quelqu'un a le droit de porter ces bijoux, c'est elle.

— Si Ambroise vivait, oui, répondit-il, mais pas à présent. Ces bijoux sont réservés à ta femme, à celle que tu épouseras, Philip. Et voilà autre chose encore, précisément. Ce collier a une signification particulière, qui a pu faire parler certains des plus vieux fermiers. C'est le seul ornement que porte l'épouse d'un Ashley au jour de ses noces. C'est là une de ces traditions de famille qui enchantent les gens d'ici et, comme je le disais, les plus vieux la connaissent. C'est regrettable et propre à provoquer des commérages. Je suis sûr que Mrs. Ashley, dans sa situation, serait la dernière à désirer cela.

— Les gens qui étaient ici ce soir, répondis-je avec impatience, penseront, en admettant qu'ils soient en état de penser, que ce collier appartient à ma cousine. Je n'ai jamais entendu rien de si saugrenu que de croire que le fait qu'elle le porte puisse donner lieu à des commérages.

— Je n'en jurerais point, dit-il, et nous ne saurons que trop tôt ce qui en sera. Mais il y a une chose sur laquelle j'insiste, et c'est que le collier retourne en sûreté à la banque. Il n'est pas à toi, tu ne peux le donner et, en tout cas, tu n'avais pas le droit de le sortir sans ma permission, je te le répète, et si tu ne veux pas demander à Mrs. Ashley de le rendre, c'est moi qui le ferai. »

Nous n'avions pas entendu, dans la chaleur de notre discussion, le bruissement des robes dans l'escalier. Maintenant, il était trop tard. Rachel, suivie par Louise, était sur le seuil.

Elle s'arrêta, la tête tournée vers mon parrain qui, planté au milieu du salon, me faisait face.

« Je m'excuse, dit-elle, je n'ai pas pu m'empêcher d'entendre ce que vous disiez. Je ne veux pour rien au monde vous causer à l'un ou à l'autre de l'embarras. Ç'a été charmant à vous, Philip, de me permettre de porter ces perles ce soir, et vous avez parfaitement raison, Mr. Kendall, d'en exiger le retour. Les voici. »

Elle leva les mains et les détacha de son cou.

« Au diable! dis-je. Pourquoi faites-vous cela?

— Je vous en prie, Philip », dit-elle.

Elle ôta le collier et le remit à mon parrain. Il eut la bonne grâce de paraître gêné, bien que soulagé tout à la fois.

Je vis Louise me regarder avec pitié. Je me détournai.

« Merci, Mrs. Ashley, dit mon parrain avec sa brusquerie habituelle. Vous comprenez que ce collier fait partie des biens du domaine et que Philip n'était pas autorisé à le sortir de la banque. C'était une légèreté. Mais les jeunes gens sont obstinés.

— Je comprends parfaitement, dit-elle, n'en parlons plus. Désirez-vous quelque chose pour l'envelopper?

— Non, merci, répondit-il, mon mouchoir fera l'affaire. »

Il sortit un mouchoir de sa poche et y plaça le collier avec grand soin.

« Et maintenant, dit-il, il est temps que Louise et moi prenions congé. Merci pour ce merveilleux dîner, Philip. Je vous souhaite à tous deux un heureux Noël. »

Je ne répondis point. Je les accompagnai à la porte d'entrée et, sans un mot, aidai Louise à monter en voiture. Elle me pressa la main en signe d'affection, mais j'étais trop agité pour lui répondre. Mon parrain s'installa à côté d'elle et ils partirent.

Je revins lentement au salon. Rachel y était debout à regarder le feu. Son cou semblait nu sans le collier. Je la regardai en silence, irrité, malheureux. A ma vue, elle ouvrit les bras et j'allai à elle. J'avais le cœur trop lourd pour pouvoir parler. Je me faisais l'effet d'être un petit garçon de dix ans et il n'en aurait pas fallu beaucoup pour me faire pleurer.

« Non, dit-elle de cette voix chaude et tendre qui l'exprimait si bien, ne vous tourmentez pas. Je vous en prie, Philip, je vous en prie. Je suis très fière de l'avoir porté une unique fois.

— Je voulais que vous le portiez, dis-je, je voulais que vous le gardiez toujours. Maudit soit ce vieux!

— Chut! dit-elle, cher, ne dites pas de choses pareilles. »

J'étais si furieux que j'aurais été capable de galoper sur-le-champ jusqu'à la banque et d'en rapporter tous les bijoux, toutes les pierres qui s'y trouvaient, et de les lui donner, et tout l'or et l'argent de la banque aussi. Je lui aurais donné le monde.

« Tout est gâché, maintenant, dis-je, toute la soirée, tout ce Noël. Rien ne vaut plus la peine de rien. »

Elle me serra contre elle en riant.

« Vous êtes comme un enfant qui court à moi les mains vides, dit-elle. Pauvre Philip. »

Je reculai et la regardai.

« Je ne suis pas un enfant, dis-je, j'ai vingt-cinq ans, il ne s'en faut que de trois maudits mois. Ma mère portait ces perles le jour de son mariage et, avant elle, ma tante, et avant elle, ma grand-mère. Vous comprenez pourquoi je désirais que vous les portiez aussi? »

Elle posa ses mains sur mes épaules et m'embrassa.

« Mais oui, répondit-elle, c'est pour cela que j'étais si heureuse et si fière. Vous désiriez que je les porte parce que vous saviez que, si je m'étais mariée ici, et non à Florence, Ambroise me les aurait données le jour de notre mariage. »

Je ne dis rien. Elle m'avait reproché quelques

semaines auparavant de manquer d'intuition. J'aurais pu, ce soir, dire la même chose d'elle. Un moment plus tard, elle me tapota l'épaule et monta se coucher.

Je touchai, au fond de ma poche, la chaîne d'or qu'elle m'avait donnée. Cela, au moins, était à moi et rien qu'à moi.

CHAPITRE XVIII

Le jour de Noël fut heureux. Elle y veilla. Nous fîmes la tournée des fermes du domaine, des pavillons et des chaumières, pour y porter les vêtements qui avaient appartenu à Ambroise. A chaque halte, nous étions obligés de goûter d'un pâté ou de manger un gâteau si bien que, le soir venu, il ne nous restait plus d'appétit pour le dîner, et nous laissâmes les domestiques finir les oies et les dindes de la veille, tandis qu'elle et moi rôtissions des marrons devant le feu du salon.

Puis, comme si je fusse revenu de vingt ans en arrière, elle me fit fermer les yeux et monta en riant à son boudoir; elle en redescendit et me mit entre les mains un petit arbre. Elle l'avait drôlement habillé et décoré de cadeaux enveloppés de papiers de couleur, chaque cadeau était une plaisanterie, et je compris qu'elle avait fait cela pour moi, parce qu'elle désirait que j'oubliasse le drame de la veillée de Noël et du collier de perles. Je ne pouvais pas l'oublier, pas plus que je ne pouvais le pardonner. Ce Noël avait amené un refroidissement définitif entre mon parrain et moi. Qu'il eût écouté des médisances était en soi-même assez vilain, mais je lui en voulais davantage encore de son insistance à s'en tenir à cet article risible du testament qui me mettait sous sa juridiction pour trois mois encore. Qu'importait que Rachel eût dépensé plus que nous n'avions prévu? Nous ne connaissions point ses besoins. Ni Ambroise ni mon parrain ne comprenaient le genre de vie qu'on mène à Florence. Peut-être était-elle dépensière, en effet; était-ce un crime? Quant à la société italienne, nous étions incapables de la juger. Mon grand-père avait passé toute sa vie dans la lésine et, parce qu'Ambroise n'avait jamais beaucoup dépensé pour lui-même, mon parrain en avait conclu que cet état de choses continuerait une fois que la fortune serait à moi. Mes besoins étaient modestes et je n'avais pas plus de désirs de dépenses personnelles qu'Ambroise dans son temps, mais la suspicion de mon parrain me mettait dans un état de rage qui m'incitait à en faire à ma tête et à dépenser ce qui m'appartenait.

Il avait accusé Rachel de gaspiller sa pension. Eh bien, il pourrait m'accuser de faire dans ma maison des dépenses extravagantes. Je décidai, après le Jour de l'An, d'entreprendre des transformations dans la propriété qui allait être à moi. La terrasse surplombant les champs de Barton se poursuivait, de même que les travaux du terrain adjacent qui allait devenir un jardin d'eaux, sur le modèle des gravures du livre de Rachel.

Je ne voulais pas en rester là. J'étais résolu à embellir également la maison. Nous nous étions trop longtemps contentés des visites mensuelles de Nat Dunn, le maçon du domaine, qui grimpait d'échelle en échelle sur le toit, et faisait remplacer les ardoises enlevées par la tempête tout en fumant sa pipe, adossé à une cheminée. Le moment était venu de refaire toutes les toitures, d'y mettre de nouvelles tuiles, de nouvelles ardoises, de nouvelles gouttières, d'étayer également les murs endommagés par de longues années de vent et de pluie. On avait pris trop peu de soin de tout cela depuis deux siècles, depuis l'époque où ces messieurs du Parlement avaient tout désorganisé et où mes ancêtres avaient eu peine à maintenir seulement la maison debout. Je réparerais les négligences passées, et mon parrain pourrait bien faire la grimace en additionnant des chiffres sur son buvard je m'en souciais comme d'une guigne.

J'en fis donc à ma tête et, vers la fin de janvier, quinze ou vingt hommes travaillaient sous mon toit, autour des bâtiments, et à l'intérieur également, où l'on redécorait selon mes ordres murs et plafonds. J'éprouvais une vive satisfaction à imaginer l'expression de mon parrain lorsqu'on lui présenterait la note des travaux.

Je pris prétexte des réparations de la maison pour ne pas recevoir, mettant fin pour un temps aux dîners du dimanche. Je m'épargnai ainsi la visite régulière des Pascoe et des Kendall et ne vis plus mon parrain, ce qui me convenait fort. Je fis également répandre la nouvelle, par les mystérieux moyens de communication dont disposait Seecombe, que Mrs. Ashley ne pouvait recevoir de visites pour l'instant, le salon étant livré aux ouvriers. Nous vécûmes donc en ermites toute cette période de fin d'hiver et de début de printemps, ce qui était tout à fait à mon goût. Le boudoir de tante Phoebé, comme Rachel continuait à l'appeler, devint notre refuge. Rachel s'y installait à la tombée du jour avec un ouvrage ou un livre, et je la regardais. Il y avait, depuis l'incident des perles, une douceur nouvelle dans ses manières, à la fois étonnamment réconfortante et, à certaines heures, presque insupportable.

Je crois qu'elle ne se rendait pas compte de ce que j'éprouvais. Ces mains posées un instant sur mon épaule ou caressant mes cheveux lorsqu'elle passait près de mon fauteuil tout en continuant de deviser de jardins ou de questions pratiques, me faisaient battre le cœur et je ne pouvais le calmer. Suivre ses mouvements était un délice et j'allais parfois jusqu'à me demander si c'était à dessein qu'elle quittait son siège, s'approchait de la fenêtre, écartait le rideau, restait ainsi un moment, la main levée, à contempler la pelouse, parce qu'elle savait que je la regardais. Elle disait mon nom, Philip, d'une façon qui n'était qu'à elle. Pour les autres, c'était un mot court et net, appuyé sur la dernière lettre, mais elle s'attardait sur « l », apportant à mon oreille un son nouveau que j'aimais. Enfant, j'aurais souhaité m'appeler Ambroise, et je crois que j'en avais gardé le secret désir jusqu'à ce moment. Maintenant, j'étais heureux, au contraire, que mon nom remontât plus loin que lui dans le temps. Lorsque les ouvriers apportèrent les nouvelles gouttières à placer le long des murs, j'éprouvai une bizarre fierté à voir la petite plaque marquée de mes initiales, P. A., avec la date et, plus bas, la tête de lion des armoiries de ma mère. J'avais l'impression de donner quelque chose de moi-même à l'avenir. Rachel, debout à mon côté, me prit le bras et dit :

« Je ne savais pas jusqu'aujourd'hui, Philip, que vous étiez orgueilleux. Je vous en aime davantage. »

Oui, j'étais orgueilleux... Mais l'orgueil ne remplissait pas le vide qui était en moi.

Les travaux avançaient dans la maison et dans le parc, et les premiers jours du printemps s'annoncèrent à la fois délicieux et cruels. Les merles et les pinsons chantaient sous nos fenêtres et nous réveillaient, Rachel et moi. Nous le disions quand nous nous retrouvions pour déjeuner. Le soleil passait d'abord chez elle, sur la façade est de la maison et, par les fenêtres grandes ouvertes, projetait un rayon de lumière sur son oreiller. Je l'avais plus tard, en m'habillant. Je me penchais pour regarder les prairies et la mer, je voyais les chevaux et la charrue monter la colline au milieu d'un vol de mouettes et, dans le pâturage voisin, les brebis et les agneaux dos à dos pour se tenir chaud. Les vanneaux passaient en un petit nuage ailé. Bientôt, ils s'accoupleraient et le mâle prendrait son essor enivré. En bas, sur la grève, les courlis sifflaient et les pies de mer, noir et blanc comme des nonnes, cherchaient gravement leur petit déjeuner parmi les algues. L'air avait un goût vif et salé sous le soleil.

Ce fut par un de ces matins que Seecombe vint me

dire que Sam Bate, notre gardien, alité et mal en point, me priait de bien vouloir aller le voir, car il avait un objet important à me remettre. Seecombe pensait qu'il s'agissait d'une chose trop précieuse pour être confiée à son fils ou à sa fille. Je n'y prêtai guère attention, connaissant le goût des gens de la campagne pour le mystère. Je n'en pris pas moins, l'après-midi même, l'avenue qui menait au portail du carrefour des Quatre-Chemins et entrai dans le pavillon pour échanger quelques mots avec Sam. Il était assis dans son lit et je reconnus, étalée devant lui sur la couverture, une des vestes d'Ambroise que nous avions distribuées le jour de Noël. C'était la veste claire qu'Ambroise avait dû acheter sur le continent pour les jours de forte chaleur.

« Eh bien, Sam, dis-je, je suis fâché de vous trouver au lit. Qu'y a-t-il?

— Toujours cette vieille toux, Mr. Philip, qui me prend tous les printemps, répondit l'homme. Mon père l'avait aussi, et un printemps elle me mettra en terre comme lui.

— Sottises, Sam, lui dis-je, ce sont des histoires qu'on raconte. Ce qui a tué le père ne tue pas forcément le fils. »

Sam Bate secoua la tête.

« Il y a du vrai là-dedans, Monsieur, dit-il, et vous le savez bien. Mr. Ambroise alors, et son père, le vieux monsieur votre oncle? C'est une maladie du cerveau qui les a fini tous les deux. On ne peut rien contre la nature. J'ai vu la même chose chez les bêtes. »

Je ne répondis point. Je me demandais comment

Sam savait de quel mal Ambroise était mort. Je ne l'avais dit à personne. Les nouvelles se colportent chez nous de façon incroyable.

« Vous devriez envoyer votre fille demander à Mrs. Ashley un cordial pour votre toux, lui dis-je. Elle a de grandes connaissances en ces matières. L'huile d'eucalyptus est un de ses remèdes favoris.

— J'en prendrai, Mr. Philip, j'en prendrai, me répondit-il, mais j'ai cru bien faire en vous demandant de venir d'abord vous-même au sujet de la lettre. »

Il baissa la voix et prit un air grave et solennel.

« Quelle lettre, Sam? demandai-je.

— Mr. Philip, commença-t-il, le jour de Noël, vous et Mrs. Ambroise avez eu la bonté de nous donner des effets appartenant à notre ancien maître. Et nous en sommes tous très fiers. Cette veste que vous voyez là, sur mon lit, m'a donc été donnée à moi. »

Il se tut et toucha la veste avec l'espèce de ferveur que je lui avais vue en la recevant le jour de Noël.

« Ce jour-là, Monsieur, reprit-il, j'ai dit à ma fille : si j'avais une boîte en verre, je la mettrais dedans, mais elle m'a répondu que je disais des bêtises et qu'on m'avait donné cette veste pour que je la porte. Eh bien, je n'ai point voulu la mettre, Mr. Philip. Ça me paraissait de la présomption, si vous comprenez ce que je veux dire. J'ai donc rangé la veste dans l'armoire, là-bas, et je la sortais de temps en temps pour y jeter un coup d'œil. Et puis, quand la toux m'a pris et que j'ai dû rester au lit, je ne sais pas pourquoi, mais j'ai eu envie de la mettre. Là, assis dans mon lit, tel que vous me voyez. C'est une veste légère et qui ne pèse pas aux épaules. Je l'ai donc mise hier, Mr. Philip, pour la première fois. Et c'est comme ça que j'ai trouvé la lettre. »

Il se tut et, fouillant sous son oreiller, sortit une enveloppe.

« Voici ce qui a dû se passer, Mr. Philip, dit-il. La lettre a glissé entre l'étoffe et la doublure. On ne l'aura pas remarqué en la pliant et en faisant un paquet. Seulement, moi, je caressais la veste, tout émerveillé que j'étais de la porter, et j'ai senti quelque chose qui faisait du bruit, alors, j'ai pris un couteau pour ouvrir la doublure. Et voilà, Monsieur. Une lettre, ni plus ni moins. Cachetée et adressée à vous par Mr. Ambroise lui-même. Je connaissais bien son écriture. Ça m'a fait quelque chose, Monsieur, de trouver ça. C'était, vous comprenez, comme si je trouvais un message du mort. »

Il me tendit la lettre. Il disait vrai, elle m'était adressée, et par Ambroise. Je regardai l'écriture familière et sentis aussitôt un pincement au cœur.

« Vous en avez agi très sagement, Sam, dis-je, et vous avez eu raison de me demander de venir en personne. Je vous remercie.

— Il n'y a pas de quoi, Mr. Philip, il n'y a pas de quoi, répondit-il, mais j'ai pensé que cette lettre, peut-être bien, était là depuis des mois et aurait dû vous parvenir il y a longtemps. Alors, le pauvre maître qui est mort a peut-être bien voulu que je la trouve pour que vous la lisiez. Et je me suis dit que le mieux était de vous en parler moi-même plutôt que de vous envoyer ma fille. »

Je le remerciai de nouveau et, après avoir mis la lettre dans ma poche, demeurai encore quelques minutes à lui parler. Une intuition que je ne m'explique pas me porta à lui dire de ne parler de cette affaire à personne, pas même à sa fille. La raison que je lui en donnai était celle même qu'il avait mentionnée : le respect dû à la volonté des morts. Il le promit et je quittai le pavillon.

Je ne rentrai pas tout de suite à la maison. Je montai à travers bois jusqu'à un sentier qui domine la partie du domaine que bordent les champs de Trenant et l'avenue plantée d'arbres. Ambroise préférait cette promenade à toute autre. C'est le point culminant de nos terres, si l'on excepte le phare au sud, et l'on y jouit d'une belle vue sur les bois et la vallée jusqu'au large. Les arbres qui bordent le chemin, plantés par Ambroise et son père avant lui, abritent la promenade mais ne sont pas encore assez hauts pour en obstruer la vue et, en mai, les jacinthes recouvrent toute l'herbe alentour. Au bout du chemin, au sommet des bois, avant la descente sur la maisonnette du garde dans la calle, Ambroise avait érigé un morceau de granit. « Ceci, m'avait-il dit, moitié plaisantant, moitié sérieux, pourra me servir de pierre funéraire. Pense à moi ici plutôt que dans le caveau de famille, au milieu de tous les Ashley. »

Il ne se doutait guère, en plaçant ici ce bout de roc, qu'il reposerait à jamais, non point dans le caveau de famille, mais dans le cimetière protestant de Florence

Il avait fait graver dans ce granit le nom des pays où il avait voyagé et un vers cocasse qui nous faisait rire quand nous le regardions ensemble. Malgré ces plaisanteries, je crois qu'il avait vraiment mis là un peu de son cœur et, au cours du dernier hiver qu'il avait passé loin du pays, j'avais souvent monté le sentier des bois pour passer un instant près de cette pierre et regarder le paysage qu'il aimait tant.

Lorsque j'y arrivai, ce jour-là, je posai un moment ma main sur le granit sans pouvoir rien décider. Au-dessous de moi, une fumée montait de la maisonnette du garde, et son chien, enchaîné en son absence, aboyait de temps à autre sans raison, à moins que ce ne fût pour tromper sa solitude. La lumière radieuse du jour avait pâli et il faisait plus froid. Des nuages brouillaient le ciel. Je voyais au loin le bétail qui rentrait des collines de Lankelly pour s'abreuver de l'eau des marais. La mer, abandonnée par le soleil, était d'un gris d'ardoise. Un vent léger soufflait du rivage et agitait les feuillages à mes pieds.

Je m'assis près de la pierre et, sortant de ma poche la lettre d'Ambroise, la posai sur mon genou. Le cachet rouge me regardait, marqué du sceau de sa bague : une tête de corbeau. L'enveloppe n'était point épaisse. Elle ne contenait qu'une lettre que je n'avais aucun désir de lire. Je ne puis dire quel pressentiment me retenait, quel lâche instinct me conseillait d'enfouir ma tête comme une autruche dans le sable. Ambroise était mort et le passé était mort avec lui. J'avais ma propre vie à mener, ma propre volonté à suivre. Peut-être cette lettre traitait-elle de nouveau de choses que je préférais ne pas connaître. Si Ambroise avait accusé Rachel de prodigalité, il aurait pu, aujourd'hui, user de la même épithète à mon égard avec plus de raisons encore. Je devais avoir plus dépensé en quelques mois pour la maison que lui pendant des années. Je n'avais pas l'impression de l'avoir trahi.

Ne pas lire la lettre... Qu'eût-il dit de cela? Si je la déchirais à présent en mille morceaux, les éparpillais au vent et en ignorais à jamais le contenu, me condamnerait-il? Je tenais la lettre dans ma main, je jouais avec. Lire ou ne pas lire? J'aurais tout donné pour n'avoir pas ce choix. Dans ma maison, j'étais l'allié de Rachel; dans le boudoir, mes yeux sur son visage, sur ces mains, ce sourire, environné par cette voix, aucune lettre n'eût pesé sur moi. Mais ici, dans les bois, à côté de ce morceau de granit devant lequel nous nous étions si souvent arrêtés ensemble, lui et moi, Ambroise tenant cette même canne que je portais aujourd'hui, vêtu de cette même veste, ici, c'était lui le plus puissant. Pareil à un enfant qui adresse des prières au ciel pour qu'il fasse beau le jour de sa fête, je demandai à Dieu de faire que la lettre ne contînt rien de nature à me troubler, puis je l'ouvris. Elle était datée du mois d'avril de l'année précédente, il l'avait donc écrite trois mois avant de mourir.

« Très cher garçon,

« Si mes lettres ont été peu fréquentes, ce n'est pas que je n'aie songé à toi. Plus que jamais, peut-être, tu es dans mes pensées depuis ces derniers mois. Mais une lettre peut s'égarer ou être lue par d'autres, et je ne voudrais pas que cela se produisît; c'est pourquoi je n'ai point écrit ou, lorsque je l'ai fait, c'était pour dire peu de chose. J'ai été malade, j'ai eu la fièvre et de fortes migraines. Je vais mieux. Mais pour combien de temps, je ne sais. La fièvre peut me reprendre et les migraines aussi, et lorsque j'en suis la victime, je ne suis plus responsable de ce que je dis ou fais. La chose est sûre.

« Ce qui n'est pas encore sûr, c'est la cause de cela. Philip, mon cher garçon, je suis très tourmenté. C'est peu dire. J'ai l'esprit au supplice. Je t'ai écrit cet hiver, je crois, mais je suis tombé malade peu après et n'ai pas souvenir de ce qui est advenu de ma lettre. Je puis fort bien, dans l'humeur où j'étais, l'avoir détruite. Je crois que je t'y parlais du défaut que j'ai découvert en elle et qui me cause tant de souci. Héréditaire? Je ne puis le dire avec certitude mais je le crois, et je crois aussi que la perte de notre enfant à naître lui a fait un mal irréparable.

« Je ne t'en ai point parlé dans mes lettres, nous avons été tous deux très frappés sur le moment. Pour moi, je t'ai et suis consolé. Mais, chez une femme, ces choses touchent plus profond. Elle avait fait des plans, des projets, comme tu peux l'imaginer, et lorsque, au bout de quatre mois et demi, tout s'écroula, et que son médecin lui eut dit qu'elle ne pourrait en avoir d'autre, sa détresse fut très grande et plus profonde que la mienne. Je jurerais que c'est à dater de là que ses manières changèrent. L'absence de frein en matière de dépenses se fit sentir progressivement et je découvris en elle une tendance à l'évasion, au mensonge, un certain éloignement de moi tout à fait opposé à la nature chaleureuse qui était sienne au début de notre mariage. A mesure que les mois passaient, je m'aperçus qu'elle se rapprochait de plus en plus de cet homme dont je t'ai déjà parlé dans mes lettres, signor Rainaldi, ami et je crois homme d'affaires de Sangalletti, et lui demandait conseil plutôt qu'à moi. Je tiens que cet homme a sur elle une influence pernicieuse. Je le soupçonne d'être amoureux d'elle depuis des années, de l'avoir été du vivant de Sangalletti déjà et, bien que je ne croie pas un instant qu'elle ait jamais songé à lui de cette manière jusqu'à ces tout derniers temps, elle a, à présent, tellement changé dans son attitude envers moi que je ne sais plus que croire. Il y a une ombre dans ses yeux, un ton dans sa voix, lorsqu'on prononce le nom de cet homme, qui éveillent dans mon esprit les plus terribles soupçons.

« Elevée comme elle l'a été par des parents sans principes, ayant mené, avant et même pendant son premier mariage, une existence dont nous préférons tous deux ne pas parler, elle m'a souvent donné l'impression que ses règles de conduite sont différentes de celles que nous observons chez nous. Les liens du mariage ne sont peut-être pas aussi sacrés. Je soupçonne — en fait, j'ai la preuve — qu'il lui donne de l'argent. L'argent, Dieu me pardonne de dire cela, est à présent l'unique chemin de son cœur. Je crois que si l'enfant avait pu naître, rien de tout cela n'aurait eu lieu; et je regrette du fond du cœur d'avoir, à l'époque écouté le docteur qui lui déconseillait de voyager et de ne pas l'avoir amenée chez nous. Nous serions avec toi à présent et tous contents.

« A certains moments, elle semble redevenir elle-même et tout va bien, si bien que j'ai l'impression d'avoir eu un cauchemar et de me réveiller dans la félicité des premiers mois de notre mariage. Puis, sur un mot, un geste, tout est à nouveau perdu. Je descends sur la terrasse et y trouve Rainaldi. A ma vue, tous deux se taisent. Je ne puis m'empêcher de me demander de quoi ils parlaient. Un jour, comme elle était rentrée dans la villa, nous laissant seuls, Rainaldi et moi, il m'interrogea à brûle-pourpoint sur mon testament, dont il avait eu connaissance à l'occasion de notre mariage. Il me dit que, tel qu'il était conçu, si je venais à mourir, je laisserais ma femme dépourvue. Je le savais et j'avais d'ailleurs, afin de réparer cette lacune, rédigé un nouveau testament que j'eusse signé devant témoins si j'avais été assuré que sa prodigalité était le fait d'une humeur passagère et non d'une passion profondément enracinée.

« Par ce nouveau testament, la maison et les biens lui seraient légués, mais de son vivant seulement, et te reviendraient à sa mort, étant entendu que l'administration du domaine resterait toujours entièrement entre tes mains.

« Ce document n'est toujours pas signé, et cela pour la raison que je t'ai dite.

« Remarque que c'est Rainaldi qui m'a posé des questions sur mon testament, Rainaldi qui a attiré mon attention sur les lacunes qu'il présente. Elle ne m'en parle pas. Mais en parlent-ils ensemble? Que se disent-ils lorsque je ne suis pas là?

« Cette question de testament a été soulevée en mars. Je reconnais que j'étais souffrant et presque aveugle à force de migraines, et il se peut que Rainaldi l'ait mentionnée, à sa manière froide et calculatrice, en pensant que je pouvais mourir. Peut-être. Peut-être n'en parlent-ils pas entre eux, je n'ai aucun moyen de le savoir. Trop souvent, à présent, je la surprends à me regarder d'un œil étrangement attentif. Et lorsque je la tiens dans mes bras, on dirait qu'elle a peur. Peur de quoi, de qui?

« Il y a deux jours — et ceci me ramène à l'objet de cette lettre —, j'ai eu un nouvel accès de la fièvre qui m'avait terrassé en mars. L'attaque est soudaine. Je suis pris de douleurs et de malaises auxquels succède bientôt une grande excitation de mon cerveau m'entraînant presque à la violence, et je puis à peine tenir debout à force d'étourdissements d'esprit et de corps. Cela passe à son tour et je suis pris d'une irrésistible envie de dormir, de sorte que je tombe par terre ou sur mon lit, terrassé. Je ne me rappelle pas que mon père ait eu cela. Les migraines, oui, et certains accès d'humeur, mais non pas les autres symptômes.

« Philip, mon garçon, le seul être au monde auquel je puisse me fier, dis-moi ce que tout cela signifie et, s'il se peut, viens à moi. Ne dis rien à Nick Kendall. Ne dis rien à âme qui vive. Surtout, ne réponds pas à cette lettre. Viens, c'est tout.

« Une pensée me possède, ne me laissant aucun repos. Essayent-ils de m'empoisonner?

« Ambroise. »

Je repliai la lettre. Le chien avait cessé d'aboyer dans le jardin en contrebas. J'entendis le garde ouvrir sa barrière et le chien l'accueillir avec des jappements. J'entendis des voix dans la maisonnette, le tintement d'un seau, le claquement d'une porte. Des arbres qui couvraient les pentes de la colline en face de moi, des corneilles s'envolèrent, tournoyèrent en croassant et se dirigèrent comme une nuée sombre vers les arbres des marais.

Je ne déchirai pas la lettre. Je creusai un trou près du morceau de granit. Je mis la lettre dans mon portefeuille et enfouis celui-ci très profondément dans la terre noire. J'égalisai le sol avec mes mains. Je descendis la colline et traversai le bois jusqu'à l'avenue. Comme je remontais de l'autre côté, derrière la maison, j'entendis les rires et les propos des ouvriers qui rentraient de leur travail. Je m'arrêtai un moment et les regardai s'éloigner à travers le parc. Les échafaudages dressés contre les murs où ils avaient travaillé tout le jour paraissaient sombres et nus.

J'entrai chez moi par la porte de derrière en traversant la cour et, comme mon pas résonnait sur le pavé, Seecombe sortit à ma rencontre du bureau de l'intendant, la consternation peinte sur le visage.

« Je suis content que vous soyez là, Monsieur, dit-il.

La maîtresse vous a demandé plusieurs fois. Le pauvre Don a eu un accident. Elle est très inquiète.

— Un accident? dis-je. Qu'est-il arrivé?

— Une grande ardoise du toit lui est tombée dessus, Monsieur, répondit-il. Vous savez comme il était devenu sourd et comme il détestait quitter sa place au soleil devant la fenêtre de la bibliothèque. L'ardoise doit lui être tombée sur l'échine. Il ne peut pas bouger. »

J'entrai dans la bibliothèque. Rachel était assise par terre, la tête de Don sur ses genoux. Elle leva les yeux à mon entrée.

« Ils l'ont tué, dit-elle, il se meurt. Pourquoi êtes-vous resté dehors si longtemps? Si vous aviez été là, ce ne serait pas arrivé. »

Ses mots éveillaient dans mon esprit comme l'écho d'une chose depuis longtemps oubliée. Mais quoi, je n'aurais su le dire. Seecombe sortit de la bibliothèque, nous laissant seuls. Les larmes qui remplissaient les yeux de Rachel se mirent à couler sur son visage.

« Don vous appartient, dit-elle, il était à vous. Vous aviez grandi ensemble. Je ne peux pas le voir mourir. »

Je vins m'asseoir par terre à côté d'elle et je m'aperçus que je ne pensais ni à la lettre enfouie sous la roche de granit, ni au pauvre Don qui allait mourir, étendu entre nous, inerte et silencieux. Je ne pensais qu'à une chose : c'était la première fois depuis son arrivée dans ma maison qu'elle pleurait non sur Ambroise, mais sur moi.

CHAPITRE XIX

Nous veillâmes Don toute la soirée. Je dînai, mais Rachel ne voulut rien manger. Un peu avant minuit, il mourut. Je l'emportai et le recouvris d'un linge, en attendant de l'enterrer le lendemain dans la plantation. Lorsque je revins, la bibliothèque était vide, Rachel était montée. Je suivis la galerie jusqu'au boudoir et l'y trouvai assise devant le feu, les yeux humides.

Je m'assis à côté d'elle et lui pris les mains.

« Je ne crois pas qu'il ait souffert, lui dis-je.

— Je pense au petit garçon d'il y a quinze ans, dit-elle, au petit garçon qui ouvrait un vol-au-vent le matin de son dixième anniversaire... J'ai pensé à cette histoire tout le temps qu'il était couché là, sa tête sur mes genoux.

— Dans trois semaines, dis-je, ce sera de nouveau mon anniversaire. J'aurai vingt-cinq ans. Vous savez ce qui se passera ce jour-là?

— On réalisera tous vos vœux, répondit-elle. Ma mère répétait un dicton de ce genre quand j'étais jeune. Que souhaitez-vous, Philip? »

Je ne lui répondis pas tout de suite. Comme elle, je regardais le feu.

« Je ne peux pas le savoir, dis-je, avant ce jour-là. »

Sa main, ornée d'une bague, reposait, immobile et blanche, sur la mienne.

« Quand j'aurai vingt-cinq ans, dis-je, mon parrain n'aura plus aucun contrôle sur mes biens. Ils seront à moi et j'en pourrai faire ce que bon me semblera. Le collier de perles, les autres bijoux qui sont à la banque, je pourrai tout vous donner.

— Non, dit-elle. Je ne les accepterais pas, Philip. Ils doivent rester là pour votre femme. Je sais que vous ne désirez pas vous marier, mais un jour vous changerez peut-être d'avis. »

Je savais bien ce que je brûlais de lui dire, mais n'osais. Je me penchai et baisai sa main, puis m'éloignai.

« Si ces bijoux ne sont pas à vous aujourd'hui, dis-je, cela tient à une erreur. Et non seulement les bijoux, mais tout : la maison, l'argent, le domaine. Vous le savez parfaitement. »

Elle parut peinée. Elle cessa de regarder le feu et se renversa dans son fauteuil. Sa main commença à jouer avec ses bagues.

« A quoi bon discuter de cela, dit-elle. S'il y a eu une erreur, je m'y suis résignée.

— Vous peut-être, dis-je, pas moi. »

Je me levai, le dos au feu, et la regardai. Je savais à présent ce que je pouvais faire, et nul ne m'en empêcherait.

« Que voulez-vous dire? » fit-elle, une ombre de mélancolie dans les yeux.

« Peu importe, répondis-je, vous le saurez dans trois semaines.

— Dans trois semaines, dit-elle, après votre anniversaire, il faudra que je vous quitte, Philip. »

Elle les avait donc prononcés, ces mots que je redoutais, mais maintenant que j'avais un plan préparé dans ma tête, ils n'auraient peut-être pas d'importance.

« Pourquoi? demandai-je.

— Je suis restée trop longtemps, dit-elle.

— Ecoutez, dis-je, si Ambroise avait fait un testament vous laissant ses biens pour toute votre vie, à la condition que ce soit moi qui administre le domaine, qu'auriez-vous fait? »

Son regard s'éloigna de moi et se fixa de nouveau sur le feu.

« Ce que j'aurais fait?... Qu'entendez-vous par là? demanda-t-elle.

— Habiteriez-vous ici? dis-je. Me renverriez-vous?

— Vous renvoyer! s'écria-t-elle. Vous renvoyer de chez vous! Philip, comment pouvez-vous me poser une question pareille?

— Vous seriez donc restée? répliquai-je. Vous habiteriez ici, dans cette maison, et m'emploieriez, pour ainsi dire, à gérer vos affaires. Nous habiterions ensemble ici, tout comme à présent?

— Oui, dit-elle, oui, probablement. Je n'y ai jamais pensé. Mais ce serait tout différent. Vous ne pouvez comparer.

— Différent en quoi? »

Elle fit un geste des deux mains.

« Comment pourrais-je vous l'expliquer? dit-elle Ne comprenez-vous pas que ma situation est intenable, simplement parce que je suis une femme. Votre parrain serait le premier à me donner raison. Il n'a rien dit, mais je suis sûre qu'il trouve que le moment est venu pour moi de m'en aller. C'eût été tout autre chose si la maison m'appartenait et que vous fussiez employé comme vous le dites. Je serais Mrs. Ashley et vous mon héritier. A présent, vous êtes Philip Ashley et moi une parente vivant de vos bontés. Il y a un monde de différence, très cher, entre les deux.

— Parfaitement, dis-je.

— Eh bien, donc, dit-elle, n'en parlons plus.

— Parlons-en, au contraire, dis-je, l'affaire est d'importance. Qu'est-il advenu du testament?

— Quel testament?

— Le testament qu'Ambroise avait rédigé, mais non signé, et par lequel il vous léguait ses biens? »

Je vis l'anxiété envahir ses yeux.

« Comment connaissez-vous ce testament? Je ne vous en ai jamais parlé », dit-elle.

Je mentis.

« J'ai toujours pensé qu'il devait y en avoir un, répondis-je, mais qu'il avait pu n'être pas signé et qu'il serait légalement nul, par conséquent. J'irai plus loin. Je suis persuadé que vous l'avez ici avec vous. »

C'était une flèche lancée au hasard, mais elle atteignit son but. Ses yeux se dirigèrent instinctivement vers le petit bureau contre le mur, puis revinrent à moi.

« Qu'essayez-vous de me faire dire? demanda-t-elle.

— Avouez seulement qu'il existe », dis-je.

Elle hésita, puis haussa les épaules :

« En effet, répondit-elle, mais cela ne change rien. Ce testament n'a jamais été signé.

— Puis-je le voir? demandai-je.

— A quoi bon, Philip?

— J'ai mes raisons. Je crois que vous pouvez avoir confiance en moi. »

Elle me regarda longuement. Elle était visiblement interdite et inquiète aussi, je pense. Elle se leva, s'approcha du bureau puis, hésitante, me regarda de nouveau.

« Pourquoi soudain tout ceci? dit-elle. Pourquoi ne pas laisser le passé où il est? Vous me l'avez promis, un soir, dans la bibliothèque.

— Vous m'avez promis que vous resteriez », lui répondis-je.

Elle était libre de me remettre ou non le document. Je pensai au choix que j'avais fait cet après-midi-là près du morceau de granit. J'avais choisi, quoi qu'il pût en advenir, de lire la lettre. Maintenant, elle aussi devait se décider. Elle alla au bureau et, prenant une petite clef, ouvrit un tiroir. Elle en sortit un papier qu'elle me tendit.

« Lisez-le si vous voulez », dit-elle.

J'approchai le papier de la lumière des bougies. L'écriture était de la main d'Ambroise, claire et ferme, plus ferme que celle de la lettre que j'avais lue l'après-midi. Il était daté du mois de novembre de l'année de leur mariage. Le papier portait en guise de titre : « Dernières volontés et testament d'Ambroise Ashley. » Les articles étaient tels qu'il me les avait décrits dans sa lettre. Sa fortune passait à Rachel pour la durée de la vie de celle-ci, puis, après sa mort, à l'aîné des enfants qu'ils pourraient avoir ensemble et, au cas où ils n'auraient pas d'enfants, à moi, étant entendu que j'administrerais le domaine tant qu'elle vivrait.

« Puis-je faire une copie de ceci? lui demandai-je.

— Comme il vous plaira », dit-elle.

Elle était pâle et semblait absente, indifférente eût-on dit.

« Tout cela est fini, Philip, à quoi bon y revenir?

— Confiez-moi ce document pour quelque temps. En outre, je vais en prendre copie », dis-je.

M'asseyant au bureau, je pris une plume et du papier et commençai la copie du document. Elle s'assit dans un fauteuil, la joue appuyée sur la main.

Il me fallait une confirmation de tout ce qu'Ambroise m'avait écrit dans sa lettre et, tout en haïssant le rôle que je devais jouer, je me forçai à l'interroger. Je continuai à faire grincer ma plume; la copie du testament n'était guère qu'un prétexte et me permettait de ne pas la regarder, ce qui facilitait un peu ma tâche.

« Je vois qu'Ambroise avait daté ceci de novembre, dis-je. Savez-vous pourquoi il avait choisi ce moment pour faire un nouveau testament? Vous étiez mariés depuis avril. »

Sa réponse vint lentement, et j'imaginai alors ce

qu'un chirurgien doit éprouver lorsqu'il fouille une plaie mal refermée.

« Je ne sais pas pourquoi il a écrit ceci en novembre, dit-elle. Nous ne pensions pas à la mort à ce moment. Au contraire. C'était la période la plus heureuse des dix-huit mois que nous avons vécus ensemble.

— Oui, dis-je en prenant un nouveau feuillet, il me l'avait écrit. »

Je l'entendis se retourner dans son fauteuil pour me regarder. Je continuai d'écrire.

« Ambroise vous l'avait écrit? dit-elle. Mais je lui avais demandé de ne rien faire! Je craignais que vous ne vous méprissiez, vous auriez pu vous sentir en quelque sorte lésé, ç'aurait été tout naturel. Il m'avait promis de garder le secret. Par la suite, les choses tournèrent de telle façon que cela n'avait plus d'importance. »

Elle parlait d'une voix sans timbre et sans expression. Lorsqu'un chirurgien fouille une plaie, le malade doit l'assurer sur ce ton que ça ne lui fait pas mal. Dans la lettre enterrée sous le roc, Ambroise écrivait : « Chez une femme, ces choses touchent plus profond. » Je m'aperçus tout à coup que j'avais écrit : « Cela n'a plus d'importance... plus d'importance. » Je déchirai le papier et me remis à écrire.

« Pour finir, dis-je, le testament n'a jamais été signé.

— Non, dit-elle. Ambroise l'a laissé tel que vous le voyez là. »

J'avais fini d'écrire. Je pliai le testament et la copie que j'en avais faite et les mis tous deux dans la poche où, quelques heures plus tôt, j'avais la lettre. Puis je vins m'agenouiller à côté du fauteuil de Rachel et la serrai dans mes bras, non comme une femme, mais comme une enfant.

« Rachel, dis-je, pourquoi Ambroise n'a-t-il pas signé le testament? »

Elle ne bougeait point, elle ne reculait point. Seule, sa main, sur mon épaule, se crispa brusquement.

« Dites-le-moi, fis-je, dites-le-moi, Rachel. »

La voix qui me répondit était faible et lointaine. Je n'entendis qu'un murmure dans mon oreille.

« Je ne l'ai jamais su, dit-elle, nous n'en avons pas reparlé. Mais je pense que lorsqu'il comprit que je ne pourrais plus avoir d'enfant, il perdit confiance en moi. Une espèce de foi mourut sans qu'il s'en rendît compte. »

A genoux ainsi tout contre elle, je songeai à la lettre enfermée dans mon portefeuille sous le morceau de granit, portant, en d'autres termes, cette même accusation, et je me demandai comment deux êtres qui s'étaient aimés pouvaient ainsi se tromper l'un sur l'autre et, possédés du même chagrin, s'éloigner l'un de l'autre. Il doit y avoir quelque chose, dans la nature de l'amour entre un homme et une femme, qui les pousse au tourment, au soupçon.

« Vous avez été malheureuse? demandai-je.

— Malheureuse? s'écria-t-elle. Que dites-vous là! J'étais presque folle de chagrin. »

Je les imaginais sur la terrasse de la villa, cette

ombre étrange entre eux faite tout entière de leurs propres doutes, de leurs propres craintes, et il me semblait que les germes de cette ombre remontaient au-delà de toute connaissance et qu'on n'en retrouverait jamais l'origine. Peut-être s'appesantissait-il sur la vie qu'elle avait menée avec Sangalletti, la blâmant de ce passé dont il était absent, tandis qu'elle, habitée par un égal ressentiment, redoutait que la perte de l'amour suivît la perte de la fonction maternelle. Comme elle avait peu compris Ambroise! Et qu'il la connaissait mal! J'aurais pu lui dire le contenu de la lettre sous le rocher, mais c'eût été inutile. Le malentendu était trop profond.

« C'est donc par erreur que le testament ne fut jamais signé? lui dis-je.

— Appelez ça erreur si vous voulez, répondit-elle. Cela n'y fait plus rien. Mais, peu après, ses manières changèrent, et lui aussi. Ces migraines qui le rendaient presque aveugle commencèrent. Elles le poussèrent, une fois ou deux, jusqu'à la violence. Je me demandais jusqu'à quel point j'en étais cause, et j'avais peur.

— Vous n'aviez pas d'amis?

— Rainaldi seulement. Et il n'a jamais su ce que je vous ai dit ce soir. »

Ce visage dur et froid, ces yeux enfoncés et scrutateurs... Je comprenais qu'Ambroise s'en méfiât. Mais comment Ambroise, qui était son mari, pouvait-il se sentir si peu sûr de lui? Un homme devait savoir lorsqu'une femme l'aimait. Peut-être, après tout, qu'on n'en possède jamais la certitude.

« Et quand Ambroise est tombé malade, repris-je, vous n'avez plus invité Rainaldi chez vous?

— Je n'osais pas, dit-elle. Vous ne pourrez jamais savoir ce qu'Ambroise est devenu et je ne désire pas vous l'apprendre. Je vous en prie, Philip, ne m'interrogez plus.

— Ambroise vous soupçonnait... de quoi?

— De tout. D'infidélité et pire encore.

— Que peut-il y avoir de pire que l'infidélité? »

Elle me repoussa tout à coup et, quittant son fauteuil, se dirigea vers la porte qu'elle ouvrit.

« Rien, dit-elle, rien au monde. Maintenant, allez-vous-en. Laissez-moi seule. »

Je me levai lentement et la rejoignis près de la porte.

« Je vous demande pardon, dis-je, je ne voulais point vous fâcher.

— Je ne suis pas fâchée, répondit-elle.

— Plus jamais, dis-je, je ne vous poserai de questions. Celles-ci étaient les dernières. Je vous en fais serment.

— Merci », dit-elle.

Elle avait le visage pâle, les traits tirés. Sa voix était froide.

« J'avais une raison pour les poser, dis-je. Vous la saurez dans trois semaines.

— Je ne vous demande pas de raison, Philip, dit-elle. Tout ce que je vous demande, c'est de vous en aller. »

Elle ne m'embrassa pas et ne me donna point la

main. Je la saluai et sortis. Pourtant, un instant auparavant, elle m'avait permis de m'agenouiller à côté d'elle et de la prendre dans mes bras. Pourquoi ce changement soudain? Si Ambroise connaissait peu les femmes, je les connaissais encore moins. Cette tendresse inattendue qui surprend un homme et l'enchante, puis, soudain, sans raison, l'humeur changée, la froideur... Quelle suite de pensées confuses et indirectes les envahissait, les incitant à la colère et au recul, puis à la générosité? Nous étions certainement différents d'elles, avec notre compréhension plus obtuse, nos démarches lentes et précises, tandis qu'elles, fantasques, instables, tournaient aux quatre vents.

Lorsqu'elle descendit, le lendemain matin, elle se montra de nouveau douce et bonne et ne fit aucune allusion à notre conversation de la veille. Nous enterrâmes le pauvre Don dans la plantation, sous un bout de terre un peu à l'écart, à l'entrée de l'allée des camélias, et j'entourai sa tombe d'un cercle de galets. Nous ne parlâmes pas de ce dixième anniversaire où Ambroise m'en avait fait présent, ni du vingt-cinquième qui était encore à venir. Mais, le lendemain, je me levai de bonne heure, donnai l'ordre de seller Gipsy et me rendis à Bodmin. J'allai chez un homme de loi, un nommé Wilfred Tewin, qui faisait les affaires de beaucoup de personnages du comté mais ne s'était jamais occupé de celles d'Ambroise, mon parrain s'en remettant pour elles à ses gens de Saint-Anstell. J'expliquai à Tewin que j'étais venu le consulter au sujet d'une affaire extrêmement urgente et privée, et que je désirais qu'il rédigeât un acte en due forme qui me mettrait à même de disposer de toute ma fortune en faveur de ma cousine, Mrs. Rachel Ashley, à la date du 1er avril où ladite fortune deviendrait légalement mienne.

Je lui montrai le testament qu'Ambroise n'avait point signé et lui expliquai que seule la maladie, puis une mort subite avaient été causes de cette omission. Je lui dis d'incorporer dans le document certaines clauses qui figuraient dans le testament préparé par Ambroise, et notamment celle qui prévoyait que la propriété me reviendrait à la mort de Rachel et que je ne cesserais pas de l'administrer. Au cas où je mourrais le premier, nos biens passeraient finalement, comme il se devait, à mon cousin au second degré, résidant dans le comté de Kent, mais seulement à la mort de Mrs. Rachel Ashley et non avant. Tewin saisit rapidement ce que je désirais et je crois que, n'étant point fort ami de mon parrain — ce qui était un peu la raison pour laquelle je m'étais adressé à lui —, il se trouvait flatté de voir une affaire aussi importante confiée à ses soins.

« Ne désirez-vous point ajouter une clause sauvegardant la terre? demanda-t-il. Dans la rédaction présente, Mrs. Ashley pourrait vendre telle partie qui lui plairait, ce qui me semble imprudent si vous avez l'intention de la léguer intacte à vos héritiers.

— Oui, répondis-je lentement, il vaut mieux ajouter une clause interdisant la vente. Cela s'applique également à la maison.

— Il y a des bijoux de famille, n'est-ce pas, et d'autres objets personnels, dit-il. Sous quel régime les placerons-nous?

— Pour cela, dis-je, elle en aura la pleine propriété et en disposera à sa guise. »

Il me lut un projet de document où je ne vis rien à reprendre.

« Autre chose, dit-il. Nous ne prévoyons rien au cas où Mrs. Ashley se remarierait?

— Cela est peu probable, dis-je.

— Peut-être, fit-il, mais l'éventualité n'en devrait pas moins être prévue. »

Il me regardait attentivement, sa plume suspendue.

« Votre cousine est encore relativement jeune, je crois, dit-il. Il faudrait en tenir compte. »

Je songeai incongrûment au vieux Saint-Ives, qui habitait à l'autre bout du comté et dont Rachel m'avait parlé en plaisantant.

« Au cas où elle se remarierait, dis-je vivement, la propriété me ferait retour. C'est très clair. »

Il ajouta une note au projet et me le lut à nouveau.

« Et vous désirez cet acte prêt en due forme pour le 1er avril, Mr. Ashley?

— Je vous en serais obligé. C'est le jour de mon anniversaire et la propriété m'appartiendra alors sans réserve. Personne n'y pourra rien objecter. »

Il plia le papier et me sourit.

« Vous faites là une chose très généreuse, dit-il. Tout donner dès l'instant qu'il devient vôtre.

— Il n'eût jamais été mien, dis-je, si mon cousin Ambroise Ashley avait mis sa signature sur ce testament.

— Tout de même, dit-il, je doute que pareille chose ait jamais été faite. Certainement pas à ma connaissance. Je suppose que vous désirez que cela ne se sache point avant le jour convenu?

— Certainement. L'affaire est des plus secrètes.

— A vos ordres, Mr. Ashley, et merci de votre confiance. Je reste à votre entière disposition au cas où vous désireriez me consulter de nouveau. »

Il m'accompagna jusqu'à la porte d'entrée avec force courbettes, en me promettant que le document me serait remis le 31 mars.

Je rentrai chez moi avec un sentiment de liberté intense. Je me demandais si mon parrain aurait une attaque d'apoplexie quand il apprendrait la nouvelle. Que m'importait! Je ne lui souhaitais aucun mal, une fois que je serais sorti de sa tutelle, mais je n'étais pas mécontent de la façon que je le jouais. Quant à Rachel, elle ne pourrait plus abandonner sa propriété pour s'installer à Londres. Son argument de la veille n'aurait plus de sens. Si elle faisait objection à ma présence dans la maison, parfait, je m'installerais au pavillon et irais chaque jour prendre ses ordres. Je me présenterais devant elle, chapeau bas, avec Wellington, Tamlyn et les autres. Je crois que si j'avais été un petit garçon, j'aurais fait des cabrioles, par pure joie de vivre. Je me contentai de lancer Gipsy sur un talus et faillis bien être désarçonné lorsque je retombai de l'autre côté brutalement. Les vents de mars me rendaient fou, j'aurais voulu chanter tout haut, mais je suis incapable de me rappeler un air. Les haies étaient vertes et les saules en bourgeons, et toute la masse des ajoncs fleurissait d'or et de miel. C'était un jour d'ivresse et de folie.

Lorsque je rentrai au milieu de l'après-midi et m'engageai dans l'avenue avec ma monture, je vis une chaise de poste arrêtée devant la porte. C'était un spectacle inusité, car les visiteurs de Rachel venaient toujours dans leurs propres équipages. Les roues et la chaise étaient couvertes de poussière, comme après un long voyage sur les routes, et ni la voiture ni le cocher ne m'étaient connus. Je tournai bride à leur vue et me dirigeai vers les écuries, mais le garçon qui vint prendre Gipsy n'en savait pas plus que moi sur les visiteurs et Wellington était absent.

Je ne vis personne dans le vestibule mais, comme j'avançais doucement vers le salon, j'entendis des voix derrière la porte fermée. Je décidai de gagner ma chambre par l'escalier de service mais, au moment même où j'allai retourner sur mes pas, la porte s'ouvrit et Rachel, riant et à demi tournée encore vers l'intérieur du salon, parut dans le vestibule. Elle semblait animée, heureuse, et avait cet éclat qui était tellement inhérent à sa personne aux moments de gaieté.

« Philip, vous êtes rentré, dit-elle. Venez dans le salon, j'ai là un visiteur auquel vous n'échapperez pas. Il vient de très loin pour nous voir tous les deux. »

Souriante, elle prit mon bras et m'entraîna malgré

moi dans la pièce. Un homme y était assis, qui se leva à ma vue et s'avança, la main tendue.

« Vous ne m'attendiez pas, dit-il, et je m'en excuse. Mais moi non plus je ne vous attendais pas, lorsque je vous ai vu pour la première fois. »

C'était Rainaldi.

CHAPITRE XX

Je ne sais pas si je montrai mes sentiments sur mon visage aussi vivement que je les sentis dans mon cœur, je le crois, car Rachel se hâta d'intervenir en racontant à Rainaldi que j'étais toujours dehors, à cheval ou à pied, qu'elle ne savait jamais où, et que je n'avais pas d'heures fixes pour mon retour.

« Philip travaille plus dur que ses paysans, dit-elle, et il connaît bien mieux qu'eux chaque parcelle de ses terres. »

Elle gardait sa main posée sur mon bras, comme pour me présenter au visiteur à la façon d'une institutrice qui cherche à faire valoir un enfant boudeur.

« Je vous félicite de votre beau domaine, dit Rainaldi. Je ne m'étonne point que votre cousine Rachel s'y soit tant attachée. Je ne lui avais jamais vu si bon aspect. »

Ses yeux que je me rappelais si bien, ces yeux sans expression, aux paupières lourdes, se posèrent un moment sur elle, puis revinrent vers moi.

« L'air d'ici, dit-il, doit porter au repos de l'esprit

et du corps beaucoup plus que notre air plus ardent de Florence.

— Ma cousine, dis-je, est originaire de cette province. Elle n'a fait que revenir dans son pays. »

Il sourit, si le léger mouvement qui passa sur son visage peut s'appeler sourire et, s'adressant à Rachel :

« Il faudrait savoir quel sang est le plus fort, n'est-il pas vrai? dit-il. Votre jeune parent oublie que votre mère était romaine. Et je puis ajouter que vous lui ressemblez de plus en plus.

— De visage seulement, j'espère, dit Rachel, pas de corps ni de caractère. Philip, Rainaldi prétend qu'il veut descendre dans une hôtellerie, il nous demande de lui en recommander une et ajoute qu'il n'est pas difficile, mais je lui ai dit que ça n'avait pas de sens commun. Nous pouvons sûrement mettre ici une chambre à sa disposition? »

Mon cœur se serra à cette idée, mais je ne pouvais refuser.

« Assurément, dis-je. Je vais donner des ordres sur-le-champ et renvoyer également la chaise de poste puisque vous n'en aurez plus besoin.

— Elle m'a amené d'Exeter, dit Rainaldi. Je vais payer l'homme, j'en louerai une autre pour retourner à Londres.

— Vous avez tout le temps de décider cela, dit Rachel. Maintenant que vous voilà ici, il faut y rester au moins quelques jours, afin de pouvoir tout voir. Et puis nous avons beaucoup de choses à discuter. »

Je sortis du salon pour donner des ordres au sujet de la chambre à préparer — il y en avait une, grande et nue, orientée à l'ouest, et qui lui conviendrait parfaitement — et montai lentement chez moi prendre un bain et m'habiller pour le dîner. De ma fenêtre, je vis Rainaldi sortir et payer le cocher de la chaise de poste puis s'arrêter un moment au milieu de l'allée et regarder autour de lui d'un air approbateur. J'avais l'impression qu'il estimait d'un seul regard la valeur des poutres, celle des arbres et des arbustes, et je le vis également examiner les sculptures de la porte d'entrée et les caresser de la main. Rachel devait l'avoir rejoint car j'entendis son rire, puis tous deux se mirent à parler en italien. La porte d'entrée se referma. Ils étaient rentrés.

J'avais presque envie de rester dans ma chambre et de faire dire à John de monter mon dîner. S'ils avaient vraiment tant de choses à se dire, ils seraient plus à leur aise sans moi. Toutefois, j'étais le maître de maison et devais me montrer courtois. Je pris mon bain lentement, m'habillai à contrecœur et, lorsque je descendis, trouvai Seecombe et John qui s'affairaient dans la salle à manger que nous n'avions pas utilisée depuis que l'on en avait nettoyé les boiseries et réparé le plafond. La plus belle argenterie était sur la table et l'on avait sorti le grand couvert réservé aux repas de cérémonie.

« A quoi bon tout ce tralala? dis-je à Seecombe. Nous aurions très bien pu dîner dans la bibliothèque.

— La maîtresse a donné des ordres, Monsieur », dit Seecombe, très digne, et je l'entendis commander à John de mettre la nappe de dentelle dont on ne se servait même pas pour les dîners du dimanche.

J'allumai ma pipe et sortis dans le parc. La soirée de printemps était lumineuse et il y avait encore une heure au moins avant le crépuscule. Toutefois, les bougies étaient allumées dans le salon, bien que les rideaux ne fussent pas encore fermés. Les bougies étaient allumées aussi dans la chambre bleue, et je vis Rachel passer et repasser devant les fenêtres en s'habillant. Ç'aurait été une soirée au boudoir si nous avions été seuls, moi savourant en moi-même ma démarche à Bodmin et elle, d'humeur douce, me racontant sa journée. Cela ne serait point. Lumières dans le salon, animation dans la salle à manger, conversation entre eux sur des sujets qui ne me regardaient pas et, par-dessus tout, le sentiment de répugnance instinctive que m'inspirait cet homme et le soupçon qu'il n'était point ici pour passer le temps, mais dans un dessein bien arrêté. Rachel savait-elle à l'avance qu'il était en Angleterre et viendrait lui rendre visite? Tout le plaisir de mon expédition à Bodmin m'avait quitté. L'escapade d'écolier était terminée. Je revins à la maison, très abattu et rempli de méfiance. Rainaldi était seul au salon, debout près du feu. Il avait quitté son costume de voyage et s'était habillé pour dîner. Il était en train d'examiner le portrait de ma grand-mère qui ornait un des panneaux.

« Charmant visage, dit-il, jolis yeux, joli teint. On est beau dans votre famille. La peinture elle-même est sans grande valeur.

— Je le crois, dis-je, les Lely et les Kneller sont dans l'escalier, si vous désirez les voir.

— Je les ai remarqués en descendant, répondit-il. Le Lely est bien placé, mais pas le Kneller. Je dirais d'ailleurs que celui-ci n'est pas de sa meilleure époque, mais exécuté dans un de ses moments les plus lâchés. Peut-être fini par un élève. »

Je ne dis rien, je guettais le pas de Rachel dans l'escalier.

« A Florence, avant mon départ, dit-il, j'ai réussi à vendre un Furini du début, pour votre cousine, une pièce de la collection Sangalletti, malheureusement dispersée aujourd'hui. Une chose exquise. Il était accroché au-dessus de l'escalier, dans un éclairage qui lui convenait au mieux. Vous ne l'aurez sans doute pas remarqué lorsque vous êtes venu à la villa.

— Sans doute », lui répondis-je.

Rachel fit son entrée. Elle portait la même robe qu'au souper de Noël, mais je remarquai qu'elle avait un châle sur les épaules. J'en fus heureux. Son regard alla de l'un à l'autre, comme pour deviner à notre expression comment nous nous entendions.

« J'étais en train de dire à votre cousin Philip, dit Rainaldi, combien j'avais été heureux de pouvoir vendre la Madone de Furini. Mais quelle tragédie d'avoir dû s'en défaire!

— Nous avons l'habitude, n'est-ce pas? fit-elle. Tant de trésors qui n'ont pu être sauvés! »

Je me surpris à lui en vouloir de l'usage de ce « nous » dans une telle acception.

« Avez-vous réussi à vendre la villa? demandai-je brusquement.

— Pas encore, répondit Rainaldi. En fait — c'est en partie pourquoi je suis venue voir votre cousine Rachel —, nous sommes à peu près décidés à la louer plutôt, avec un bail de trois ou quatre ans. Cela sera plus avantageux et moins définitif que de la vendre. Votre cousine peut désirer revenir à Florence un de ces jours. Elle y a vécu si longtemps.

— Je n'ai pas l'intention d'y retourner pour le moment.

— Sans doute, répondit-il, mais nous verrons. »

Ses yeux la suivaient, tandis qu'elle allait et venait par la pièce, et je souhaitais de tout mon cœur qu'elle s'assît pour qu'il cessât ce manège. Son fauteuil habituel était un peu à l'écart. Il n'y avait pas de raison qu'elle continuât à circuler dans le salon, si ce n'était pour montrer sa robe. Je lui avançai un siège, mais elle ne s'assit point.

« Figurez-vous que Rainaldi a passé plus d'une semaine à Londres sans m'en rien dire, fit-elle. Je n'ai jamais été aussi étonnée de ma vie lorsque Seecombe m'a annoncé qu'il était là. Je le trouve bien cachottier de ne pas m'avoir prévenue. »

Elle lui sourit, à demi tournée vers lui, et il haussa les épaules.

« J'espérais que la surprise d'une arrivée soudaine vous ferait davantage plaisir, dit-il, l'inattendu peut être délicieux ou le contraire, tout dépend des circonstances. Vous souvenez-vous du jour où vous étiez à

Rome et où Cosimo et moi sommes arrivés juste au moment où vous vous habilliez pour vous rendre à un bal chez les Castelucci? Vous étiez très contrariée de notre venue à tous deux.

— Ah! mais c'est que j'avais une raison, dit-elle en riant. Si vous avez oublié, ce n'est pas moi qui vous la rappellerai.

— Je ne l'ai pas oubliée, dit-il. Je me rappelle même la couleur de votre robe. On eût dit de l'ambre. Et Benito Castelucci vous avait envoyé des fleurs. J'ai vu sa carte, mais pas Cosimo. »

Seecombe vint annoncer que le dîner était servi, et Rachel se dirigea vers la salle à manger, toujours riant et rappelant à Rainaldi des événements qui s'étaient passés à Rome. Je ne m'étais jamais senti plus maussade et moins à ma place. Ils continuèrent à parler de personnages et de lieux importants. De temps à autre, Rachel me tendait sa main de l'autre côté de la table comme à un enfant en disant : « Il faut nous pardonner, Philip très cher. Il y a si longtemps que je n'avais vu Rainaldi! » tandis qu'il me regardait de ses yeux sombres et comme encapuchonnés et souriait lentement.

Une fois ou deux, ils se mirent à parler italien. Il lui racontait quelque chose et soudain s'arrêtait pour chercher un mot puis, avec un mouvement d'excuse vers moi, continuait dans sa langue. Elle lui répondait de même et, tandis que j'entendais les mots inconnus sortir de ses lèvres, tellement plus rapides que lorsque nous parlions ensemble en anglais, il me semblait que toute son attitude était changée; elle était plus animée, plus vive, mais plus dure aussi, et montrait un brillant nouveau qui me plaisait moins.

J'avais l'impression que ces deux êtres s'étaient fourvoyés à ma table entre les boiseries de la salle à manger : ils auraient dû être ailleurs, à Florence ou à Rome, servis par des domestiques bruns et glissants, et environnés de tout l'éclat d'une société qui m'était étrangère et qui bruissait et souriait dans ces propos que je ne comprenais point. Ils n'auraient pas dû se trouver là, entourés par la démarche lourde de Seecombe, à cette table sous laquelle s'agitaient de jeunes chiens. Je me voûtais dans mon fauteuil, irrité, découragé, et je me faisais l'effet d'une tête de mort à ma propre table. Je me servis de noix et les brisai entre mes mains pour me soulager. Rachel resta avec nous tandis qu'on passait le porto et l'eau-de-vie, ou plutôt que je les passais, car je n'en pris point tandis qu'ils buvaient tous les deux.

Il alluma un cigare qu'il prit dans un étui qu'il portait sur lui et me considéra d'un air indulgent pendant que j'allumais ma pipe.

« Tous les jeunes Anglais fument la pipe, il me semble, remarqua-t-il. On croit que cela aide la digestion, mais il paraît que cela gâte l'haleine.

— Comme de boire de l'eau-de-vie, ce qui peut, en outre, gâter le jugement », dis-je.

Je me rappelai tout à coup le pauvre Don, mort, à présent, sous la plantation, et la façon dont il se conduisait au temps de sa jeunesse lorsqu'il rencontrait un chien qui lui déplaisait : son poil se hérissait, sa queue se dressait et, d'un bond, il le prenait à la gorge. Je savais maintenant ce qu'il éprouvait.

« Si vous voulez bien nous excuser, Philip, dit Rachel en se levant, Rainaldi et moi avons beaucoup de choses à discuter et il m'a apporté des papiers à signer. Nous serons mieux pour cela là-haut dans le boudoir. Nous rejoindrez-vous plus tard?

— Je ne crois pas, dis-je. J'ai été dehors toute la journée et des lettres m'attendent dans le bureau. Je vous souhaite bonne nuit à tous deux. »

Elle sortit de la salle à manger et il la suivit. Je les entendis monter. J'étais encore assis là lorsque John vint débarrasser la table.

Je sortis alors et marchai dans le parc. Je vis de la lumière dans le boudoir, mais on tira les rideaux. Maintenant qu'ils étaient seuls, ils devaient parler italien. Elle était assise sur la chaise basse devant le feu, lui à côté d'elle. Je me demandai si elle lui ferait part de notre conversation de la veille au soir et lui raconterait que j'avais emporté le testament et en avais pris copie. Je me demandais quels conseils il lui donnait et quels papiers il lui avait apportés à signer. Leurs affaires réglées, recommenceraient-ils à parler des gens et des lieux qu'ils connaissaient tous deux? Ferait-elle de la tisane comme elle en faisait pour moi et circulerait-elle à travers la pièce pour qu'il pût la contempler? Je me demandais à quelle heure il prendrait congé d'elle et irait se coucher et si, à ce moment, elle lui tendrait la main? Resterait-il un moment près de la porte, cherchant des prétextes pour s'attarder comme je le faisais? Ou bien, le connaissant si bien, lui permettrait-elle de veiller plus longtemps avec elle?

Je traversai le parc jusqu'à la nouvelle terrasse, descendis le petit chemin qui menait à la plage et remontai par l'allée de jeunes cèdres, puis recommençai le même cercle plusieurs fois de suite, jusqu'au moment où j'entendis l'horloge de la tour sonner dix heures. C'était l'heure où l'on me donnait mon congé, en irait-il de même pour lui? J'allai me planter au coin de la pelouse et observai la fenêtre. Le boudoir était encore éclairé. J'attendis. La lumière ne s'éteignit point. La promenade m'avait donné chaud mais l'air à présent était frais sous les arbres. Je commençais à avoir froid aux pieds et aux mains. La nuit était noire et sans mélodie. Pas de lune, ce soir, pour caresser de blanc le sommet des arbres. A onze heures, tout de suite après le dernier coup sonné à l'horloge, la lumière du boudoir s'éteignit, et celle de la chambre bleue la remplaça. Je m'attardai encore un moment puis, brusquement, tournai autour de la maison, passai devant la cuisine pour gagner la façade ouest et, là, levai la tête vers la fenêtre de Rainaldi. Un sentiment de soulagement m'envahit. Ici aussi, une lumière brûlait. J'en voyais l'éclat entre les volets joints. La fenêtre était fermée. Je me dis avec une espèce de supériorité insulaire qu'il ne l'ouvrirait sûrement point de la nuit.

Je rentrai dans la maison et montai à ma chambre. Je venais de retirer ma veste et ma cravate et de les lancer sur une chaise, lorsque j'entendis le bruissement de sa robe dans la galerie, puis un léger coup à la porte. Je l'ouvris. Elle était debout devant moi, tout habillée encore, son châle toujours sur ses épaules.

« Je suis venue vous souhaiter la bonne nuit, dit-elle.

— Merci, répondis-je. Je vous la souhaite de même. » Elle me regarda et vit de la boue sur mes chaussures.

« Où étiez-vous toute la soirée? demanda-t-elle.

— Je me suis promené dans le parc, lui répondis-je.

— Pourquoi n'êtes-vous pas venu prendre votre tisane au boudoir? demanda-t-elle.

— Je n'en avais pas envie, répondis-je.

— Vous êtes ridicule, dit-elle. Vous vous êtes conduit pendant tout le dîner comme un collégien boudeur qui mérite une correction.

— Je vous demande pardon, dis-je.

— Rainaldi est un très ancien ami, vous le savez, dit-elle. Nous avions beaucoup de choses à nous dire. Vous devez bien comprendre cela.

— Est-ce parce qu'il est un ami tellement plus ancien que moi que vous lui permettez de rester au boudoir jusqu'à onze heures? demandai-je.

— Il était onze heures? dit-elle. Je ne l'avais pas remarqué.

— Combien de temps va-t-il rester ici? demandai-je.

— Cela dépend de vous. Si vous êtes poli et voulez bien l'y inviter, il restera peut-être trois jours. Pas davantage. Il faut qu'il retourne à Londres.

— Je l'inviterai, puisque vous me le demandez.

— Merci, Philip. »

Soudain, elle leva les yeux vers moi, son regard s'attendrit et je vis l'ombre d'un sourire au coin de sa bouche.

« Que se passe-t-il? dit-elle, pourquoi êtes-vous si sot? A quoi pensiez-vous en arpentant le parc? »

J'aurais pu lui répondre mille choses : combien je me méfiais de Rainaldi, combien sa présence dans ma maison m'était odieuse, combien je souhaitais que tout fût comme avant, et moi seul avec elle. Au lieu de cela, et pour ne pas prolonger cette discussion, je lui dis :

« Qui était donc ce Benito Castelucci qui vous envoyait des fleurs? »

La cascade de rire coula de ses lèvres et elle mit ses bras autour de mon cou.

« Il était vieux, très gros, il sentait le cigare. Et je t'aime trop, beaucoup trop », dit-elle, et s'en alla.

Je suis sûr que, vingt minutes après m'avoir quitté, elle dormait paisiblement, tandis que j'entendis l'horloge de la tour sonner toutes les heures jusqu'à quatre heures, puis tombai dans ce sommeil inquiet du matin qui s'alourdit vers sept heures et dont John m'éveilla sans ménagements à l'heure habituelle.

Rainaldi resta non trois, mais sept jours, et je ne découvris, au cours de ces sept jours, aucune raison de modifier mon opinion à son sujet. Je crois que ce que je détestais le plus était l'air protecteur qu'il prenait avec moi. Une espèce de demi-sourire jouait sur ses lèvres chaque fois qu'il me regardait, comme si j'eusse été un enfant à la portée de qui il lui fallût se mettre et, quelle qu'eût été mon occupation de la journée, il s'en enquerrait et la commentait comme s'il se fût agi d'une escapade de gamin. Je cessai de déjeuner à la maison et. lorsque je rentrais, un peu après quatre heures, je les retrouvais au salon, dans une de leurs éternelles conversations en italien que mon apparition interrompait.

« Ah! voilà le travailleur de retour! » disait Rainaldi, assis, le misérable, dans le fauteuil où je m'installais toujours lorsque nous étions seuls. « Et tandis qu'il parcourait ses champs et veillait, n'en doutons point, à ce que ses charrues creusassent dans le sol les sillons qu'il fallait, vous et moi, Rachel, étions bien loin en pensée et en rêve. Pourtant, nous n'avons pas bougé d'ici, sauf quelques pas sur la nouvelle terrasse. L'âge mûr apporte bien des douceurs.

— Vous avez une mauvaise influence sur moi, Rainaldi, répondit-elle. Depuis que vous êtes ici, je néglige tous mes devoirs. Je n'ai pas fait de visites. Je n'ai pas surveillé les plantations. Philip va me gronder de mon oisiveté.

— Votre pensée n'a pas été oisive, dit-il. Vous avez, en ce sens, couvert plus de terrain que votre jeune cousin avec ses pieds. Ou bien n'était-il point à pied aujourd'hui, mais en selle? Les jeunes Anglais se fatiguent beaucoup, physiquement. »

Je percevais sa moquerie qui faisait de moi un cheval de labour sans cervelle, et la façon dont Rachel vint à mon secours, affectant une fois de plus son air d'institutrice m'irrita encore davantage.

« C'est mercredi, dit-elle, et, le mercredi, Philip ne sort ni à pied, ni à cheval, il fait ses comptes dans son bureau. Il est très fort en calcul et sait à un sou près ce qu'il dépense, n'est-ce pas, Philip?

— Pas toujours, répondis-je. D'ailleurs, aujourd'hui, je n'ai pas fait de comptes, j'ai remplacé un voisin au tribunal et ai eu à juger un garçon accusé de vol. Il s'en est tiré avec une amende et sans prison. »

Rainaldi me regarda avec son air d'indulgence amusée.

« Un jeune Salomon rustique, dit-il. On lui découvre sans cesse de nouveaux talents. Rachel, votre cousin ne vous rappelle-t-il pas le portrait du Baptiste par Del Sarto? Une espèce d'arrogance à la fois et de naïveté.

— Peut-être, dit Rachel. Je n'y ai jamais songé. Pour moi, il ne ressemble qu'à une seule personne.

— Ah! cela, évidemment, répondit Rainaldi, mais il a aussi certainement un air de Del Sarto. Un jour, il faudra que vous l'arrachiez à ses champs et que vous lui montriez notre pays. Les voyages forment la jeunesse et j'aimerais beaucoup le voir entrer dans un musée ou dans une église.

— Ambroise trouvait l'un et l'autre très ennuyeux, dit Rachel, et je doute que Philip en soit plus séduit. Alors, avez-vous vu votre parrain au tribunal? Je voudrais emmener Rainaldi chez lui à Pelyn.

— Je l'ai vu, en effet, répondis-je. Il vous envoie ses hommages.

— Mr. Kendall a une fille tout à fait charmante, dit Rachel à Rainaldi, un peu plus jeune que Philip.

— Une fille? Ah! vraiment? fit Rainaldi. Votre jeune cousin n'est donc pas sevré de toute compagnie féminine?

— Oh! que non! dit Rachel en riant. Il n'est pas une mère à vingt lieues à la ronde qui n'ait l'œil sur lui. »

Je me rappelle lui avoir lancé un regard furieux qui la fit rire encore davantage et, passant devant moi pour monter s'habiller, elle me tapota l'épaule ainsi qu'elle en avait l'exaspérante habitude. A la manière de tante Phoebé, lui disais-je naguère, ce qui l'amusait beaucoup.

Ce fut à ce moment que Rainaldi me dit, après qu'elle se fut retirée :

« Ç'a été fort généreux à vous et à votre tuteur d'avoir fait une pension à votre cousine Rachel. Elle en a été profondément touchée. Elle me l'a écrit.

— C'était le moins que le domaine pût faire », dis-je, espérant que mon ton le découragerait de poursuivre la conversation.

Je n'avais aucun désir de lui annoncer ce qui se passerait trois semaines plus tard.

« Vous savez peut-être, reprit Rainaldi, qu'en dehors de cette pension, elle n'a aucune fortune personnelle, sauf ce que je parviens à vendre pour elle de temps en temps. Ce changement d'air lui a fait le plus grand bien mais je pense qu'elle éprouvera de nouveau, avant qu'il ne soit longtemps, le besoin d'une société comme celle à laquelle elle était accoutumée à Florence. C'est la raison pour laquelle je ne vends pas la villa. Elle y est très attachée. »

Je ne répondis pas. C'est lui qui faisait tout pour l'y attacher. Elle n'avait pas parlé d'attachement avant qu'il vînt. Je me demandais de quelle fortune personnelle lui-même disposait et s'il lui donnait de l'argent non seulement lorsqu'il vendait quelque objet de la collection Sangalletti mais aussi de sa propre bourse. Comme Ambroise avait eu raison de se méfier de lui! Par quelle faiblesse Rachel le gardait-elle pour conseiller et pour ami?

« Sans doute, reprit Rainaldi, serait-il plus sage de vendre la villa et que Rachel prît un appartement à Florence ou bien fît bâtir une petite maison à Fiesole. Elle a là-bas beaucoup d'amis qui voudraient bien ne pas la perdre, moi entre autres.

— Vous m'avez dit à notre première rencontre, dis-je, que ma cousine Rachel était une impulsive. Sans doute le restera-t-elle et donc habitera où cela lui plaira.

— Sans doute, répondit Rainaldi. Mais ses impulsions n'ont pas toujours été heureuses. »

Je suppose qu'il désirait insinuer par là qu'il comptait son mariage avec Ambroise parmi ces dernières, et qu'il considérait sa venue en Angleterre comme le résultat d'une impulsion aux suites également douteuses. Il disposait d'un certain pouvoir sur elle, du fait qu'il dirigeait ses affaires, et pensait en user pour la ramener à Florence. Je suppose que tel était l'objet de sa visite. Il désirait la convaincre que sa présence était nécessaire là-bas et peut-être aussi que la pension que lui faisait le domaine serait à la longue insuffisante. Je tenais la carte maîtresse, et il ne le savait pas.

Dans trois semaines, elle serait indépendante de Rainaldi pour le reste de ses jours. J'aurais eu envie de sourire si je n'avais pas détesté à ce point la vue de mon visiteur.

« Cela doit être bien singulier pour vous, étant donné l'éducation que vous avez reçue, de vivre ainsi avec une femme sous votre toit, plusieurs mois de suite », dit Rainaldi, son regard encapuchonné fixé sur moi. « Cela ne vous a-t-il jamais pesé?

— Au contraire, dis-je, je trouve cela très agréable.

— Ce n'en est pas moins une drogue puissante pour un être jeune et inexpérimenté comme vous, dit-il. Absorbée à pareille dose, ce pourrait même être dangereux.

— J'ai presque vingt-cinq ans, répondis-je, et crois savoir assez bien quelle drogue me convient.

— Votre cousin Ambroise le croyait aussi, à quarante-trois ans, fit Rainaldi. La suite a prouvé qu'il se trompait.

— Est-ce un avertissement ou un conseil? demandai-je.

— Les deux, dit-il, si vous savez les recevoir. Et maintenant, excusez-moi, il faut que j'aille m'habiller pour dîner. »

Je pense que telle était sa tactique pour nous écarter l'un de l'autre, Rachel et moi : laisser tomber un mot à peine venimeux par lui-même, mais suffisant pour empoisonner l'atmosphère. S'il me suggérait de me garder d'elle, que lui insinuait-il à mon sujet? Se contentait-il de hausser les épaules lorsqu'ils conversaient dans le salon en mon absence, en disant que les jeunes Anglais avaient tous les membres longs et peu de cervelle, ou bien eût-ce été trop facile? Il possédait certainement un arsenal de propos désobligeants et appropriés.

« Ce qui est fâcheux pour les hommes très grands, remarqua-t-il un jour, c'est qu'ils se voûtent fatalement. » (Lorsqu'il dit cela, j'étais debout sous le linteau de la porte et me penchais pour dire un mot à Seecombe.) « Et les plus musclés deviennent trop corpulents.

— Ambroise n'était pas corpulent, dit vivement Rachel.

— Il ne prenait pas l'exercice que prend ce garçon. C'est l'excès de marche, d'équitation et de natation qui développe certaines parties du corps de façon disproportionnée. Je l'ai souvent remarqué et presque toujours chez les Anglais. Nous autres, en Italie, avons une charpente plus fine et menons une vie plus sédentaire. Aussi ne nous déformons-nous point. En outre, notre régime est plus léger pour le foie et le sang. Pas tant de ces lourdes viandes de bœuf et de mouton. Quant aux pâtisseries... » Il agita la main avec désapprobation. « Ce garçon avale des monceaux de pâtisseries. Je l'ai vu hier venir tout seul à bout d'un pâté.

— Vous entendez, Philip? dit Rachel. Rainaldi trouve que vous mangez trop. Seecombe, il va falloir mettre Mr. Philip à la portion congrue.

— Oh! non, Madame, dit Seecombe indigné. Manger moins qu'il ne fait serait mauvais pour sa santé. Il ne faut pas oublier, Madame, que, selon toute probabilité, Mr. Philip n'a pas encore fini de grandir.

— Dieu l'en préserve, murmura Rainaldi. S'il grandit encore à vingt-cinq ans, il faudrait voir là le symptôme de désordres internes alarmants. »

Il avala son eau-de-vie — elle l'autorisait à la prendre au salon — d'un air pensif et avec un tel regard sur moi que j'avais l'impression de mesurer sept pieds, comme le pauvre Jack Tervose, le simple d'esprit que sa mère montrait à la foire de Bodmin pour qu'on lui donnât des sous.

« J'espère, dit Rainaldi, que vous avez une bonne santé? Pas de maladie grave dans l'enfance ayant pu provoquer du gigantisme?

— Je ne me rappelle pas, dis-je, avoir jamais été malade.

— Cela n'est pas bon signe, dit-il. Les gens qui n'ont jamais souffert de maladie sont les premiers abattus quand la nature les attaque. N'ai-je pas raison, Seecombe?

— C'est possible, Monsieur. Je ne sais vraiment pas », dit Seecombe; mais comme il sortait de la chambre, je le vis me regarder d'un air inquiet, comme si j'avais été atteint de petite vérole.

« Cette eau-de-vie, dit Rainaldi, devrait rester en cave encore une bonne trentaine d'années. Elle deviendra buvable quand les enfants du jeune Philip seront majeurs. Vous rappelez-vous, Rachel, cette soirée à la villa où Cosimo et vous receviez tout Florence et où il avait exigé que nous fussions tous en masques et dominos comme à Venise en carnaval? Et où votre pauvre chère mère se tint si mal avec je ne sais plus quel prince. N'était-ce point Lorenzo Ammanati?

— Ç'aurait pu être n'importe qui, dit Rachel, mais ce n'était pas Lorenzo, il était trop occupé à courir après moi.

— Quelles nuits de folie, fit Rainaldi, rêveur. Nous étions tellement jeunes et totalement sans frein. Cela valait mieux que d'être rassis et paisibles comme nous voilà aujourd'hui. Vous ne donnez jamais de fêtes de ce genre en Angleterre? Le climat, il est vrai, y serait peu propice. Mais notre jeune Philip trouverait peut-être amusant de se déguiser en masque et domino et de jouer à cache-cache dans les buissons avec Miss Kendall.

— Je suis sûre que Louise ne demanderait pas mieux », répondit Rachel, et je vis son regard s'arrêter sur moi et sa bouche frémir malicieusement.

Je sortis de la pièce et les entendis reprendre sur-le-champ leur dialogue en italien, lui d'une voix interrogative et elle lui répondant en riant, et je compris qu'ils parlaient de moi et peut-être aussi de Louise et des bruits ridicules qui, paraît-il, couraient dans le pays au sujet de nos futures fiançailles. Bon Dieu! Allait-il encore rester longtemps? Combien de jours et de nuits de ce genre me faudrait-il endurer?

Le dernier soir qu'il passa sous mon toit, nous eûmes Louise et mon parrain à dîner. Le repas se passa assez bien. Je remarquai que Rainaldi déployait toute sa politesse à l'intention de mon parrain et tous deux se trouvèrent former un groupe avec Rachel, nous laissant un peu à l'écart, Louise et moi. De temps à autre, je surprenais Rainaldi à nous regarder avec une espèce de bienveillance amusée et je l'entendis même dire, *sotto voce,* à mon parrain : « Tous mes compliments pour votre fille et votre filleul. Ils font un couple charmant. » Louise l'entendit aussi. La pauvre fille devint écarlate, et je m'empressai à son secours en lui demandant quand elle comptait aller à Londres, mais sans résultat appréciable. Après le dîner, la question de ce voyage à Londres revint dans la conversation et Rachel dit :

« J'espère, moi aussi, aller bientôt à Londres. Si nous y sommes en même temps — ceci à l'adresse de Louise — il faudra m'en montrer toutes les beautés, car je n'y suis jamais allée. »

Mon parrain tendit l'oreille à ces paroles.

« Vous pensez donc à quitter notre province? dit-il. Il faut dire que vous avez supporté les rigueurs de l'hiver en Cornouailles avec beaucoup de patience. Vous trouverez Londres plus divertissant. »

Puis, se tournant vers Rainaldi :

« Vous y serez encore?

— Mes affaires m'y retiendront encore quelques semaines, répondit Rainaldi, mais si Rachel décide d'y venir, je me mettrai naturellement à sa disposition. Je connais fort peu votre capitale. J'espère que votre fille et vous nous ferez le plaisir de dîner avec nous quand vous vous y trouverez.

— Nous en serons très heureux, dit mon parrain. Londres est parfois délicieux au printemps. »

J'aurais pu frapper leurs têtes les unes contre les autres, pour le calme avec lequel ils envisageaient cette réunion, mais l'usage que Rainaldi faisait du mot « nous » m'enrageait plus que tout le reste. Je voyais son plan. L'attirer à Londres, l'y amuser tout en menant ses autres affaires, puis la persuader de retourner en Italie. Et mon parrain avait ses raisons pour favoriser un tel plan.

Ils ne savaient point que j'avais un plan, moi aussi, de nature à déjouer tous les leurs. La soirée s'écoula ainsi dans les protestations d'amitié, et Rainaldi alla jusqu'à prendre mon parrain à part pendant un bon quart d'heure pour lui instiller, j'imagine, quelques nouvelles gouttes de son venin.

Je ne revins pas au salon après le départ des Kendall. J'allai me coucher en laissant ma porte entrebâillée, afin d'entendre monter Rachel et Rainaldi. Ils tardèrent longtemps. Minuit sonna qu'ils étaient encore en bas. Je me levai et restai un moment sur le palier, l'oreille tendue. La porte du salon était entrouverte et j'entendis le murmure de leurs voix. La main sur la rampe pour alléger ma marche, je descendis pieds nus, la moitié de l'étage. Des souvenirs d'enfance me revenaient. J'avais fait cela, petit garçon, lorsque Ambroise recevait à dîner. Comme en ce temps-là, je me sentais coupable. La conversation continuait. Mais écouter Rachel et Rainaldi ne servait à rien, puisqu'ils parlaient italien. De temps à autre, je reconnus mon nom, Philip, et, à plusieurs reprises, celui de mon parrain, Kendall. Il y avait une espèce d'intensité bizarre dans le ton de Rachel, que Rainaldi semblait interroger. Je me demandai avec une soudaine répugnance si mon parrain avait parlé à Rainaldi de ses amis voyageurs venus de Florence et si, à son tour, Rainaldi en avait parlé à Rachel. Quel temps perdu que mes années de collège à Harrow et l'étude du grec et du latin! Deux personnes parlaient italien dans ma propre maison, discutaient peut-être de questions des plus importantes pour moi, et je n'y pouvais distinguer que le son de mon nom.

Un silence tomba soudain. Ils se taisaient tous deux. Je n'entendis aucun mouvement. Et s'il s'était approché d'elle, l'avait prise dans ses bras, et si elle l'embrassait en ce moment comme elle m'avait embrassé la veille de Noël? Une telle onde de haine m'emplit à cette pensée que je faillis perdre toute prudence, descendre en courant et ouvrir largement la porte. Puis j'entendis de nouveau la voix de Rachel et le bruit de sa robe approchant de la porte. Je vis le reflet de sa bougie allumée. Le long entretien était enfin terminé. Ils montaient se coucher. Je regagnai sans bruit ma chambre, pareil au petit garçon d'autrefois.

J'entendis Rachel suivre la galerie jusqu'à son appartement et Rainaldi tourner de l'autre côté pour gagner le sien. Sans doute ne saurais-je jamais de quoi ils avaient discuté si longuement ce soir, mais du moins était-ce la dernière nuit qu'il passait sous mon toit; le lendemain je dormirais d'un cœur allégé.

Ce fut à peine si je pus avaler mon petit déjeuner

le lendemain matin, dans ma hâte de le pousser dehors. Les roues de la chaise de poste qui devait l'emmener à Londres grincèrent dans l'avenue et Rachel qui avait eu pourtant le temps de lui dire adieu la veille au soir, descendit, dans son habit de jardinière, lui souhaiter bon voyage.

Il lui prit la main et la baisa. Par courtoisie pour moi, son hôte, il daigna prendre congé en anglais.

« Vous m'écrirez donc vos projets? lui dit-il. Rappelez-vous, lorsque vous serez disposée à venir, que je vous attendrai à Londres.

— Je ne ferai aucun projet, dit-elle, avant le 1er avril. »

Et, se tournant à demi, elle me sourit par-dessus son épaule.

« N'est-ce point l'anniversaire de votre cousin? dit Rainaldi en montant dans la chaise de poste. J'espère que la fête sera réussie et qu'il n'engloutira pas un trop gros pâté. »

Et il ajouta en se penchant vers la portière, comme une dernière flèche à mon adresse.

« Ça doit être curieux d'avoir son anniversaire à une pareille date. Le jour des poissons d'avril, le jour des farces, n'est-ce pas? Mais peut-être qu'à vingt-cinq ans vous vous trouvez trop vieux pour ces jeux. »

Puis il disparut et la chaise de poste descendit l'avenue et franchit la grille. Je regardai Rachel.

« J'aurais peut-être dû lui demander de venir pour cette fête? » dit-elle.

Puis, avec le sourire soudain qui me touchait le

cœur, elle prit les primevères qu'elle portait à son corsage et les mit à ma boutonnière.

« Vous avez été bien sage pendant ces sept jours, murmura-t-elle, et moi bien négligente de mes devoirs Etes-vous content que nous soyons de nouveau seuls tous les deux? »

Sans attendre la réponse, elle s'en fut retrouver Tamlyn dans le jardin.

CHAPITRE XXI

Les dernières semaines de mars s'écoulèrent très rapidement; à chaque jour qui passait, je me sentais plus de confiance en l'avenir et plus de légèreté au cœur. Rachel semblait deviner mon humeur et la partager.

« Je n'ai jamais vu personne d'aussi ridicule au sujet d'un anniversaire, me dit-elle. Vous êtes comme un enfant qui se réveille et trouve le monde magique. Cela vous cause-t-il vraiment tant de joie d'être débarrassé de la tutelle de ce pauvre Mr. Kendall? Je suis sûre qu'on n'aurait pu trouver tuteur plus indulgent. Quels projets avez-vous pour le jour de votre anniversaire?

— Aucun, répondis-je, sinon qu'il faudra vous rappeler ce que vous m'avez dit dernièrement : le jour de notre anniversaire, tous nos vœux doivent être exaucés.

— Jusqu'à dix ans, dit-elle, jamais plus tard.

— Ce n'est pas juste, dis-je, vous n'avez pas précisé d'âge.

— S'il s'agit d'un déjeuner sur l'herbe ou d'une

promenade en bateau, me dit-elle, je vous préviens que je ne vous accompagnerai pas. Il fait beaucoup trop froid en cette saison et je suis encore moins experte en navigation qu'en équitation. Il faudra emmener Louise à ma place.

— Je n'emmènerai pas Louise, dis-je, et nous ne ferons rien qui ne convienne parfaitement à votre dignité. »

En fait, je n'avais pas songé au programme de la journée, j'avais décidé qu'elle trouverait l'acte de donation sur le plateau de son petit déjeuner et, pour le reste, je m'en remettrais au hasard. Toutefois, quand le jour du 31 mars se leva, je m'avisai d'une autre chose que je désirais faire. Je me rappelai les bijoux en garde à la banque et je me retrouvai bien sot de n'y avoir pas songé plus tôt. J'avais donc deux entretiens en perspective pour ce jour-là : l'un avec Mr. Couch et l'autre avec mon parrain.

Je commençai par Mr. Couch. Je pensais que les coffrets pourraient être trop encombrants pour être transportés sur Gipsy et je ne voulais point commander la voiture, de crainte que Rachel ne l'entendît et ne voulût en profiter pour faire quelques emplettes. Je trouvai donc un prétexte pour descendre à pied en ville et donnai l'ordre au valet de venir m'y prendre avec la charrette. La malchance voulut que tout le voisinage ou presque eût choisi ce matin-là pour faire des achats, et comme il faudrait se cacher sous une porte ou plonger dans la mer pour n'être pas vu de son prochain dans notre petit port, j'eus beaucoup de peine à éviter de me trouver face à face avec Mrs. Pascoe et sa nichée de filles. Les efforts que je faisais pour me dissimuler suffirent certainement à attirer l'attention de tout un chacun, et l'on devait se chuchoter que Mr. Ashley se conduisait de façon singulière, entrant dans la halle aux poissons par une porte pour en ressortir par l'autre et se précipitant à l'auberge de la Rose et de la Couronne à onze heures du matin, au moment où la femme du pasteur de la paroisse descendait la rue. On allait certainement raconter un peu partout que Mr. Ashley buvait.

Enfin, je me retrouvai en sûreté entre les murs épais de la banque. Mr. Couch me reçut aussi aimablement qu'à ma précédente visite.

« Cette fois, dis-je, je suis venu pour tout emporter. »

Il me regarda avec un air de surprise peinée.

« Mr. Ashley, fit-il, vous n'avez pas l'intention de retirer votre compte de notre établissement?

— Non, répondis-je. Je parlais des bijoux de famille. J'aurai vingt-cinq ans demain et ils deviennent ma propriété légale. Je désire les avoir auprès de moi lorsque je me réveillerai le matin de mon anniversaire. »

Il dut me juger un peu bizarre, pour ne pas dire davantage.

« Si je vous comprends bien, fit-il, vous voulez vous passer un caprice pour une journée seulement? Vous avez déjà fait quelque chose de ce genre, n'est-ce pas, la veille de Noël? Mr. Kendall, votre tuteur, nous a rapporté le collier.

— Il ne s'agit pas de caprice, Mr. Couch, dis-je. Je désire avoir ces bijoux chez moi à ma disposition. Est-ce clair?

— J'entends, dit-il. Enfin, j'espère que vous avez un coffre dans la maison ou au moins un endroit sûr où les enfermer.

— C'est mon affaire, Mr. Couch, dis-je. Je vous serais très obligé de bien vouloir me remettre les bijoux sur-le-champ. Pas seulement le collier, cette fois. Toute la collection. »

On aurait dit que je le dépouillais de ses propres biens.

« Comme vous voudrez, fit-il à contrecœur. Nous allons mettre un certain temps à les sortir du coffre et à les envelopper avec tout le soin qui s'impose. Si vous avez quelque autre affaire en ville...

— Je n'en ai point, fis-je. J'attendrai ici et les emporterai. »

Il comprit qu'il était vain de tergiverser et donna des instructions pour qu'on m'apportât les coffrets. J'avais avec moi ce qu'il fallait pour les transporter, autrement dit je m'étais muni d'un panier d'osier, un simple panier à légumes, et Mr. Couch fit la grimace en y rangeant un à un les précieux écrins.

« Il aurait mieux valu, Mr. Ashley, dit-il, que je vous fisse porter ces écrins chez vous. Nous avons un cabriolet à la banque qui eût tout à fait convenu à cette livraison. »

Oui, me dis-je, et à quelle volée de paroles n'eût pas donné lieu le cabriolet de la banque se rendant à la demeure de Mr. Ashley, avec un directeur en chapeau haut de forme! Bien mieux valait le panier à légumes dans la charrette.

« C'est parfait, Mr. Couch, dis-je. Je n'ai besoin de personne. »

Je sortis triomphalement de la banque, mon panier sur l'épaule, et me heurtai à Mrs. Pascoe entre deux de ses filles.

« Seigneur, Mr. Ashley, comme vous voilà chargé! » s'écria-t-elle.

Maintenant le panier d'une main, je me découvris et lui fis un salut des plus cérémonieux.

« Vous me surprenez dans un triste moment, dis-je. Je suis tombé si bas que vous me voyez réduit à vendre des choux à Mr. Couch et à ses employés. La réparation de mon toit m'a bel et bien ruiné et me voilà vendant de porte en porte les produits de mon jardin. »

Elle me regarda, bouche bée, tandis que ses filles écarquillaient les yeux.

« Malheureusement, dis-je, le contenu de ce panier est déjà promis à une pratique. Sinon, j'aurais eu plaisir à vous vendre quelques carottes. A l'avenir, quand vous aurez besoin de légumes à la cure, pensez à moi. »

Je les quittai pour aller trouver la charrette qui m'attendait et, tandis que j'y hissais le panier, y grimpais et prenais les rênes, et que le valet sautait à côté de moi, je la vis, au coin de la rue, qui continuait à me regarder avec ahurissement. On allait raconter maintenant que Philip Ashley était non seulement bizarre, ivrogne et fou, mais ruiné par-dessus le marché.

Nous rentrâmes par l'avenue qui part des Quatre-Chemins et, tandis que le valet emmenait la charrette, je me glissai dans la maison par-derrière — les domestiques déjeunaient — et, montant par l'escalier de service, je suivis les galeries sur la pointe des pieds et gagnai ma chambre. J'enfermai le panier à légumes dans mon armoire et redescendis déjeuner.

Rainaldi aurait fermé les yeux de dégoût. J'engloutis un pâté de pigeons et l'arrosai d'une grande chope de bière.

Rachel m'avait attendu — elle avait laissé un billet m'en avisant — et, pensant que je ne rentrerais pas, s'était retirée chez elle. Pour une fois, je n'étais point fâché de son absence. Ma coupable joie devait, pensais-je, se lire trop clairement sur mon visage.

Aussitôt mon repas avalé, je repartis, à cheval cette fois, et pour Pelyn. J'avais en poche le document que Mr. Trewin, l'homme de loi, m'avait fait porter comme convenu. J'avais aussi le testament. L'idée de l'entretien qui m'attendait n'était pas aussi plaisante que celle de la visite à la banque mais j'étais résolu à me montrer inflexible.

Je trouvai mon parrain dans son cabinet.

« Tiens, Philip! dit-il. Je te souhaite un heureux anniversaire, en avance de quelques heures, il est vrai.

— Je vous remercie, dis-je, et je voudrais aussi vous remercier pour l'affection que vous nous avez toujours témoignée, à Ambroise et à moi, et pour votre tutelle de ces dernières années.

— Laquelle, dit-il en souriant, expire demain.

— Oui, dis-je, ou plus exactement, ce soir à minuit. Et comme je ne veux point vous réveiller à une heure pareille, j'aimerais que vous contresigniez un document que j'ai fait préparer et qui prendra effet de ce moment-là.

— Hum, fit-il en prenant ses lunettes, un document! Quel document? »

Je sortis le testament de ma poche.

« D'abord, dis-je, je voudrais que vous lisiez ceci. On ne me l'a pas remis volontiers, mais après bien des discussions. J'avais depuis longtemps l'impression qu'un papier de ce genre devait exister, le voici. »

Je le lui tendis. Il chaussa ses besicles et lut.

« Ce testament est daté, Philip, dit-il, mais non signé.

— En effet, répondis-je, mais il est de la main d'Ambroise, n'est-il pas vrai?

— Oui, répondit-il, sans aucun doute. Ce que je ne comprends pas, c'est pourquoi il ne l'a jamais fait légaliser et ne me l'a point envoyé. Je m'attendais à un testament de ce genre depuis les premiers jours de son mariage, je te l'avais dit.

— Il l'aurait signé, répondis-je, sans sa maladie et le fait qu'il comptait rentrer ici d'un mois à l'autre et vous le remettre en personne. Je le sais. »

Il le posa sur son bureau.

« Enfin, c'est ainsi, dit-il. De telles choses sont arrivées dans d'autres familles. Dommage pour sa veuve, mais nous ne pouvons pas faire pour elle plus que ce que nous faisons. Un testament sans signature n'est pas valable.

— Je sais, dis-je, et elle n'en attend rien. Comme je viens de vous le dire, ce n'est qu'à force d'insistance que j'ai réussi à lui arracher ce papier. Je dois le lui rendre, mais en voici une copie. »

Je remis le testament dans ma poche et lui donnai la copie que j'en avais faite.

« Je vois. Mais encore? fit-il.

— Rien, fis-je, sinon que ma conscience me dit que je jouis d'un bien auquel je n'ai pas droit. Ambroise avait l'intention de signer ce testament et la mort l'en a empêché. Je vous prie de lire ce document-ci que j'ai préparé. »

Et je lui tendis le papier rédigé par Trewin.

Il le lut lentement, attentivement, tandis que son visage devenait grave, et ce ne fut qu'après un long silence qu'il ôta ses lunettes et me regarda.

« Ta cousine Rachel, dit-il, n'a pas connaissance de cet acte?

— Aucunement, répondis-je. Ce n'est pas d'elle que m'est venue l'idée de le rédiger ainsi. Elle en ignore absolument tout. Elle ne sait même pas que je suis ici, ni que je vous ai montré le testament. Vous le lui avez entendu dire vous-même, il y a quelques semaines : elle a l'intention de partir prochainement pour Londres. »

Il était toujours assis à son bureau, ses yeux sur mon visage.

« Tu es absolument décidé à faire cela? dit-il.

— Absolument.

— Tu te rends compte qu'on pourrait en abuser, qu'il n'y a guère de garanties, et que la fortune qui doit finalement te revenir, à toi et à tes héritiers, peut être gaspillée en totalité?

— Oui, dis-je, j'accepte ce risque. »

Il secoua la tête en soupirant. Il se leva de son fauteuil, regarda par la fenêtre, revint à son bureau.

« Son conseiller, signor Rainaldi, est-il au courant de ce document? demanda-t-il.

— Assurément non! m'écriai-je.

— Je regrette que tu ne m'en aies point parlé plus tôt, Philip, dit-il. J'en aurais discuté avec lui. Il m'a paru un homme sensé. J'ai échangé quelques mots avec lui ce soir-là. J'ai été jusqu'à lui faire part de mon inquiétude au sujet du découvert à la banque. Il a reconnu qu'elle était dépensière et l'avait toujours été. Que cela avait causé des ennuis, non seulement à Ambroise, mais aussi à son premier mari, Sangalletti. Il m'a laissé entendre qu'il était, lui signor Rainaldi, la seule personne capable de lui faire entendre raison.

— Je me soucie comme d'une guigne de ce qu'il a pu vous dire, fis-je. Je déteste cet homme et je pense qu'il se sert de cet argument pour arriver à ses fins. Il espère la décider à revenir à Florence. »

Mon parrain me regarda de nouveau fixement.

« Philip, dit-il, pardonne-moi de te poser cette question, personnelle, je le sais, mais je te connais depuis que tu es au monde. Tu t'es amouraché de ta cousine, n'est-ce pas? »

Je sentis mes joues brûlantes, mais continuai à soutenir son regard.

« Je ne sais pas ce que vous entendez par là, dis-je. Amouraché est un mot léger et vulgaire. Je respecte et j'honore ma cousine Rachel plus que toute autre personne de ma connaissance.

— Il y a une chose que je voulais te dire, commença-t-il. On parle beaucoup, tu sais, de sa visite prolongée chez toi. J'irai plus loin : le comté ne parle guère d'autre chose.

— Laissez dire, fis-je. Après-demain, on aura de quoi parler. Le transfert des biens ne pourra sans doute pas rester secret.

— Si ta cousine Rachel a un peu de sagesse et tient à sa réputation, dit-il, ou bien elle ira à Londres, ou bien elle te priera d'habiter ailleurs. La situation présente est déplorable pour vous deux. »

Je gardai le silence. Une seule chose importait : qu'il signât le papier.

« Evidemment, dit-il, il n'y aurait, à la longue, qu'un seul moyen de faire taire les bavards. Et, selon ce document, un seul moyen de revenir sur le transfert des biens. A savoir : qu'elle se remariât.

— Je le crois fort peu probable, dis-je.

— Je suppose, reprit-il, que tu ne penses pas à la demander toi-même? »

Une fois de plus, le sang me monta aux joues.

« Je n'oserais pas, dis-je. Elle ne m'accepterait jamais.

— Je ne suis pas satisfait de tout cela, Philip, dit-il. Je regrette qu'elle soit venue en Angleterre. Mais il est trop tard. Eh bien, donc, signe. Et accepte les conséquences de ton action. »

Je pris une plume et inscrivis mon nom au bas de la page. Il me regardait faire, le visage impassible et grave.

« Il existe des femmes, Philip, déclara-t-il, de bonnes femmes peut-être, qui, sans qu'il y ait de leur faute, attirent le malheur. Tout ce qu'elles touchent se tourne en tragédie. Je ne sais pourquoi je te dis cela, mais il me semble que c'est mon devoir. »

Puis il contresigna l'acte de donation.

« J'imagine que tu ne désires point attendre Louise?

— Il est bien tard... », dis-je en manière d'excuse, puis, obéissant à un mouvement de repentir : « Si vous êtes libres tous les deux demain soir, pourquoi ne viendriez-vous pas dîner et boire à ma santé? »

Il hésita :

« Je ne suis pas sûr que nous soyons libres, dit-il. En tout cas, je t'enverrai un mot vers la fin de la matinée. »

Je compris qu'il ne désirait guère nous voir, mais ne savait comment refuser mon invitation. Il avait mieux accepté que je n'espérais l'affaire du transfert, il n'y avait eu ni éclat d'indignation ni long sermon. Sans doute me connaissait-il assez à présent pour savoir que ni l'un ni l'autre n'aurait eu le moindre effet. Qu'il fût très frappé et profondément chagriné, cela se voyait à son air grave. J'étais heureux qu'aucune mention n'eût été faite des bijoux de famille. De les savoir cachés dans un panier à légumes au fond de mon armoire aurait mis le comble à sa désolation.

Je repris le chemin du retour en me rappelant dans quel débordement de joie je l'avais parcouru la dernière fois, après ma visite à Trewin, et la douche glacée que j'avais reçue en trouvant Rainaldi chez moi. Il n'y aurait pas aujourd'hui de semblable visite.

En trois semaines, le printemps avait pris possession de la campagne et il faisait chaud comme en mai. Comme tous les prophètes rustiques, mes fermiers hochaient la tête et annonçaient des calamités. On verrait encore des gelées tardives qui détruiraient les fruits en boutons et le blé encore en terre. Je crois que la famine, l'inondation et le tremblement de terre n'auraient pas suffi, ce dernier jour de mars, à entamer ma joie.

Le soleil se couchait derrière la baie, enflammant le ciel et assombrissant l'eau, tandis que le disque de la lune presque pleine montait au-dessus des collines. Voici, me dis-je, ce qu'un homme doit éprouver au sommet de l'ivresse, cet abandon total à l'heure qui passe. Je voyais les choses, non pas dans une vague brume mais avec la précision d'un être complètement gris. Le parc avait, à mon entrée, toutes les grâces d'un conte de fées; il n'était pas jusqu'aux bêtes, descendant à l'abreuvoir de l'étang, qui ne fussent animaux enchantés. Les corneilles volaient haut, elles installaient leurs nids imparfaits au sommet des arbres de l'avenue et, montant de la maison et des écuries, je voyais fumer les cheminées, j'entendais le tintement des eaux dans la cour, le sifflement des hommes, l'aboiement des jeunes chiens dans leurs niches. Tout cela était familier, connu et aimé depuis longtemps, possédé depuis ma petite enfance, et pourtant rayonnait ce soir d'une magie nouvelle.

J'avais trop mangé à midi pour avoir faim, mais j'avais soif et bus une longue rasade de l'eau fraîche et claire du puits.

Je plaisantai avec les valets en train de verrouiller les portes et de fermer les volets. Ils savaient que le lendemain serait mon anniversaire. Ils me confièrent que Seecombe avait, en grand secret, fait peindre son portrait pour me l'offrir et leur avait dit qu'il me faudrait l'accrocher sur un panneau du vestibule, parmi les portraits d'ancêtres. Je leur promis solennellement que je le ferais. Puis tous trois se retirèrent vers les communs avec des chuchotements et des hochements de tête et reparurent presque aussitôt, portant un paquet. Ce fut John qui me le remit en disant :

« De notre part à tous, Mr. Philip. On n'a pas la patience d'attendre à demain. »

C'était une caisse de pipes. Ce cadeau avait dû leur coûter à chacun un mois de gages. Je leur serrai la main et leur tapai sur le dos en leur jurant que j'avais justement l'intention d'acheter la pareille la prochaine fois que j'irais à Bodmin ou à Truro, et ils me regardèrent avec un tel ravissement que c'est tout juste si je ne pleurai pas comme un imbécile. A vrai dire, je n'avais jamais fumé d'autre pipe que celle qu'Ambroise m'avait donnée quand j'avais dix-sept ans, mais je décidai de ne pas manquer, à l'avenir, de fumer celles qu'ils m'avaient offertes afin de ne pas les décevoir.

Je pris un bain et me changeai. Rachel m'attendait dans la salle à manger.

« Je soupçonne quelque tour de votre façon, dit-elle. On ne vous a pas vu ici de la journée. Qu'avez-vous encore fait?

— Voilà qui ne vous regarde pas, Mrs. Ashley répondis-je.

— On ne vous a pas aperçu depuis le petit jour, dit-elle. Je suis rentrée déjeuner et n'ai pas trouvé mon compagnon.

— Il fallait déjeuner chez Tamlyn, lui dis-je. Sa femme est excellente cuisinière et vous eût fort bien traitée.

— Etes-vous allé en ville? demanda-t-elle.

— Ma foi, oui, j'ai été en ville.

— Avez-vous rencontré des gens de votre connaissance?

— Ma foi, oui répondis-je, prêt à éclater de rire. J'ai rencontré Mrs. Pascoe et ses filles qui ont été scandalisées par mon apparence.

— Et pourquoi cela?

— Parce que je portais un panier sur l'épaule et que je leur ai dit que je vendais des choux.

— Disiez-vous vrai ou bien aviez-vous bu trop de cidre à la Rose et la Couronne?

— Je ne disais point vrai et je n'avais point bu de cidre à la Rose et la Couronne.

— Que signifiait donc tout cela? »

Je souris sans répondre.

« Je crois, dis-je, qu'après dîner, lorsque la lune sera entièrement levée, j'irai nager. Je me sens ce soir toute l'énergie du monde, et toute la folie. »

Elle me regarda gravement en portant son verre de vin à ses lèvres.

« Si, dit-elle, vous désirez passer votre anniversaire au lit avec un cataplasme sur la poitrine en buvant du cassis toutes les heures — non de ma main, je vous préviens, mais de celle de Seecombe — allez nager, je vous en prie. Je ne vous retiens pas. »

Je m'étirai et soupirai de plaisir. Je lui demandai la permission de fumer, qu'elle m'accorda.

Je sortis ma caisse de pipes.

« Regardez, dis-je, ce que les garçons m'ont donné. Ils n'ont pas pu attendre à demain.

— Vous êtes aussi enfants les uns que les autres », dit-elle, puis à mi-voix : « Vous ne savez pas ce que Seecombe vous prépare?

— Mais si, répondis-je sur le même ton. Les garçons me l'ont dit. Je suis extrêmement flatté. L'avez-vous vu? »

Elle acquiesça.

« C'est parfait, dit-elle, son plus bel habit, le vert bouteille, sa lippe, tout y est. Il a été peint par son gendre de Bath. »

Le dîner fini, nous passâmes dans la bibliothèque mais je ne lui avais pas menti en disant que je me sentais toute l'énergie du monde. J'étais dans un tel état d'exultation que je ne pouvais rester en place à attendre que la nuit passât et que se levât le jour.

« Philip, par pitié, dit-elle enfin, allez faire une promenade. Courez jusqu'au phare et revenez si cela peut vous calmer. Je crois que vous devenez fou.

— Si c'est de la folie, dis-je, alors je désire la garder toujours. Je ne savais pas qu'être fou pouvait donner de telles délices. »

Je lui baisai la main et sortis dans le parc. C'était une belle nuit pour la promenade, claire et tranquille. Je ne courus pas, comme elle me l'avait conseillé, mais n'en atteignis pas moins le phare. La lune presque pleine était suspendue au-dessus de la baie et son visage à la joue enflée était celui d'un sorcier partageant mon secret.

Les bœufs, blottis pour la nuit au creux du mur de pierre, au bout du vallon, se levèrent et s'écartèrent à mon approche.

J'apercevais, par-delà la prairie, une fenêtre éclairée à la ferme de Barton et lorsque j'arrivai à la jetée du phare et que les deux baies s'étendirent de chaque côté de moi, je vis en outre scintiller les lumières des petites villes le long de la côte ouest et celles de notre port à l'est. Bientôt, elles s'éteignirent, de même que celle de Barton, et il n'y eut plus rien autour de moi que la lumière pâle de la lune, étendant un chemin argenté sur la mer. C'était une belle nuit pour la promenade, mais aussi pour le bain. Aucune menace de cataplasme ou de cordial n'aurait pu me retenir. Je descendis à mon tremplin favori, au bout d'une langue rocheuse et, riant tout seul de cette sublime fantaisie, plongeai dans l'onde. Dieu! Elle était glaciale. Je m'ébrouai comme un chien en claquant des dents et, au bout de cinq minutes, revins au rocher et me rhabillai.

Certes, c'était de la folie. Pis que de la folie. Tant pis. Ma joie ne me quittait point.

Je me séchai tant bien que mal et revins à travers bois à la maison. Le clair de lune me traçait un sentier fantomal et des ombres sans substance se cachaient derrière les arbres. A l'endroit où le chemin se divisait en deux, l'un qui conduisait à l'allée des cèdres et l'autre qui montait vers la nouvelle terrasse, j'entendis un glissement dans l'ombre des arbres et je sentis aussitôt dans mes narines l'odeur musquée de la renarde imprégnant les feuilles à mes pieds, mais je ne vis rien et les jonquilles des talus restèrent immobiles et droites sans qu'un souffle les fît frémir.

J'arrivai enfin à la maison et regardai sa fenêtre. Elle était grande ouverte, mais je ne distinguai point si sa bougie brûlait encore ou si elle l'avait soufflée. Je regardai ma montre. Il était minuit moins cinq. Je sentis soudain que si les garçons n'avaient pas été capables d'attendre pour me donner mon cadeau, je ne pouvais pas davantage attendre de donner le sien à Rachel. Je songeai à Mrs. Pascoe et aux choux, et l'ivresse me souleva de nouveau. Je m'approchai de la fenêtre de la chambre bleue et l'appelai. Je répétai son nom trois fois avant d'obtenir une réponse. Elle vint à la fenêtre, vêtue de sa robe blanche de nonne, à larges manches et à col de dentelle.

« Que voulez-vous? dit-elle. J'étais plus qu'à moitié endormie. Vous m'avez réveillée.

— Voulez-vous attendre ici? dis-je. Rien qu'un moment. Je veux vous donner quelque chose. Le paquet que Mrs. Pascoe m'a vu porter.

— Je ne suis pas aussi curieuse que Mrs. Pascoe, dit-elle. Attendons à demain.

— Je ne peux pas attendre, dis-je. Je veux vous le donner tout de suite. »

J'entrai par la petite porte, montai à ma chambre et redescendis, portant le panier à légumes. Je passai une longue corde dans les anses. J'avais également pris l'acte de donation, que je mis dans la poche de ma veste. Elle m'attendait toujours à la fenêtre.

« Que pouvez-vous bien porter dans ce panier? s'écria-t-elle, sans élever la voix. Je vous préviens, Philip, que si c'est une farce, je ne la trouve pas drôle. Sont-ce des crabes ou des homards que vous cachez là-dedans?

— Mrs. Pascoe croit que ce sont des choux, dis-je. En tout cas, je vous donne ma parole que cela ne mord pas. Maintenant, attrapez la ficelle. »

Je jetai vers la fenêtre le bout de la longue corde.

« Tirez, lui dis-je. Attention, à deux mains. Le panier est assez lourd. »

Elle fit ce que je lui disais et le panier monta en cahotant le long du mur, grattant le treillage de la vigne vierge, tandis que je le regardais, secoué par un rire silencieux. Elle tira le panier à l'intérieur de la chambre, puis il y eut un silence. Au bout d'un moment, elle reparut.

« Je n'ai pas confiance, Philip, dit-elle. Ces paquets ont de drôles de formes. Je crois qu'ils vont mordre. »

Pour toute réponse, je me mis à grimper en m'aidant du treillis jusqu'à sa fenêtre.

« Prenez garde, cria-t-elle, vous tomberez et vous vous casserez le cou. »

Un moment plus tard, j'étais dans la chambre, un pied sur le tapis, l'autre encore sur l'appui de la fenêtre.

« Pourquoi vos cheveux sont-ils si mouillés? dit-elle. Il ne pleut pas.

— J'ai nagé, répondis-je. Je vous l'avais dit. Maintenant, ouvrez ces paquets, ou bien voulez-vous que je le fasse? »

Une bougie brûlait dans la chambre. Elle était pieds nus et frissonnait.

« Pour l'amour du Ciel, dis-je, mettez quelque chose sur vous. »

Je saisis la courtepointe du lit et la jetai sur ses épaules, puis la soulevai dans mes bras et la reposai dans ses couvertures.

« Je crois, dit-elle, que vous êtes devenu fou à lier.

— Mais non, dis-je, seulement je viens, à cette minute même, d'avoir vingt-cinq ans. Ecoutez. »

Je levai la main. L'horloge sonnait minuit. Je mis ma main dans ma poche.

« Ceci, dis-je en posant le document sur la table près de la bougie, vous pourrez le lire plus tard à loisir. Mais je veux vous donner le reste sur-le-champ. »

Je versai les paquets sur le lit et jetai le panier par terre. Je déchirai les papiers, ouvris les écrins, éparpillai les enveloppes de soie. Et tout se déversa : le diadème de rubis et la bague, les saphirs et les émeraudes, les rangs de perles et les bracelets tombèrent en désordre sur les draps.

« Ceci est à vous, dis-je. Et cela. Et cela... »

Et, dans une folle extase, je les pressai dans ses mains, ses bras, sur sa poitrine.

« Philip, cria-t-elle, vous perdez la raison. Qu'avez-vous fait? »

Je ne répondis pas. Je pris le collier et le mis à son cou.

« J'ai vingt-cinq ans, dis-je. Vous avez entendu l'horloge sonner douze coups. Plus rien ne me retient. Tout cela est à vous. Si je possédais le monde, je vous le donnerais aussi. »

Je n'ai jamais vu d'yeux plus stupéfaits. Elle me regardait, puis le désordre des colliers et des bracelets, puis me regardait encore. Enfin, comme je riais, elle mit tout à coup les bras autour de mon cou et rit avec moi. Nous nous tenions étroitement enlacés et elle semblait avoir attrapé ma folie, elle semblait partager mon ivresse, nous étions entraînés tous deux dans un torrent de fantaisie insensée.

« C'est donc là, dit-elle, ce que vous prépariez depuis des semaines?

— Oui, dis-je. Vous deviez les trouver avec votre petit déjeuner. Mais, comme les garçons pour la caisse de pipes, je n'ai pas pu attendre.

— Et moi qui n'ai rien pour vous, dit-elle, qu'une épingle d'or pour votre cravate! C'est votre anniversaire et vous me remplissez de confusion. N'y a-t-il rien d'autre que vous désiriez? Dites-le-moi et vous l'aurez. Tout ce que vous demanderez. »

Je la regardai parmi tous les rubis et toutes les émeraudes répandus autour d'elle, le collier de perles autour de son cou et, soudain, je cessai de rire et me rappelai ce que le collier représentait.

« Si, je désire une chose, dis-je, mais il est inutile que je demande cela.

— Pourquoi? fit-elle.

— Parce que, répondis-je, vous m'enverriez au lit avec une bonne gifle. »

Elle me regarda en me caressant la joue.

« Dites-la », fit-elle.

Et sa voix était douce.

Je ne savais pas comment on demande à une femme d'être votre femme. Il y a généralement un parent dont il faut d'abord obtenir le consentement et, en tout cas, une période de cour et des propos préalables. Rien de tout cela ne s'appliquait à elle et moi. Il était minuit et aucun mot d'amour et de mariage n'avait jamais été échangé entre nous. J'aurais pu lui dire, lourdement, simplement : « Rachel, je vous aime, voulez-vous être ma femme? » Je me rappelai cette matinée au jardin où elle s'était moquée de mon éloignement de toutes ces choses, et où je lui avais dit que ma maison me suffisait. Je me demandai si elle comprendrait et, d'abord, si elle se souvenait.

« Je vous ai dit un jour, fis-je, que je trouvais toute

la chaleur et le réconfort qu'il me fallait entre quatre murs. L'avez-vous oublié?

— Non, dit-elle, je ne l'ai point oublié.

— Je me trompais, dis-je. Je sais maintenant ce qui me manque. »

Elle caressa du doigt ma tête, mon oreille, mon menton.

« C'est vrai? dit-elle. Vous êtes sûr?

— Plus sûr, répondis-je, que de n'importe quoi sur cette terre. »

Elle me regardait. Ses yeux paraissaient plus sombres à la lumière de sa bougie.

« Vous étiez très sûr de vous, ce matin-là, dit-elle, et très têtu. La chaleur des maisons... »

Elle tendit la main pour moucher la chandelle. Elle riait.

Lorsque je me retrouvai sur la pelouse au lever du soleil, avant que les domestiques ne fussent réveillés et n'eussent ouvert les volets au jour nouveau, je me demandai si aucun homme, avant moi, avait jamais été accepté en mariage de façon aussi franche. On éviterait bien d'ennuyeuses fiançailles s'il en était toujours ainsi. L'amour et tous ses pièges ne m'avaient pas préoccupé jusque-là; les hommes et les femmes pouvaient faire ce qui leur plaisait, je ne m'en souciais guère. J'avais été aveugle, sourd, endormi. Je ne l'étais plus.

Ce qui s'est passé en ces premières heures de mon anniversaire demeurera. Si ce fut de la passion, je l'ai oublié. Si ce fut de la tendresse, elle m'habite encore. Je reste à jamais émerveillé d'avoir compris à quel point une femme qui accepte l'amour est sans défense. Peut-être est-ce leur secret pour nous lier et le réservent-elles jusqu'à la fin.

Je ne puis savoir, ne possédant aucun terme de comparaison. Elle fut pour moi la première et la dernière.

CHAPITRE XXII

Je me rappelle la maison s'éveillant avec le soleil, je me rappelle avoir vu sa boule ronde apparaître au-dessus des arbres qui bordent la pelouse. La rosée était abondante et l'herbe, d'argent, semblait touchée de gel. Un merle se mit à siffler et un pinson l'imita; bientôt, tout le chœur du printemps chanta. La girouette fut la première à capter le soleil et, dressée sur la tour, elle tourna vers le nord-ouest et s'y arrêta, tandis que les murs de la maison, sombres d'abord, s'attendrissaient sous la jeune lumière.

Je rentrai et montai à ma chambre puis, approchant un fauteuil de la fenêtre, m'assis et regardai vers la mer. Mon esprit était vide et sans pensées, mon corps calme et détendu. Aucune question n'affleurait à la surface de mon être, aucune inquiétude ne remontait des profondeurs pour troubler cette paix bénie. On eût dit que tous les problèmes étaient à présent résolus et que mon chemin s'étendait clair devant moi. Les années passées comptaient pour rien. Les années à venir ne seraient que la continuation de ce que je venais de découvrir, de ce que je possédais désormais; il en serait ainsi toujours et toujours, comme l'*amen* d'une litanie. A l'avenir, rien d'autre que Rachel et moi. Un homme et sa femme vivant entre eux, la maison par nous habitée, le monde extérieur passant devant notre porte sans nous troubler. Jour après jour, nuit après nuit, aussi longtemps que nous vivrions tous les deux. C'était tout ce que je me rappelais du livre de prières.

Je fermai les yeux et la sentis tout près de moi. Je dus m'endormir à cet instant car, lorsque j'ouvris les yeux, le soleil inondait la chambre par la fenêtre ouverte et John était venu poser mes vêtements sur la chaise et m'apporter mon eau chaude puis était reparti sans que je l'entendisse. Je me rasai, m'habillai et descendis; mon petit déjeuner, refroidi, m'attendait sur le buffet — Seecombe me croyait descendu depuis longtemps —, mais des œufs durs et du jambon me composèrent un repas suffisant. J'aurais avalé n'importe quoi, ce jour-là. Je sifflai les chiens et sortis dans le parc et, sans me soucier de Tamlyn et de ses chères fleurs, cueillis tous les boutons de camélias que je vis et les mis dans mon panier, celui-là même qui m'avait, la veille, servi à transporter les bijoux, puis revins à la maison, montai l'escalier et pris la galerie qui menait à sa chambre.

Elle était assise sur son lit, en train de prendre son petit déjeuner, et, sans lui laisser le temps de se récrier et de fermer ses rideaux, je répandis une averse de camélias sur ses draps et sur elle.

« Rebonjour! dis-je. Je viens te rappeler que c'est toujours mon anniversaire.

— Anniversaire ou non, dit-elle, l'usage exige qu'on frappe à la porte avant d'entrer. Allez-vous-en! »

Elle avait du mal à garder un maintien sévère, avec des camélias dans ses cheveux et sur ses épaules, des camélias tombant dans sa tasse et sur son pain beurré. Toutefois, je composai mon visage et me retirai vers le fond de la chambre.

« Excusez-moi, dis-je. Depuis que je suis entré par la fenêtre, je traite les portes un peu cavalièrement. Je deviens très impoli.

— Vous feriez mieux de vous en aller avant que Seecombe vienne prendre mon plateau, dit-elle. Je crois qu'il serait scandalisé de vous trouver ici, en dépit de votre anniversaire. »

Son ton refroidit un peu mon humeur, mais je reconnus la logique de ses paroles. Sans doute était-il un peu hardi d'entrer chez une femme en train de prendre son petit déjeuner, même quand elle devait devenir la vôtre, ce que Seecombe ignorait encore.

« Je m'en vais, dis-je. Pardonnez-moi. Je ne voulais vous dire qu'un mot : je t'aime. »

Je quittai la chambre et je me rappelle avoir remarqué qu'elle ne portait pas le collier de perles. Elle devait l'avoir détaché après mon départ au petit jour, et les bijoux ne jonchaient pas le sol, tout avait été rangé. Mais j'avais vu sur le plateau du petit déjeuner, à côté d'elle, le document que j'avais signé la veille.

En bas, Seecombe m'attendait, portant un volumineux paquet.

« Mr. Philip, dit-il, aujourd'hui est un grand jour. Puis-je me permettre de vous souhaiter un heureux anniversaire?

— Vous pouvez, Seecombe, répondis-je, et je vous en remercie.

— Ceci, Monsieur, n'est qu'une bagatelle, reprit-il, en souvenir de mes nombreuses années de fidèles services à votre famille. J'espère que vous n'en serez point offensé et que je ne me suis pas mépris en imaginant que ce cadeau vous ferait plaisir. »

Je défis le papier du paquet, et le portrait de Seecombe m'apparut, peu flatté peut-être, mais fidèle.

« Ceci est fort beau, dis-je gravement. Si beau, vraiment, que je vais l'accrocher à la place d'honneur, près de l'escalier. Apportez-moi un marteau et un clou. »

Il tira le cordon de sonnette avec dignité, afin de transmettre cet ordre à John.

Nous plaçâmes le portrait au milieu du panneau, à côté de la porte de la salle à manger.

« Considérez-vous, Monsieur, me demanda Seecombe, que ce portrait soit ressemblant? L'artiste n'a-t-il pas donné une certaine dureté au profil, particulièrement au nez? Je n'en suis pas entièrement satisfait.

— La perfection est impossible à atteindre dans un portrait, Seecombe, répondis-je. Celui-ci en est aussi proche qu'on peut le souhaiter. Pour moi, j'en suis enchanté.

— C'est tout ce qu'il faut, Monsieur », répondit-il.

J'avais envie de lui dire sur-le-champ que Rachel et moi allions nous marier, j'éclatais de ravissement et de bonheur, mais une certaine hésitation me retint. La nouvelle était trop importante et trop délicate pour être annoncée impromptu, et peut-être ferions-nous mieux de l'annoncer ensemble.

Je me rendis dans mon bureau, sous prétexte de travail, mais je n'y fis rien d'autre que de rester assis à ma table en regardant devant moi. Je la revoyais, adossée à ses oreillers, en train de prendre son petit déjeuner sur le plateau jonché de camélias. La paix du petit jour m'avait quitté et toute la fièvre du soir précédent m'habitait de nouveau. Quand nous serions mariés, rêvais-je en me balançant sur ma chaise et en mordillant ma plume, elle ne me congédierait pas si facilement. Je prendrais mon petit déjeuner avec elle. Plus de descente solitaire à la salle à manger. Nous prendrions de nouvelles habitudes.

L'horloge sonna dix heures. J'entendis les hommes vaquer à leurs occupations dans la cour, devant la fenêtre du bureau. Je considérai une liasse de factures et la laissai tomber, commençai une lettre à un collègue du tribunal et la déchirai. Les mots ne venaient pas ou n'avaient aucun sens et il y avait encore deux heures à passer avant que Rachel ne descendît déjeuner. Nat Bray, le fermier de Penhal, vint me voir et me raconter une longue histoire de bétail qui s'était fourvoyé à Trenant et dont il rendait responsable un voisin négligent de ses clôtures; je hochai la tête et l'approuvai sans écouter ses raisons, car maintenant

Rachel était peut-être habillée et en train de conférer dans le parc avec Tamlyn.

J'interrompis le pauvre gars et le congédiai; sur quoi, voyant son air déconfit, je lui dis d'aller dans le bureau de l'intendant boire une pinte avec Seecombe.

« Aujourd'hui, Nat, dis-je, je ne travaille pas, c'est mon anniversaire et je suis le plus heureux des hommes. »

Puis, lui donnant une claque sur l'épaule, je le laissai bouche bée penser ce qu'il voudrait de mes paroles.

Je passai la tête par la fenêtre et criai à travers la cour vers la cuisine qu'on préparât un panier pour déjeuner sur l'herbe car j'avais tout à coup envie d'être seul avec elle sous le soleil, sans cérémonial de service et de couvert. Ces ordres donnés, je me rendis aux écuries afin de dire à Wellington de faire seller Salomon pour la maîtresse.

Il n'était point là. La remise était grande ouverte et la voiture partie. Le garçon d'écurie balayait le pavé. Il me regarda d'un air ahuri.

« La maîtresse a commandé la voiture un peu après dix heures, répondit-il à mes questions. Je ne sais pas où elle est allée. En ville peut-être. »

Je rentrai à la maison et sonnai Seecombe, mais il ne put rien me dire, sinon que Wellington avait amené la voiture à la porte, un peu après dix heures, et que Rachel l'attendait tout habillée dans le vestibule. Jamais auparavant elle n'était sortie en voiture le matin. Ma joyeuse ardeur tomba soudain. La journée qui s'étendait devant moi n'était point celle que j'avais projetée.

Je me mis à l'attendre. A midi, la cloche sonna le déjeuner des domestiques. Le panier de victuailles était à côté de moi, Salomon était sellé. Mais la voiture ne rentrait point. Enfin, à deux heures, je ramenai moi-même le cheval aux écuries et dis aux valets de lui retirer sa selle. Je descendis à travers bois vers la nouvelle avenue; ma joie matinale avait fait place à de l'apathie. Même si elle rentrait maintenant, il serait trop tard pour le déjeuner sur l'herbe. La chaleur du soleil d'avril ne durerait pas après quatre heures de l'après-midi.

J'étais presque au sommet de l'avenue, aux Quatre-Chemins, lorsque je vis le valet ouvrir le portail et la voiture le franchir. Je m'arrêtai au milieu de l'avenue pour attendre les chevaux et, à ma vue, Wellington tira sur les rênes. Tout le poids de ma déception, si lourd ces dernières heures, se dissipa lorsque je la vis assise dans la voiture. Elle dit à Wellington de continuer et je montai, assis en face d'elle sur l'étroit strapontin.

« Je vous cherche depuis onze heures, dis-je. Où avez-vous bien pu aller?

— A Pelyn, dit-elle, voir votre parrain. »

Toutes les préoccupations, toutes les inquiétudes soigneusement enfouies dans les profondeurs de ma pensée se précipitèrent à la surface et, avec un sentiment aigu de méfiance, je me demandai ce qu'ils avaient bien pu faire tous les deux pour démolir mes plans.

« Pourquoi? demandai-je. Qu'aviez-vous à faire avec lui de si pressant? Tout est réglé depuis longtemps.

— Je ne sais pas ce que vous entendez par tout », dit-elle.

La voiture cahota dans une ornière et elle tendit sa main gantée de noir pour se retenir à la poignée de la portière. Comme elle paraissait lointaine dans ses vêtements de deuil et derrière son voile, à des lieues de distance de la Rachel qui m'avait serré sur son cœur!

« Le document, répondis-je. C'est au document que vous pensez. Vous n'y pouvez plus rien. Je suis légalement émancipé de la tutelle de mon parrain. Il ne peut plus rien faire. C'est signé et contresigné. Tout est à vous.

— Oui, dit-elle, je le sais maintenant. Les termes étaient un peu obscurs et j'ai voulu m'assurer de leur sens, voilà tout. »

Toujours cette voix lointaine, froide et détachée, tandis que je gardais dans ma mémoire, dans mes oreilles, celle qui chuchotait tout contre moi dans la nuit.

« Est-ce clair pour vous à présent? demandai-je.

— Tout à fait clair, répondit-elle.

— Il n'y a donc plus rien à dire là-dessus.

— Plus rien », fit-elle.

Pourtant, il me restait au cœur une inquiétude et une bizarre méfiance. Toute spontanéité nous avait quittés, et aussi la joie et les rires partagés au moment où je lui avais donné les bijoux. Le diable emportât mon parrain s'il lui avait dit quelque chose qui l'avait blessée!

« Levez votre voile », dis-je.

Elle ne bougea pas d'abord, puis elle jeta un regard au large dos de Wellington et à celui du valet de pied assis à côté de lui sur le siège. Il fouetta les chevaux, qui prirent une allure plus rapide, comme les lacets du chemin cessaient pour faire place à une allée toute droite.

Elle leva son voile, et les yeux qui regardaient les miens ne souriaient point comme je l'espérais, ils n'étaient pas non plus mouillés de larmes, comme je le redoutais, mais calmes, sereins, sans aucun émoi, les yeux d'une personne qui vient de s'occuper d'une affaire et l'a réglée de façon satisfaisante.

Sans bien savoir pourquoi, j'en fus déconcerté. J'aurais voulu revoir ces yeux tels que je me les rappelais à la naissance du jour. J'avais cru, assez sottement peut-être, que c'était parce qu'ils avaient gardé en eux cet éclat qu'elle les cachait sous son voile. Il n'en était rien. Telle que je la voyais, telle elle avait dû s'asseoir en face de mon parrain, derrière son bureau, attentive, pratique, froide et assurée, tandis que je l'attendais, au supplice, sur le perron de la maison.

« Je serais rentrée plus tôt, dit-elle, s'ils ne m'avaient pressée de rester déjeuner, et je ne pouvais guère refuser. Aviez-vous fait des projets? »

Elle tourna le visage pour regarder le paysage qui

se déroulait à la portière, et je me demandai comment elle pouvait parler sur ce ton, comme si nous avions été deux lointaines relations, alors que j'avais toutes les peines du monde à retenir ma main de se tendre vers elle, à m'empêcher de la prendre dans mes bras. Depuis hier, pourtant, tout était changé, mais elle ne le marquait par aucun signe.

« J'avais un projet, dis-je, mais c'est sans importance maintenant.

— Les Kendall dînent ce soir en ville, dit-elle, mais passeront nous voir ensuite, avant de rentrer chez eux. J'ai l'impression d'avoir fait quelques progrès dans les bonnes grâces de Louise. Son attitude était un peu moins glaciale.

— J'en suis heureux, dis-je, j'aimerais que vous soyez amies.

— En fait, continua-t-elle, je reviens à ma première idée. Elle vous conviendrait très bien. »

Elle rit, mais je ne ris point avec elle. Il me semblait peu charitable de plaisanter sur la pauvre Louise. Dieu sait que je ne lui voulais que du bien et lui souhaitais de trouver bientôt un mari.

« Je crois, continua-t-elle, que votre parrain ne m'aime guère, ce qui est bien son droit, mais j'ai eu l'impression, à la fin du déjeuner, que nous nous entendions mieux. L'atmosphère n'était plus si tendue et la conversation était aisée. Nous avons fait de nouveaux plans pour nous retrouver à Londres.

— A Londres? fis-je. Vous n'avez plus l'intention d'aller à Londres?

— Mais si, dit-elle. Pourquoi pas? »

Je ne répondis point. Elle avait certes le droit d'aller à Londres si bon lui semblait. Elle pouvait avoir envie de voir des magasins, de faire des achats, surtout maintenant qu'elle avait de l'argent à sa disposition. Pourtant... Que n'attendait-elle que nous pussions nous y rendre ensemble? Nous avions tant de choses à discuter! J'hésitais à commencer. Je m'avisai soudain, avec une force dont je fus frappé d'un fait auquel je n'avais point pensé auparavant : Ambroise n'était mort que depuis neuf mois. Le monde nous blâmerait de nous marier avant l'été. Tels étaient les problèmes du jour que minuit avait effacés, et que je ne voulais pas me rappeler.

« Ne rentrons pas tout de suite, lui dis-je. Venez vous promener avec moi dans les bois.

— Volontiers », répondit-elle.

Nous nous arrêtâmes devant la maisonnette du garde et descendîmes de voiture, laissant Wellington rentrer sans nous. Nous prîmes un des sentiers qui longeait la rivière et montait en lacet sur la colline. Il y avait çà et là, sous les arbres, des bouquets de primevères qu'elle se mit à cueillir, revenant, à ce propos, sur les mérites de Louise, louant son goût pour le jardinage et disant qu'elle avait là des dons que l'on pourrait former. Louise aurait pu s'en aller à l'autre bout du monde que je ne m'en serais pas aperçu, et y rester à jardiner jusqu'à la fin de ses jours. Je n'avais pas emmené Rachel dans les bois pour parler de Louise.

Je lui pris les primevères des mains, les posai par

terre et, étalant ma veste sous un arbre, l'invitai à s'asseoir.

« Je ne suis pas fatiguée, dit-elle. Je suis restée plus d'une heure assise dans la voiture.

— Et moi, dis-je, quatre heures près de la porte à vous attendre. »

Je la dégantai et lui baisai les mains, puis, posant la capote et la voilette parmi les primevères, l'embrassai ainsi que je le désirais depuis des heures, et je la retrouvai de nouveau sans défense.

« Voici, dis-je, le plan que j'avais fait et que tu as gâché en déjeunant chez les Kendall.

— Je m'en doutais un peu, répondit-elle, et c'est une des raisons pour lesquelles j'y suis allée.

— Tu avais promis de ne rien me refuser, le jour de mon anniversaire, Rachel.

— Il y a des limites », dit-elle.

Je n'en voyais point. J'étais de nouveau heureux, libéré de toute inquiétude.

« Si ce sentier est fréquenté par le gardien, nous aurons l'air un peu nigauds, dit-elle.

— Et lui encore plus, quand je lui payerai ses gages samedi, répondis-je. Ou bien te chargeras-tu de cela avec le reste? Je suis ton serviteur désormais, tu sais, un autre Seecombe, et j'attends tes ordres. »

J'étais étendu, ma tête sur ses genoux, et elle passait les doigts à travers mes cheveux. Je fermai les yeux, souhaitant qu'elle continuât toujours et jusqu'à la fin du monde.

« Tu te demandes pourquoi je ne t'ai pas remercié,

dit-elle. J'ai vu tes yeux étonnés dans la voiture. Je ne trouve rien à dire. Je m'étais toujours crue impulsive, mais tu l'es bien davantage. Il me faudra un peu de temps, tu sais, pour apprécier comme il faut ta générosité.

— Il ne s'agit point de générosité, mais de ton dû, répondis-je. Laisse-moi t'embrasser encore. Il faut que je rattrape les heures passées sur le perron. »

Un peu plus tard, elle dit :

« J'ai au moins appris une chose aujourd'hui. A ne plus jamais aller me promener dans les bois avec toi. Philip, laisse-moi me lever. »

Je l'y aidai et lui tendis avec un profond salut ses gants et sa capote. Elle fouilla dans son réticule et sortit un petit paquet qu'elle développa.

« Voici, dit-elle, ton cadeau d'anniversaire. J'aurais dû te le donner plus tôt. Si j'avais su que j'allais me trouver à la tête d'une fortune, j'aurais choisi la perle plus grosse. »

Elle prit l'épingle et la planta dans ma cravate.

« Vas-tu me laisser rentrer à présent? » dit-elle.

Elle me prit la main, et je me rappelai que je n'avais pas déjeuné. Je me sentais un énorme appétit pour le dîner. Nous prîmes le chemin du retour, et je songeais à des volailles bouillies au lard, et à la nuit qui allait venir, lorsque nous nous trouvâmes soudain devant le morceau de granit qui dominait la vallée et dont j'avais oublié qu'il nous attendait au bout du chemin. Je tournai rapidement sous les arbres pour l'éviter, mais trop tard. Elle l'avait déjà vu, sombre et carré entre les troncs et, lâchant ma main, s'arrêta pour le regarder.

« Qu'est ceci, Philip? demanda-t-elle, cette forme, là, comme une tombe dressée sur le sol?

— Ce n'est rien, dis-je vivement, un morceau de granit. Une espèce de borne. Il y a un sentier sous les arbres beaucoup moins escarpé. Ici, à gauche. Ce n'est pas la peine de monter jusqu'à la pierre.

— Attends un moment, dit-elle. Je veux la regarder. Je n'étais encore jamais venue ici. »

Elle monta jusqu'à la roche et s'arrêta. Je vis ses lèvres remuer en lisant l'inscription, et je l'observai, rempli d'appréhension. Peut-être était-ce un effet de mon imagination, mais je crus voir son corps se raidir, et elle demeura là plus longtemps qu'il n'était nécessaire. Elle devait relire l'inscription. Puis elle me rejoignit mais, cette fois, ne me prit pas la main et continua de marcher seule. Elle ne fit aucune réflexion sur le monument, et moi non plus, mais le grand morceau de granit nous accompagnait. Je revoyais les vers comiques et la date et les initiales A. A. gravées dans la pierre, et je voyais aussi ce qu'elle ne pouvait pas voir : le portefeuille renfermant la lettre enfoui profondément sous la pierre dans la terre humide. J'avais l'impression de les avoir tous deux bassement trahis. Son silence même montrait qu'elle était émue. Si je ne parle pas maintenant, me dis-je, le morceau de granit sera une barrière entre nous et ne fera que grandir.

« Je voulais t'y amener plus tôt, dis-je, d'une voix

qui résonna trop fort et sans naturel après un si long silence. C'était la vue préférée d'Ambroise. C'est pourquoi cette pierre y est.

— Mais il n'était pas dans ton programme d'anniversaire de me la montrer aujourd'hui, répondit-elle d'une voix dure et nette, une voix d'étrangère.

— Non, murmurai-je, ce n'était pas dans mon programme. »

Nous continuâmes notre chemin sans parler et, une fois à la maison, elle monta directement à sa chambre.

Je pris mon bain et m'habillai, non plus d'un cœur léger, mais en proie à un sombre abattement. Quel démon nous avait conduit à cette roche, quelle absence de mémoire? Elle ne savait pas comme moi combien souvent Ambroise s'était arrêté là, souriant, appuyé sur sa canne, mais les vers badins évoquaient bien l'humeur qui les avait inspirés, à la fois malicieuse et mélancolique, et la tendre rêverie derrière les yeux moqueurs. Le morceau de granit, haut et fier, semblait contenir la substance même de l'homme que le destin n'avait point laissé revenir chez lui pour mourir, et qui était resté à des centaines de lieues de là, dans le cimetière protestant de Florence.

Quelle ombre pour ma soirée d'anniversaire!

Du moins ignorait-elle tout de la lettre et l'ignorerait-elle toujours, et je me demandais, tout en m'habillant pour dîner, quel autre démon m'avait poussé à l'enterrer plutôt que de la brûler, comme obéissant à l'instinct d'un animal qui reviendrait un jour la déterrer. J'avais oublié tout ce qu'elle contenait. La maladie le possédait lorsqu'il l'avait écrite. Morose et méfiant, la main de la mort toute proche, il ne réfléchissait point à ce qu'il disait. Et tout à coup, aussi nette que si elle se fût inscrite devant moi sur le mur, je vis cette phrase : « L'argent, Dieu me pardonne de dire cela, est à présent l'unique chemin de son cœur. »

Ces mots dansaient sur le miroir tandis que je brossais mes cheveux. Ils y étaient encore lorsque je mis mon épingle de cravate. Ils me suivirent dans l'escalier et dans le salon, et l'inscription se fit voix, la voix d'Ambroise, grave, aimée, familière, inoubliable. « L'unique chemin de son cœur. »

Lorsqu'elle descendit dîner, elle portait les rangs de perles à son cou comme en signe de pardon, comme en hommage rendu à mon anniversaire; cependant, je ne sais pourquoi, cela ne me la rendit pas plus proche, au contraire. Pour ce soir, pour ce soir seulement, j'aurais préféré que son cou fût resté nu.

Nous nous mîmes à table, servis par John et Seecombe, avec, en l'honneur de mon anniversaire, tout le déploiement de candélabres et d'argenterie sur la nappe de dentelle. Il y avait des volailles au lard qui étaient de tradition depuis mon enfance et que Seecombe apporta fièrement, les yeux fixés sur moi. On rit, on sourit, on but à la santé de tous et à la nôtre et aux vingt-cinq années qui s'étendaient derrière moi; mais je gardais continuellement l'impression que nous forcions notre gaieté pour faire plaisir à Seecombe et à John et que, réduits à nous-mêmes, nous aurions gardé le silence.

Une espèce de désespoir s'empara de moi, me commandant de festoyer, me commandant d'être joyeux, et il n'y avait pas d'autre moyen que de boire du vin et de remplir son verre comme le mien, afin d'atténuer l'acuité de nos sentiments et d'oublier le morceau de granit et ce qu'il évoquait en nous. La veille, j'avais marché jusqu'au phare sous la pleine lune, dans un rêve enchanté. Ce soir, et bien que je me fusse, dans l'intervalle, éveillé à tous les trésors du monde, je sentais des ombres autour de moi.

Les yeux troubles, je la regardai de l'autre côté de la table; elle riait, à demi tournée vers Seecombe, et il me sembla qu'elle n'avait jamais été plus charmante. Si j'avais pu retrouver mon humeur du matin, le silence et la paix, et y mêler l'ardeur de l'après-midi parmi les primevères sous les grands bouleaux, j'aurais été de nouveau heureux. Elle aussi aurait été heureuse. Et nous retiendrions à jamais cette félicité, précieuse, sacrée, qui nous accompagnerait jusqu'au fond de l'avenir.

Seecombe remplit de nouveau mon verre et les ombres reculèrent un peu, les doutes s'éloignèrent. Quand nous serons seuls, me dis-je, tout ira bien, et je lui demanderai ce soir même, cette nuit même, de célébrer bientôt notre mariage, bientôt, dans quelques semaines, peut-être dans un mois, car je désirais que tout le monde sût : Seecombe, John, les Kendall, tout le monde, que Rachel porterait son nom à cause de moi.

Elle serait Mrs. Ashley, épouse de Philip Ashley.

Le dîner avait dû durer longtemps car nous étions encore à table lorsque l'on entendit un bruit de roues dans l'avenue. La sonnette tinta et les Kendall furent introduits dans la salle à manger où ils nous trouvèrent parmi les miettes, les desserts entamés, les verres à moitié vides et le couvert en désordre d'une fin de souper. Je me levai et, d'un pas mal assuré, il m'en souvient, approchai deux sièges de la table, tandis que mon parrain protestait qu'ils avaient dîné et ne comptaient rester qu'un moment, pour me présenter leurs vœux.

Seecombe apporta des verres et je vis Louise en robe bleue me regarder, une interrogation dans les yeux, pensant, je le sentais, que j'avais trop bu. Elle avait raison, mais cela ne m'arrivait pas souvent, c'était mon anniversaire, et il était temps qu'elle sût, une fois pour toutes, qu'elle n'aurait jamais d'autres droits de me juger que ceux d'une amie d'enfance. Il fallait que mon parrain aussi le sût. Cela mettrait fin à certains projets qu'il avait pu former et, du même coup, à tous les commérages.

Nous nous assîmes tous dans un murmure de conversation, Rachel et Louise devenues déjà plus à l'aise l'une envers l'autre du fait du déjeuner qu'elles avaient pris de compagnie; cependant, je me taisais au bout de la table, répétant en moi-même la déclaration que j'avais résolu de faire.

Enfin, mon parrain, se penchant vers moi, verre en main et souriant, prononça :

« A tes vingt-cinq ans, Philip. Longue vie et bonheur! »

Tous trois me regardèrent, et je ne sais si c'était là l'effet du vin que j'avais bu ou de mon cœur débordant, mais je sentis que mon parrain et Louise étaient des amis chers et dévoués que j'aimais et il me sembla que Rachel, mon amour, les larmes aux yeux, m'encourageait de son sourire.

C'était le moment opportun. Les domestiques avaient quitté la salle et le secret resterait entre nous quatre.

Je me levai et les remerciai, puis, mon verre rempli, je dis :

« Moi aussi, je désire boire avec vous en l'honneur d'un événement, d'un événement nouveau. Je suis depuis ce matin le plus heureux des hommes. Je vous demande, parrain, et vous aussi, Louise, de boire à Rachel, qui va devenir ma femme. »

Je vidai mon verre et les regardai en souriant. Nul ne répondit, nul ne bougea. Je vis la perplexité dans le regard de mon parrain et, me tournant vers Rachel, je vis que son sourire s'était éteint et que le regard qu'elle fixait sur moi était celui d'un masque glacé.

« Avez-vous complètement perdu la raison, Philip? » dit-elle.

Je reposai mon verre. Ma main n'était pas sûre et le plaça trop près du bord de la table. Il bascula et se brisa sur le sol. Mon cœur battait à coups redoublés. Je ne pouvais détacher mon regard de son visage immobile et blanc.

« Je vous demande pardon, dis-je, si j'ai annoncé la nouvelle un peu prématurément. Songez que c'est mon anniversaire et qu'ils sont tous deux mes plus anciens amis. »

Je m'agrippai à la table pour m'y maintenir, mes oreilles bourdonnaient. Elle ne semblait point comprendre. Elle détourna le regard et, s'adressant à mon parrain et à Louise :

« Je crois, dit-elle, que l'anniversaire et le vin sont montés à la tête de Philip. Pardonnez-lui cette farce d'écolier et oubliez-la si vous pouvez. Il s'en excusera lorsqu'il sera dégrisé. Voulez-vous que nous passions au salon? »

Elle se leva et les conduisit hors de la pièce. Je restai là, debout, l'œil fixé sur les débris du dîner, les miettes de gâteaux, les taches de vin sur la nappe, les chaises en désordre, et je n'éprouvais rien qu'une espèce de vide à l'endroit du cœur. J'attendis un instant puis sortis en titubant avant que John et Seecombe ne revinssent débarrasser la table. J'allai m'installer dans la bibliothèque obscure, devant l'âtre refroidi. On n'avait pas allumé les bougies, et le feu s'était éteint. Par la porte entrebâillée, j'entendais le murmure des voix dans le salon. Je portai les mains à ma tête tournoyante, le goût du vin pesait sur ma langue. Peut-être qu'en restant immobile ici, dans l'obscurité, je recouvrerais mon équilibre et que cet engourdissement, cette sensation de vide se dissiperaient. C'est le vin qui m'avait fait trop parler. Mais pourquoi avoir pris si au tragique ce que je disais? Nous aurions pu leur demander le secret à tous deux. Ils auraient compris. Je restai assis dans la bibliothèque, attendant leur départ. Quelque temps après — un temps infini, sembla-t-il, mais qui n'avait peut-être pas duré plus de dix minutes —, les voix se rapprochèrent et ils sortirent dans le vestibule. J'entendis Seecombe ouvrir la porte d'entrée en leur souhaitant bonne nuit, puis le roulement des roues qui s'éloignaient et le bruit de la porte refermée et verrouillée.

J'avais la cervelle plus claire à présent. Je tendis l'oreille. J'entendis le bruissement de sa robe qui s'approchait de la porte entrouverte, s'arrêtait un instant, puis s'éloignait; puis le bruit de son pas montant l'escalier. Je quittai mon fauteuil et la suivis. Je la rejoignis au coin de la galerie où elle s'était arrêtée pour moucher les bougies du palier. Nous nous regardâmes à leur flamme vacillante.

« Je vous croyais couché, dit-elle. Vous feriez mieux d'y aller sur-le-champ, avant de faire plus de mal.

— Maintenant qu'ils sont partis, dis-je, veux-tu me pardonner? Crois-moi, tu peux te fier aux Kendall. Ils ne trahiront pas notre secret.

— Je l'espère bien! s'écria-t-elle, d'autant plus qu'ils l'ignorent. Tu m'as mise dans la situation d'une servante qui se serait glissée au grenier avec un palefrenier. J'avais connu des hontes, mais celle-ci est la pire. »

Toujours ce visage blanc et glacé qui n'était pas le sien.

« Tu n'avais pas honte, hier à minuit, dis-je, tu m'as donné ta parole alors et tu n'étais point fâchée. Je serais sorti sur-le-champ si tu me l'avais ordonné.

— Ma parole? dit-elle. Quelle parole?

— La promesse de m'épouser, Rachel », répondis-je.

Elle tenait son bougeoir à la main. Elle le leva pour que la flamme nue éclairât mon visage.

« Tu oses, Philip, me dire en face que j'ai promis hier de t'épouser? s'écria-t-elle. J'ai dit tout à l'heure aux Kendall que tu avais perdu le sens, et c'est bien vrai. Tu sais parfaitement que je ne t'ai rien promis de semblable. »

Je la regardai fixement à mon tour. Ce n'était pas moi qui avais perdu la raison, c'était elle. Je sentis le sang enflammer mon visage.

« Tu m'as demandé ce que je désirais pour mon anniversaire, dis-je. Je ne désirais alors, je ne désire encore qu'une seule chose au monde : t'épouser. Que pouvais-je demander d'autre? »

Elle ne répondit pas. Elle continuait à me regarder, incrédule, stupéfaite comme quelqu'un qui écoute d'incompréhensibles propos dans une langue étrangère, et je songeai soudain avec angoisse et désespoir qu'il en était effectivement ainsi entre nous; tout s'était passé par erreur. Elle n'avait pas compris ce que je demandais d'elle à minuit, ni moi, dans mon émerveillement aveugle, ce qu'elle m'avait donné. Ce que j'avais pris pour un gage d'amour n'était donc qu'un geste sans signification, qu'elle interprétait à sa manière.

Si elle avait eu honte, c'était mon tour de rougir qu'elle eût pu se méprendre sur moi de la sorte.

« Parlons clairement à présent, dis-je. Quand veux-tu que nous nous mariions?

— Mais jamais, Philip, dit-elle avec un geste des mains qui me repoussait. Prends cela comme une réponse définitive. Si tu as espéré autre chose, je le regrette. Je n'avais pas l'intention de t'égarer. Et maintenant, bonne nuit. »

Elle se retourna, prête à s'éloigner, mais je saisis sa main et la retins.

« Tu ne m'aimes donc pas? demandai-je. C'était donc une feinte? Pourquoi, au nom du Ciel, ne m'as-tu pas dit la vérité hier soir, ne m'as-tu pas ordonné de me retirer? »

Une fois encore, la stupéfaction emplit son regard; elle ne comprenait pas. Nous étions deux étrangers, sans lien entre nous. Elle venait d'un autre pays, d'une autre race.

« Tu oses me reprocher ce qui s'est passé? dit-elle. Je voulais te remercier, c'est tout. Tu m'avais donné ces bijoux. »

Je crois que je sus en cet instant tout ce qu'Ambroise avait su, lui aussi. Je sus ce qu'il voyait en elle et désirait et n'avait point obtenu. Je sus le tourment, le chagrin, et l'abîme entre eux et sans cesse élargi. Ses yeux sombres, si différents des nôtres, nous regardaient sans comprendre. Ambroise était près de moi dans l'ombre et sous la lumière vacillante de la bougie. Nous considérions cette femme, torturés, sans espoir, tandis que son regard nous accusait. Son visage aussi était étranger dans la pénombre. Petit, étroit, un visage de médaille. La main que je tenais était sans chaleur. Froide et sèche, elle se débattait pour se dégager et ses bagues écorchaient ma paume. Je la lâchai et, au même moment, j'aurais voulu la retenir.

« Pourquoi me regardes-tu? chuchota-t-elle. Que t'ai-je fait? Ton visage a changé. »

J'essayais de trouver encore quelque chose à donner. Elle avait le domaine, l'argent, les bijoux. Elle avait ma pensée, mon corps, mon cœur. Il ne restait que mon nom et elle le portait déjà. Il n'y avait plus rien. Plus rien que la peur. Je lui pris la bougie des mains et la posai sur la rampe. Je mis mes mains autour de son cou; elle ne pouvait plus bouger et me regardait, les yeux grands ouverts. J'avais l'impression de tenir entre mes mains un oiseau effrayé qui, si je serrais un peu plus fort, frémirait un instant et mourrait, qui, si je le lâchais, s'envolerait.

« Ne me quitte jamais, dis-je. Jure-le, jure. »

Elle essaya de remuer les lèvres pour répondre, mais la pression de mes mains l'empêchait de parler. Je desserrai les doigts. Elle recula, la main à sa gorge. Il y avait deux marques rouges au-dessus du collier de perles.

« Maintenant, veux-tu m'épouser? » lui dis-je.

Elle ne répondit pas, mais s'éloigna à reculons le long de la galerie, sans quitter mon visage du regard, les mains toujours à sa gorge. J'aperçus mon ombre sur le mur, comme un monstre informe et sans substance. Je vis Rachel disparaître sous la voûte. J'entendis sa porte se refermer, sa clef tourner dans la serrure. Je gagnai ma chambre et, apercevant mon reflet dans le miroir, m'arrêtai longuement. N'était-ce point Ambroise qui se dressait ainsi, la sueur au front, le visage exsangue? Je fis un geste et retrouvai ma propre image : les épaules voûtées, les membres gauches et trop longs, hésitant, incapable de se conduire, ce Philip qui se permettait des farces d'écolier. Rachel avait prié les Kendall de me pardonner et d'oublier.

J'ouvris la fenêtre, mais il n'y avait pas de lune ce soir et il pleuvait à verse. Le vent secouait le rideau et, rebroussant les pages de l'almanach posé sur la cheminée, le jeta par terre. Je me penchai pour le ramasser et en arrachai une page que je froissai et jetai au feu. C'était la fin de mon anniversaire. Les poissons d'avril étaient passés.

CHAPITRE XXIII

Le lendemain matin, comme j'étais assis devant mon petit déjeuner, regardant le jour morne et éventé avec des yeux qui ne voyaient rien, Seecombe entra dans la salle à manger, portant une lettre sur un plateau. Mon cœur bondit à cette vue. Peut-être était-ce elle qui me demandait de venir la voir dans sa chambre... La lettre n'était pas de Rachel, l'écriture en était plus large et plus ronde. Le billet était de Louise.

« Le valet de Mr. Kendall vient juste de l'apporter, Monsieur, dit Seecombe, il attend la réponse. »

Je lus :

« Cher Philip, je suis très peinée de ce qui s'est passé hier soir. Je crois avoir, mieux que mon père, compris ce que vous avez éprouvé. Rappelez-vous que je suis votre amie et le serai toujours. Je dois aller en ville ce matin. Si vous avez besoin de quelqu'un à qui parler, je puis vous rencontrer devant l'église un peu avant midi. Louise. »

Je mis le billet dans ma poche et demandai à Seecombe de m'apporter une plume et du papier. Mon premier mouvement, comme toujours à l'idée de rencontrer qui que ce fût — mais ce matin plus encore — fut de griffonner un mot de remerciement et de refus. Toutefois, lorsque Seecombe revint avec la plume et le papier, je me ravisai. Une nuit d'insomnie, un sentiment torturant de solitude, me faisaient soudain souhaiter une compagnie. Celle de Louise m'était la plus familière. Je lui écrivis donc que j'irais en ville dans la matinée et la retrouverais devant l'église.

« Remettez ceci au valet de Mr. Kendall, dis-je, et dites à Wellington de faire seller Gipsy pour onze heures. »

Après le petit déjeuner, je me rendis dans mon bureau, classai les factures et écrivis la lettre commencée la veille. Je ne sais pourquoi, cela me paraissait à présent plus facile. Une partie de mon cerveau travaillait obscurément, enregistrait les faits et les chiffres et les notait, poussé par la force de l'habitude. Ma besogne accomplie, je me rendis aux écuries, impatient de quitter la maison et tout ce qu'elle représentait. Je ne pris pas par l'avenue à travers le bois, trop chargée des souvenirs de la veille, mais longeai le parc et gagnai la grand-route. Ma jument était vive et ombrageuse comme un faon; frémissant pour un rien, elle se cabrait et reculait, frôlant les haies sous le vent qui nous cinglait tous les deux.

Les bourrasques attendues en février et mars se déchaînaient enfin. Finis la douceur des dernières semaines, la mer calme, le soleil. De grands nuages à longues traînes, bordés de noir et gonflés de pluie, accouraient, venant de l'ouest et, de temps à autre, éclataient et déversaient des torrents de grêle. La mer enflait tumultueusement dans la baie. Dans les champs, de part et d'autre de la route; les mouettes criaient et plongeaient vers la terre fraîchement labourée, cherchant les pousses vertes d'un printemps précoce. Nat Bray, dont j'avais pris congé si brusquement le matin précédent, était près de sa barrière, un sac sur les épaules pour se protéger de la grêle; il leva la main à mon passage et me cria son salut, mais le vent emporta sa voix.

De la grand-route, j'entendais encore la mer. A l'ouest, où elle se perd sur les sables, les vagues étaient courtes et droites, retombant en arrière et bouclées d'écume; mais à l'est, devant l'estuaire, les longues lames se jetaient contre les rochers à l'entrée du port et leur grondement se mêlait à celui du vent glacé qui balayait les haies et courbait les arbres chargés de bourgeons.

Il y avait peu de monde dans les rues de la ville lorsque j'y entrai, et ceux que j'y vis se hâtaient vers leurs besognes, marchant de côté pour offrir moins de résistance au vent, le visage fouetté par le froid soudain. Je laissai Gipsy à l'auberge de la Rose et de la Couronne et pris à pied le chemin de l'église. Louise s'abritait sous le porche. Je poussai la lourde porte et nous entrâmes tous deux. L'intérieur de l'église me parut sombre et paisible, après les rafales que je venais de traverser, mais j'y retrouvai aussi cette inévitable sensation de froid oppressant et lourd, et cette odeur de moisissure ecclésiastique. Nous allâmes nous asseoir près de la statue de marbre d'un de mes ancêtres, entouré de ses fils et de ses filles en larmes à ses pieds, et je songeai aux nombreux Ashley dispersés dans la province, les uns ici, dans ma paroisse, les autres ailleurs, qui avaient aimé et souffert puis passé leur chemin.

Nous nous tûmes d'abord dans l'église silencieuse et quand nous parlâmes, ce fut à mi-voix.

« Je me fais du souci pour vous depuis longtemps, dit Louise, depuis Noël et même avant. Mais je ne pouvais vous le dire. Vous ne m'auriez pas écoutée.

— C'était inutile, répondis-je. Tout allait très bien jusque hier soir, et ce qui s'est passé était de ma faute, je n'aurais pas dû dire ce que j'ai dit.

— Vous ne l'auriez jamais dit, répliqua-t-elle, si vous ne l'aviez pas cru. Il y a eu tromperie dès le premier jour et vous l'aviez prévu pourtant, avant qu'elle ne vînt.

— Il n'y a pas eu tromperie, dis-je, jusqu'à ces dernières heures, et c'est moi qui me suis trompé, je ne puis m'en prendre qu'à moi. »

Une soudaine averse fouetta les vitraux et la longue nef s'assombrit encore entre les hauts piliers.

« Que venait-elle faire ici en septembre dernier? dit Louise. Pourquoi a-t-elle parcouru tant de chemin pour vous trouver? Ce n'est pas le sentiment qui la poussait ni la simple curiosité. Elle est venue en Angleterre et en Cornouailles en vue d'un but précis qu'elle a atteint aujourd'hui. »

Je me tournai et la regardai. Ses yeux gris étaient simples et sincères.

« Que voulez-vous dire? demandai-je.

— Elle a l'argent, dit Louise. C'était ce qu'elle voulait en entreprenant ce voyage. »

Mon professeur de cinquième, à Harrow, nous avait dit un jour que la vérité est une chose intangible, invisible, et qu'il arrive que nous trébuchions dessus sans la reconnaître, mais qu'elle est parfois découverte, saisie, comprise, par de vieilles gens proches de leur mort ou bien par des êtres très jeunes et très purs.

« Vous vous trompez, dis-je, vous ne savez rien d'elle. C'est une femme impulsive, émotive, aux humeurs étranges et imprévisibles, certes, mais telle est sa nature. Une impulsion l'arracha à Florence. Une impulsion la conduisit ici. Elle y est restée parce qu'elle s'y sentait heureuse et parce que c'était son droit. »

Louise me regarda avec pitié. Elle posa sa main sur mon genou.

« Si vous aviez été moins vulnérable, Philip, Mrs. Ashley ne serait pas restée, dit-elle. Elle serait venue voir mon père, aurait conclu un juste marché et serait partie. Vous vous êtes dès le début mépris sur ses intentions. »

J'aurais préféré, je crois, voir Louise frapper Rachel de sa main, cracher sur elle ou bien lui tirer les cheveux, déchirer sa robe. C'eût été d'une violence primitive, animale. C'eût été combattre à visage découvert. Mais ces propos dans le silence de l'église, en l'absence de Rachel, étaient de la calomnie, presque du blasphème.

« Je ne puis vous entendre plus longtemps, dis-je

en me levant. Je souhaitais le réconfort de votre affection. Si vous n'en avez pas à me donner, tant pis. »

Elle se leva et me prit le bras.

« Ne voyez-vous pas que j'essaye de vous secourir? pria-t-elle. Mais vous êtes aveugle à tout. Que faire? S'il n'est point dans la nature de Mrs. Ashley de dresser ses plans plusieurs mois d'avance, pourquoi expédie-t-elle sa pension à l'étranger, chaque semaine, chaque mois, depuis tout l'hiver?

— Comment le savez-vous? dis-je.

— Mon père l'a appris, répondit-elle. Ces choses ne pouvaient demeurer cachées à Mr. Couch ni à mon père qui était votre tuteur.

— Et quand elle l'aurait fait? dis-je. Elle avait des dettes à Florence. Je l'ai toujours su. Ses créanciers la harcelaient.

— Jusqu'ici? Dans ce pays? dit-elle. Cela se peut-il? Je ne l'aurais pas cru. N'est-il pas plus probable que Mrs. Ashley ait essayé de se constituer une petite fortune en vue de son retour et qu'elle n'ait passé l'hiver ici que parce qu'elle savait que vous n'entreriez légalement dans votre héritage que le jour de vos vingt-cinq ans, c'est-à-dire hier? Alors, mon père cessant d'être votre tuteur, elle pouvait vous saigner à son aise. Mais elle n'a même pas eu cette peine. Vous lui avez fait cadeau de tout ce que vous possédiez. »

Je ne parvenais pas à croire qu'une jeune fille que je connaissais et estimais pût avoir un esprit si abominable et — c'était bien là le pire — s'exprimer avec tant de logique et de bon sens pour déchirer une autre femme, sa semblable.

« Est-ce l'esprit juridique de votre père qui parle par votre bouche, ou bien vous-même? lui demandai-je.

— Ce n'est pas mon père, dit-elle, vous connaissez sa discrétion. Il m'a dit fort peu de chose. J'ai mon jugement à moi.

— Vous lui avez été hostile dès votre première rencontre, dis-je. C'était un dimanche, n'est-ce pas, à l'église. Vous êtes venue dîner et n'avez pas dit un mot, le visage fermé. Vous étiez décidée à la détester.

— Et vous? dit-elle. Avez-vous oublié ce que vous disiez avant son arrivée? Moi, je n'oublie pas vos préventions contre elle. Elles étaient justifiées. »

On entendit un craquement du côté de la porte latérale, près du chœur. Elle s'ouvrit, et Alice Table, la chaisière, une petite femme effacée, se glissa dans la nef, son balai à la main, pour nettoyer l'église. Elle nous regarda à la dérobée et passa derrière la chaire, mais sa présence nous entourait, nous n'étions plus seuls.

« C'est inutile, Louise, dis-je, vous ne pouvez rien pour moi. J'ai beaucoup d'affection pour vous et vous pour moi. Si nous continuons à parler ainsi, nous finirons par nous haïr. »

Louise me regarda, sa main glissa de mon bras.

« L'aimez-vous donc tant? » fit-elle.

Je détournai le regard. C'était une jeune fille, et plus jeune que moi, elle ne pouvait comprendre. Personne n'aurait pu comprendre qu'Ambroise, et il était mort.

« Que vous réserve l'avenir à tous les deux? » demanda Louise.

Nos pas résonnaient sur les dalles. L'averse, dont les vitraux restaient éclaboussés, avait cessé. Un soleil capricieux illumina l'auréole de saint Pierre dans la rose, puis s'en retira.

« Je l'ai demandée en mariage, dis-je. Je l'ai demandée une fois, deux fois. Je continuerai. Voilà mon avenir, s'il vous intéresse. »

Nous étions devant la porte, je l'ouvris et nous nous retrouvâmes sous le porche. Un merle, insouciant de la pluie, chantait dans un arbre près de la grille et un garçon boucher qui passait, son panier sur l'épaule et son tablier sur la tête, lui répondit en sifflant.

« Quand l'avez-vous demandée pour la première fois? » interrogea Louise.

Je revécus la chaude tendresse à la lumière des bougies, les rires, la lumière soudain éteinte, et les rires qui soudain se taisent... Rachel et moi, seuls dans la nuit. Comme par dérision, la cloche sonna douze coups, ainsi qu'à ce moment-là.

« Le matin de mon anniversaire », dis-je à Louise.

Elle attendit le dernier coup de la cloche qui résonnait puissamment au-dessus de nos têtes.

« Que vous a-t-elle répondu? demanda-t-elle.

— Nous parlions par allusions, j'ai cru qu'elle acceptait alors qu'elle refusait.

— Avait-elle déjà lu, alors, l'acte de donation?

— Non. Elle l'a lu plus tard. Un peu plus tard, dans la matinée. »

Devant la grille, j'aperçus le valet des Kendall et

leur charrette. Il leva son fouet à la vue de la fille de son maître et descendit de son siège. Louise noua sa mante et en abaissa la capuche sur ses cheveux.

« C'est donc sans perdre de temps qu'elle l'a lu et qu'elle est venue à Pelyn voir mon père, dit Louise.

— Elle ne l'avait pas très bien compris, dis-je.

— Elle l'avait compris en quittant Pelyn, dit Louise. Je me rappelle parfaitement que, sur le perron, devant la voiture, mon père lui dit encore : la clause sur le remariage peut paraître un peu rigoureuse. Il faudra rester veuve si vous voulez conserver votre fortune. Et Mrs. Ashley lui sourit et répondit : cela me convient. »

Le valet s'avançait vers nous, portant le grand parapluie. Louise boutonna ses gants. Une nouvelle nuée très sombre chargeait le ciel.

« Cette clause a été introduite afin de sauvegarder les intérêts du domaine, dis-je, et pour éviter tout abus de la part d'un étranger. Si elle devenait ma femme, cela ne s'appliquerait pas.

— C'est ce qui vous trompe, dit Louise. Si elle vous épousait, vous rentreriez en possession de tout. Vous n'avez pas songé à cela.

— Et quand bien même? dis-je. Je partagerais jusqu'à mon dernier sou avec elle. Ce n'est pas pour cette clause qu'elle refuse de m'épouser. Est-ce cela que vous insinuez? »

La capuche dissimulait en partie ses traits, mais les grands yeux gris me regardèrent en face.

« Une femme, dit Louise, ne peut pas expédier

l'argent de son mari à l'étranger, ni retourner dans son propre pays. Je n'insinue rien. »

Le valet toucha son chapeau et souleva le parapluie pour protéger Louise. Je l'accompagnai jusqu'à la charrette et l'aidai à y monter.

« Je ne vous ai fait aucun bien, dit-elle, et vous me trouvez dure et sans pitié. Une femme, parfois, voit plus clair qu'un homme. Pardonnez-moi si je vous ai blessé. Je désire uniquement que vous redeveniez vous-même. »

Elle se pencha vers le valet :

« Allons, Thomas, dit-elle, nous rentrons à Pelyn. »

Il fit tourner le cheval et ils prirent la direction de la grand-route.

J'entrai à l'auberge de la Rose et de la Couronne et m'assis dans la petite salle. Louise avait dit vrai : elle ne m'avait fait aucun bien. J'étais venu en quête de réconfort et elle ne m'avait offert que des faits desséchés et déformés. Tout ce qu'elle disait aurait eu un sens aux oreilles d'un homme de loi. Je savais comment mon parrain pesait les choses dans sa balance sans y faire figurer le cœur humain. Ce n'était point la faute de Louise si elle avait hérité sa façon de voir précise et sèche et raisonnait en conséquence.

Je savais mieux qu'elle ce qui s'était passé entre Rachel et moi. Je pensai à la roche de granit dans les bois dominant la vallée et à tous les mois de son existence que je n'avais pas partagés. « Votre cousine Rachel est une impulsive », disait Rainaldi. Elle avait cédé à une impulsion en me laissant l'aimer. Elle avait cédé à une impulsion en me repoussant. Ambroise avait connu ces mouvements. Ambroise avait compris. Et, pas plus pour moi que pour lui, il n'y aurait jamais d'autre femme, d'autre épouse.

Je restai longtemps dans la salle d'auberge sans feu. L'aubergiste m'apporta du mouton froid et de la bière, mais je n'avais pas faim. Finalement, je sortis et m'arrêtai sur le quai à regarder la marée haute éclabousser les marches. Les bateaux de pêche se balançaient, et un vieil homme, à califourchon sur une traverse, écopait le fond de son bateau, le dos tourné aux vagues qui le remplissaient au fur et à mesure.

Les nuages, plus bas que dans la matinée, devenus brume, enveloppaient les arbres de l'autre rive. Si je voulais rentrer à peu près sec et sans que Gipsy prît froid, il fallait faire vite, avant que le temps ne se gâtât davantage. Il n'y avait plus personne dehors. Je me mis en selle et grimpai la côte, puis, pour éviter le long ruban de grand-route, tournai au carrefour des Quatre-Chemins et m'engageai dans l'avenue. L'on y était plus abrités, mais je n'avais pas fait cent mètres sous les arbres que Gipsy se mit à boiter, et, plutôt que d'entrer dans le pavillon, de me donner le mal de retirer le caillou qui avait pénétré sous son fer et d'être obligé de parler aux gardiens, je décidai de mettre pied à terre et de conduire doucement ma jument jusqu'au logis. La tempête avait abattu des branches qui jonchaient notre chemin et les arbres, hier immobiles, se courbaient à présent, se balançaient et frissonnaient dans la pluie et le brouillard.

Une vapeur blanche s'élevait de la vallée, et je me

rendis compte dans un frisson que je n'avais pas cessé d'avoir froid depuis le moment où je m'étais assis avec Louise dans l'église et tout le temps que j'avais passé dans la salle glaciale de la Rose et la Couronne. L'univers n'était plus le même qu'hier.

Je traversai avec Gipsy le sentier que nous avions suivi la veille, Rachel et moi. La trace de nos pas s'y voyait encore autour des bouleaux au pied desquels nous avions cueilli des primevères. Des touffes s'y fanaient dans la mousse trempée. L'avenue me parut interminable. Je tenais par la bride Gipsy boitant, et la pluie me coulait dans le cou et me glaçait le dos.

J'arrivai à la maison trop fourbu pour dire bonjour à Wellington, je lui jetai les rênes sans un mot et m'éloignai, suivi par son regard surpris. Dieu sait qu'après le souper de la veille, je n'avais pas envie de boire autre chose que de l'eau, mais, glacé, trempé, je songeai qu'une gorgée d'eau-de-vie me réchaufferait un peu. J'entrai dans la salle à manger où John mettait la table pour le dîner. Il alla me chercher un verre à l'office et, tout en l'attendant, je remarquai qu'il avait mis trois couverts.

Je le lui fis remarquer quand il revint.

« Pourquoi trois? demandai-je.

— Miss Pascoe est arrivée à une heure, répondit-il. La maîtresse est allée la chercher à la cure ce matin, un peu après que vous étiez sorti. Miss Pascoe va demeurer ici. »

Je le regardai, éberlué.

« Miss Pascoe va demeurer ici? répétai-je.

— Oui, Monsieur, répondit-il. Miss Mary Pascoe,

celle qui fait la leçon de catéchisme aux enfants. On lui a préparé la chambre rose. En ce moment, elle est dans le boudoir avec la maîtresse. »

Il continuait à mettre le couvert et, laissant le verre sur le buffet, sans plus penser à l'eau-de-vie, je montai l'escalier. Il y avait un billet sur la table de ma chambre, portant l'écriture de Rachel. Je déchirai l'enveloppe, et lus : « J'ai demandé à Mary Pascoe de venir habiter ici et d'être ma demoiselle de compagnie. Depuis hier soir, je ne puis plus être seule avec vous. Vous pourrez venir nous retrouver au boudoir, si vous le désirez, avant et après dîner. Je vous prie d'être courtois. Rachel. »

Elle ne pouvait vouloir dire cela. Ce n'était pas vrai. Combien de fois nous étions-nous moqué des filles Pascoe, et particulièrement de la bavarde Mary, toujours un ouvrage charitable à la main, et visitant des pauvres qui auraient préféré qu'elle les laissât en paix, Mary plus épaisse et plus laide encore que sa mère. En manière de plaisanterie, oui, Rachel aurait pu l'inviter à dîner, afin d'observer mon visage penaud au bout de la table... Mais ce billet ne plaisantait pas.

Je sortis sur le palier et vis la porte de la chambre rose ouverte. Toute méprise était impossible. Un feu brûlait dans l'âtre, des souliers, une robe de chambre étaient étalés sur une chaise, il y avait des brosses, des livres, tout le bagage personnel d'une étrangère dispersé à travers la chambre dont l'autre porte, communiquant avec l'appartement de Rachel et habituellement condamnée, était à présent grande ouverte. J'entendais même le murmure d'une conversation dans le boudoir. C'était donc là ma punition, ma disgrâce. Mary Pascoe avait été invitée pour nous séparer, Rachel et moi, pour que nous ne fussions plus seuls ensemble. Elle l'avait écrit dans son billet.

Mon premier sentiment fut une telle colère que j'eus peine à me retenir d'aller droit au boudoir, de prendre Mary Pascoe par les épaules, de lui dire de faire ses paquets et d'ordonner à Wellington de la ramener chez elle sans délai. Comment Rachel avait-elle osé l'inviter dans ma maison sous le prétexte vain, misérable, insultant, qu'elle ne pouvait plus se trouver seule avec moi? Étais-je donc condamné à Mary Pascoe à tous les repas, à Mary Pascoe dans la bibliothèque et le salon, à Mary Pascoe se promenant dans le parc, à Mary Pascoe dans le boudoir, et, éternellement, à cet interminable verbiage des femmes entre elles que je ne supportais, aux dîners du dimanche, que par la force de l'habitude?

Je suivis la galerie. Je ne m'étais point changé, je portais encore mes vêtements trempés. J'ouvris la porte du boudoir. Rachel était dans son fauteuil, Mary Pascoe à côté d'elle sur le tabouret; elles regardaient les illustrations du grand volume sur les jardins d'Italie.

« Vous voici donc rentré? dit Rachel. C'était singulièrement choisir votre jour pour une randonnée à cheval. La voiture s'est presque envolée quand je suis sortie pour aller à la cure. Comme vous le voyez, nous avons la bonne fortune de recevoir Mary. Elle est déjà tout à fait chez elle ici. Je suis bien aise qu'elle ait pu venir. »

Mary Pascoe fit entendre un petit rire en trille.

« Quelle surprise, Mr. Ashley, dit-elle, lorsque votre cousine est venue me chercher. Les autres étaient vertes d'envie. Je puis à peine croire que je suis ici. Que ce boudoir est donc joli et douillet! Encore plus plaisant que les pièces du rez-de-chaussée. Votre cousine m'a dit que vous avez l'habitude d'y passer la soirée. Jouez-vous au piquet? Je suis folle de piquet. Si vous ne savez pas, je me ferai un plaisir de vous apprendre à tous deux.

— Philip, dit Rachel, n'aime guère les jeux de hasard. Il préfère fumer sans rien dire. Nous jouerons toutes les deux, Mary. »

Elle me regarda par-dessus la tête de Mary Pascoe. Non, ce n'était pas une plaisanterie. Je voyais à son regard dur qu'elle avait agi de la façon la plus délibérée.

« Puis-je vous parler en particulier? dis-je brusquement.

— Je n'en vois point la nécessité, répondit-elle. Vous êtes libre de dire devant Mary tout ce qui vous plaira. »

La fille du vicaire se leva vivement.

« Je vous en prie, dit-elle. Je ne veux pas être indiscrète. Je peux fort bien aller dans ma chambre.

— Laissez les portes grandes ouvertes, Mary, dit Rachel, afin de m'entendre si j'appelle. »

Ses yeux hostiles restaient fixés sur moi.

« Mais certainement, Mrs. Ashley » dit Mary Pascoe.

Elle passa devant moi, les yeux écarquillés, et laissa toutes les portes ouvertes.

« Pourquoi avez-vous fait cela? demandai-je à Rachel.

— Vous le savez parfaitement, répondit-elle; je vous l'ai écrit dans mon billet.

— Combien de temps va-t-elle rester?

— Tant qu'il me plaira.

— Vous ne pourrez pas supporter sa compagnie plus d'une journée. Vous n'en aurez pas la patience plus que moi.

— Vous vous trompez, dit-elle, Mary Pascoe est une bonne et innocente fille. Je ne lui parlerai pas si je ne suis pas en humeur de conversation. En tout cas, avec elle dans la maison, je me sens un peu plus en sécurité. Il était temps. Les choses ne pouvaient plus continuer ainsi après votre éclat à souper. Votre parrain me l'a bien dit en partant.

— Qu'a-t-il dit?

— Que ma présence ici donnait lieu à des commérages que votre vantardise au sujet d'un mariage n'était pas de nature à faire taire. Je ne sais pas à qui d'autre encore vous avez pu parler ainsi. Mary Pascoe mettra fin aux commérages. J'y veillerai. »

Etait-il possible que mes paroles du soir précédent eussent provoqué en elle un tel changement, une si terrible inimitié?

« Rachel, dis-je, tout cela ne peut se régler en quelques instants d'entretien, les portes ouvertes. Je vous supplie de m'écouter, de me laisser vous parler seul à seule, après dîner, quand Mary Pascoe ira se coucher.

— Vous m'avez menacée hier soir. Une fois suffit, dit-elle. Il n'y a rien à régler. Vous pouvez vous retirer si vous le désirez. Ou bien rester et jouer au piquet ici avec Mary Pascoe. »

Elle reprit son livre de jardinage.

Je sortis. Tel était donc mon châtiment pour ce bref instant de la nuit précédente où j'avais mis mes mains autour de son cou. Cette action que j'avais aussitôt regrettée, dont je m'étais aussitôt repenti, était impardonnable, et telle en était la rançon. Ma colère retomba aussi vite qu'elle était née, faisant place à un morne abattement, au désespoir. Mon Dieu, qu'avais-je donc fait?

Peu de temps auparavant, quelques heures à peine, nous étions si heureux! L'exaltation de la veille de mon anniversaire, sa magie, avaient fui à présent, étaient dissipées par ma faute. Cet après-midi, à l'auberge de la Rose et la Couronne, je m'étais dit que, dans quelques semaines peut-être, son refus de devenir ma femme pourrait être vaincu. Sinon sur-le-champ, du moins plus tard, et sinon plus tard, qu'importait, du moment que nous pourrions continuer à nous aimer comme à l'aube de mon anniversaire. C'était à elle de décider, à elle de choisir, mais elle ne refuserait point... J'avais presque de l'espoir en rentrant à la maison. Mais j'y trouvais une étrangère et une tierce personne qui ne comprenait rien à nos rapports. Plus tard, j'entendis de ma chambre leurs voix se rapprocher de l'escalier, puis le bruissement des robes balayant les marches. Il était plus tard que je ne pensais, elles devaient être déjà habillées pour le dîner. Je ne pourrais pas me trouver à table en face d'elle. D'ailleurs, je n'avais pas faim. J'étais glacé et courbatu, j'avais sans doute pris froid, je serais mieux dans ma chambre. Je sonnai et dis à John de leur présenter mes excuses, car je ne descendrais pas dîner; j'allais me mettre au lit sur-le-champ. Cette décision eut les suites que je redoutais : Seecombe monta, le visage soucieux.

« Vous n'êtes pas bien, Mr. Philip? dit-il. Puis-je conseiller un bain de moutarde et un grog? Il n'y a rien de bon à attraper à courir à cheval par un temps pareil.

— Je ne veux rien, Seecombe, je vous remercie, répondis-je. Je suis un peu las, c'est tout.

— Pas de dîner, Mr. Philip? Nous avons de la venaison et une tarte aux pommes. Tout est prêt. Ces dames sont dans le salon.

— Rien, Seecombe. J'ai mal dormi la nuit dernière. Cela ira mieux demain.

— Je vais le dire à la maîtresse, fit-il, elle en sera très affectée. »

En me confinant dans ma chambre, j'avais une chance de voir Rachel seule. Peut-être viendrait-elle après dîner prendre de mes nouvelles.

Je me déshabillai et me couchai. J'avais sans doute pris froid. Les draps me semblèrent glacés, je les rejetai et me couchai entre les couvertures. J'étais courbatu, engourdi, mes tempes battaient, toutes sensations inconnues de moi. J'attendis qu'elles eussent fini de dîner. Je les entendis passer du vestibule dans la salle à manger dans un bavardage continuel — cela au moins m'était épargné — puis, après un long intervalle, revenir au salon.

Un peu après huit heures, je les entendis remonter. Je m'assis dans mon lit et mis ma veste sur mes épaules. C'était peut-être le moment qu'elle allait choisir. Malgré les couvertures de laine nues, j'avais toujours froid et les douleurs de mes jambes et de mon cou avaient gagné ma tête en feu.

J'attendis, mais elle ne vint pas. Elles devaient être au boudoir. J'entendis l'horloge sonner neuf heures, puis dix, puis onze. Après onze heures, je compris qu'elle n'avait pas l'intention de venir me voir ce soir. L'indifférence faisait donc partie de mon châtiment.

Je me levai et sortis dans le couloir. Elles s'étaient retirées pour la nuit, car j'entendais Mary Pascoe marcher dans la chambre rose et, de temps en temps, la petite toux agaçante qu'elle tenait de sa mère.

Je suivis la galerie jusqu'à la porte de Rachel. Je mis la main sur la poignée et tournai. Mais la porte ne s'ouvrit point. Elle était verrouillée. Je frappai, très doucement. On ne répondit pas. Je revins lentement à ma chambre et me couchai, glacé.

Je me rappelle m'être habillé, mais n'ai aucun souvenir de John venant me réveiller, ni du petit déjeuner, ni de rien d'autre que d'une étrange raideur dans mon cou et d'une douleur atroce à la tête. Je me rendis dans mon bureau. J'écrivis des lettres. Je ne vis personne. Vers midi, Seecombe vint me dire que ces dames m'attendaient pour déjeuner. Je lui dis que je ne déjeunerais point. Il s'approcha pour mieux me regarder.

« Mr. Philip, dit-il, vous êtes malade. Qu'avez-vous?

— Je ne sais pas », dis-je.

Il me prit la main pour la tâter.

Il sortit du bureau, et je l'entendis traverser la cour d'un pas pressé.

Un moment plus tard, la porte s'ouvrit de nouveau. Rachel parut sur le seuil, Miss Pascoe derrière elle, de même que Seecombe. Elle vint à moi.

« Seecombe dit que vous êtes malade, fit-elle. Qu'avez-vous? »

Je la regardai. Rien de ce qui se passait n'était réel. A peine si je savais que j'étais assis dans mon fauteuil de bureau, je me croyais encore dans ma chambre, dans mon lit glacé, comme le soir précédent.

« Quand la renverrez-vous chez elle? Je ne vous ferai point de mal, dis-je. Je vous en donne ma parole d'honneur. »

Elle mit la main sur mon front. Elle regarda mes yeux, puis se tourna vivement vers Seecombe.

« Appelez John, dit-elle, aidez tous les deux Mr. Philip à se mettre au lit. Dites à Wellington d'envoyer le valet chercher le docteur sur-le-champ... »

Je ne voyais que son visage blanc et ses yeux, et, derrière son épaule, un peu ridicule, Mary Pascoe me regardant stupidement. Puis, rien. Rien que la douleur de mes membres, de ma tête.

Revenu à mon lit, j'avais conscience de la présence de Seecombe fermant les volets, rapprochant les rideaux, plongeant la chambre dans l'obscurité à laquelle j'aspirais. Peut-être apaiserait-elle ces douleurs fulgurantes. Je ne pouvais bouger ma tête sur l'oreiller, l'on eût dit que les muscles de mon cou étaient rigides et tendus. Je sentis la main de Rachel dans la mienne. Je répétai :

« Je promets de ne pas vous faire de mal. Renvoyez Mary Pascoe. »

Elle répondit :

« Ne parlez plus. Soyez calme. »

La chambre était pleine de murmures. La porte s'ouvrait, se fermait, s'ouvrait de nouveau. Des pas étouffés glissaient sur le sol. Des rais de lumière filtraient du palier, et les chuchotements ne cessaient point, de sorte qu'il me semblait, dans le délire qui s'était soudain emparé de moi, que la maison était remplie de monde, un invité dans chaque chambre, et la maison était trop petite pour eux tous, ils se pressaient dans le salon, la bibliothèque, et Rachel circulait au milieu d'eux, leur parlait, leur tendait les mains. Je répétais sans arrêt :

« Renvoyez-les. »

Puis je vis le visage rond du docteur Gilbert qui me regardait derrière ses lunettes. Il était donc lui aussi de la partie? Il m'avait soigné de la varicelle quand j'étais enfant. Je ne l'avais guère revu depuis.

« Alors, vous avez pris un bain de mer à minuit? me dit-il. C'était agir bien sottement. »

Il hocha la tête et se mit à caresser sa barbe en me regardant comme si j'étais encore un enfant. Je fermai les yeux, gêné par la lumière. J'entendis Rachel lui dire :

« Je connais trop ce genre de fièvre pour m'y tromper. J'ai vu des enfants en mourir à Florence. C'est un mal qui s'attaque à la moelle, puis au cerveau. Faites quelque chose, pour l'amour du Ciel... »

Ils s'éloignèrent. Les chuchotements recommencèrent. Ils furent suivis par un bruit de roues qui diminuait dans l'allée. Plus tard, j'entendis quelqu'un respirer tout près des rideaux de mon lit. Je compris ce qui s'était passé. Rachel était partie. Elle s'était fait conduire en voiture à Bodmin pour prendre le coche de Londres. Elle avait laissé Mary Pascoe dans la maison afin de me surveiller. Les domestiques, Seecombe, John, tout le monde était parti, il ne restait que Mary Pascoe.

« Je vous en prie, allez-vous-en, dis-je, je n'ai besoin de personne. »

Une main s'avança pour toucher mon front. La main de Mary Pascoe. Je me secouai pour m'en dégager. Mais elle revint, dure, froide, et je lui criai de s'en aller, mais la main s'appesantissait sur moi, glaciale, elle se changea en glace sur mon front, mon cou, me clouant sur mon oreiller, me faisant prisonnier. Puis j'entendis Rachel me dire à l'oreille :

« Chéri, ne bouge pas. Cela va te faire du bien. Tu vas aller mieux, bientôt. »

J'essayai de me retourner, mais n'y parvins pas. Elle n'était donc pas allée à Londres?

Je dis :

« Ne me quitte pas. Promets-moi de ne pas me quitter. »

Elle dit :

« Je te le promets. Je resterai avec toi, toujours. »

J'ouvris les yeux, mais je ne pouvais la voir, la

chambre était plongée dans l'obscurité. La forme en était différente, ce n'était pas la chambre que je connaissais. Celle-ci était longue et étroite comme une cellule; le lit dur comme du fer. Une bougie brûlait derrière un paravent. Dans une niche du mur, une madone priait. J'appelai très haut : « Rachel... Rachel... »

J'entendis un pas qui courait, une porte qui s'ouvrait, puis sa main fut dans la mienne et elle disait : « Je suis près de toi. » Je refermai les yeux.

J'étais sur le pont de l'Arno, je faisais le vœu de détruire une femme que je n'avais jamais vue. L'eau gonflée passait sous le pont, bouillonnante et brune, et Rachel, la mendiante, venait à moi les mains vides. Elle était nue, mais portait le collier de perles autour de sa gorge. Soudain, elle désigna le fleuve et Ambroise passa devant nous sous le pont, les mains croisées sur la poitrine. Il flotta sur l'eau et disparut, puis, lentement, majestueusement, les pattes raides et dressées, le cadavre d'un chien passa dans son sillage.

CHAPITRE XXIV

La première chose que je remarquai fut que l'arbre, devant ma fenêtre, était couvert de feuilles. Je le regardai sans comprendre. Lorsque je m'étais mis au lit, les bourgeons pointaient à peine. C'était très étrange. Oui, les rideaux étaient fermés, alors, mais je me rappelais parfaitement avoir observé le branchage aigu, le matin de mon anniversaire, en me penchant à ma fenêtre pour regarder la pelouse. Je n'avais plus mal à la tête, ni de courbatures. J'avais dû dormir plusieurs heures, un jour entier, peut-être davantage. On perd la notion du temps quand on est malade.

Cependant, j'avais dû voir à plusieurs reprises ce vieux barbu de docteur Gilbert et un autre personnage encore, un inconnu, dans la chambre continuellement obscure. Il y faisait clair à présent. Je sentis mon visage râpeux, je devais avoir grand besoin de me raser. Je portai la main à mon menton. Est-ce que je devenais fou? Moi aussi j'avais une barbe. Je regardai ma main. Je ne la reconnus point. Elle était blanche et mince, les ongles d'une belle longueur, mes ongles que je cassais trop souvent, à cheval. Je tournai la tête et vis Rachel dans un fauteuil près de mon lit, son fauteuil, celui du boudoir. Elle ne savait pas que je la regardais. Elle travaillait à un ouvrage de broderie et portait une robe que je ne connaissais pas, une robe sombre comme toutes ses robes, mais à manches courtes découvrant les coudes, et d'étoffe légère. Faisait-il si chaud dans la chambre? Les fenêtres étaient grandes ouvertes. Il n'y avait pas de feu dans la cheminée.

Je portai de nouveau la main à mon menton et sentis ma barbe. Elle était d'un toucher agréable. Je me mis à rire, et Rachel leva la tête au bruit et me regarda.

« Philip », dit-elle.

Elle sourit et, tombant à genoux, me prit dans ses bras.

« J'ai une barbe », dis-je.

Je ne pouvais m'empêcher de rire de cette folie, mais le rire me fit tousser. Aussitôt, elle me tendit un verre rempli d'un liquide amer qu'elle approcha de mes lèvres, puis, lorsque j'eus finis de boire, m'aida à me recoucher sur mes oreillers.

Ce geste réveilla une sensation dans ma mémoire. N'y avait-il pas eu, pendant longtemps, une main tenant un verre et me faisant boire, surgie dans mes rêves puis disparue? Je la prenais pour la main de Mary Pascoe et la repoussais sans cesse. Je regardai Rachel et lui tendis la main. Elle la prit et la tint serrée. Je glissai mon pouce sur les veines pâles toujours apparentes au dos de sa main et tournai ses bagues. Je continuai ainsi longtemps sans parler.

Enfin, je dis :

« Vous l'avez renvoyée?

— Renvoyé qui? demanda-t-elle.

— Mais Mary Pascoe », répondis-je.

Je l'entendis reprendre son souffle et, levant les yeux, je vis qu'elle ne souriait plus et qu'il y avait une ombre dans ses yeux.

« Voilà cinq semaines qu'elle est partie, dit-elle. N'y pensez plus. Avez-vous soif? Je vous ai fait une boisson fraîche avec des citrons envoyés de Londres. »

Je bus, et le goût me plut après la médecine amère qu'elle m'avait donnée.

« Je crois que j'ai été malade, lui dis-je.

— Vous avez failli mourir », répondit-elle.

Elle fit mine de se retirer, mais je la retins.

« Racontez-moi tout », dis-je.

J'avais la curiosité d'un être qui aurait dormi des années, comme Rip Van Winkle, et s'apercevait que le monde a marché sans lui.

« Si vous tenez absolument à me faire revivre toutes ces semaines d'inquiétude, je le ferai, répondit-elle, sinon, qu'il vous suffise de savoir que vous avez été très malade.

— Qu'ai-je eu?

— Je ne tiens pas vos médecins anglais en très grande estime, répondit-elle. Chez nous, cette maladie s'appelle méningite; ici, personne ne la connaît. Si vous êtes vivant aujourd'hui, c'est presque par miracle.

— Qu'est-ce qui m'a tiré de là? »

Elle sourit et serra plus fort ma main.

« Votre force de cheval, pour commencer, me répondit-elle, et certains soins que je leur ai fait vous donner. Une ponction de la moelle pour faire sortir les humeurs, entre autres, puis des sucs d'herbes. Ils disaient que c'était du poison. Mais vous êtes sauvé »

Je me rappelai les potions qu'elle préparait pendant l'hiver pour nos fermiers malades, et la façon dont je l'en plaisantais, la traitant de sage-femme et d'apothicaire.

J'avais peine à comprendre comment j'avais pu demeurer ainsi des semaines sans rien savoir. Je ne me rappelais guère non plus les événements qui m'avaient rendu malade. Rachel était fâchée contre moi pour une raison qui m'échappait et avait invité Mary Pascoe, je ne sais pourquoi. Que nous nous fussions mariés la veille de mon anniversaire ne faisait aucun doute, bien que je n'eusse pas une vision très nette de l'église et de la cérémonie; sauf que mon parrain et Louise avaient été nos seuls témoins, avec la petite Alice Table, la chaisière. Je me rappelais avoir été très heureux puis, sans raison, au désespoir. Après quoi, j'étais tombé malade. Peu importait, j'étais guéri. Je n'étais point mort, et c'était le mois de mai.

« Je crois que je suis assez fort pour me lever, lui dis-je.

— D'aucune façon, répondit-elle. Dans une semaine peut-être irez-vous vous asseoir dans un fauteuil près de cette fenêtre pour essayer de tenir sur vos jambes.

Et un peu plus tard, vous marcherez jusqu'au boudoir. Vers la fin du mois, nous pourrons essayer de vous faire descendre pour que vous preniez l'air au jardin. Nous verrons. »

Ma convalescence se passa à peu près comme elle l'avait annoncé. De ma vie je ne m'étais senti aussi sot que la première fois que je m'assis au bord du lit et mis les pieds par terre. Toute la chambre tournait. Seecombe me soutenait d'un côté, John de l'autre, et j'étais faible comme un nouveau-né.

« Juste Ciel, Madame, il a encore grandi! » s'écria Seecombe d'un air si consterné que je dus m'asseoir de nouveau pour rire à mon aise.

« On pourra donc m'exposer comme un phénomène à la foire de Bodmin », dis-je.

Puis je me vis dans le miroir, pâle et décharné, une barbe brune au menton, tout à fait semblable à l'un des Apôtres.

« J'ai presque envie d'aller prêcher dans la campagne, dis-je. Les gens me suivront par milliers. Qu'en pensez-vous? dis-je à Rachel.

— Je vous préfère rasé, répondit-elle.

— Apporte-moi un rasoir, John », dis-je.

Mais, la besogne terminée et le visage de nouveau glabre, j'eus l'impression d'avoir perdu de ma dignité et d'être redescendu au rang de collégien.

Ces jours de convalescence furent fort plaisants. Rachel ne me quittait point. Nous ne parlions pas beaucoup car la conversation me fatiguait vite et ramenait en moi une ombre de migraine. J'aimais surtout à m'asseoir près de la fenêtre et, pour me distraire, Wellington amenait les chevaux et leur faisait faire l'exercice devant moi autour du rond-point sablé, comme s'il se fût agi d'animaux de cirque. Puis, lorsque je me sentis mieux assuré sur mes jambes, je pus marcher jusqu'au boudoir et nous y prîmes nos repas, Rachel me servant et me choyant comme une nourrice, si bien que je lui dis que si elle demeurait condamnée toute la vie à soigner un époux malade, elle ne devrait s'en prendre qu'à elle-même. Elle me regarda d'un air étrange lorsque je lui dis cela et parut prête à parler, puis se tut et passa à autre chose.

Il me souvint que, pour une raison ou une autre, notre mariage avait été gardé secret vis-à-vis du personnel, sans doute afin de ne l'annoncer que douze mois pleins après la mort d'Ambroise. Peut-être craignait-elle quelque indiscrétion de ma part en présence de Seecombe; je gardai donc le silence. Dans deux mois, nous pourrions le déclarer à la face du monde; en attendant, je serais patient. Je crois que je l'aimais chaque jour davantage et qu'elle était plus douce et plus tendre encore que l'hiver passé.

Je fus tout surpris, lorsque je descendis pour la première fois et sortis dans le parc, de voir ce qu'on y avait fait pendant ma maladie. La terrasse était terminée et le jardin en contrebas, profondément creusé, était prêt à être pavé entre les talus herbeux. En ce moment, il béait, sombre et presque effrayant, avec un air d'abîme, mais les ouvriers qui le creusaient levèrent la tête et me sourirent lorsque je les regardai du haut de la terrasse.

Tamlyn me fit fièrement visiter la plantation — Rachel était allée rendre visite à sa femme —, et si les camélias étaient passés, les rhododendrons étaient encore en fleur, de même que les épines-vinettes, tandis que les grappes de cytises répandaient sur la prairie leurs pétales jaune pâle.

« Il va falloir les transplanter l'année prochaine, dit Tamlyn. Du train qu'elles poussent, les branches s'étendront trop loin sur le pré et les graines tueront le bétail. »

Il cueillit un rameau et je vis, à la place des fleurs effeuillées, les petites cosses où les graines étaient déjà en train de se former.

« Il y avait un gars, derrière le village de Saint-Anstell, qui est mort d'en avoir mangé », dit Tamlyn, et il jeta les cosses par-dessus son épaule.

J'avais oublié combien brève était leur floraison, de même que toutes les floraisons, et combien magnifique. Tout à coup, je me rappelai l'arbre qui répandait ses graines dans la petite cour de la villa italienne, et la gardienne prenant son balai pour les écarter.

« Il y avait un très bel arbre de cette espèce près de la maison de Mrs. Ashley, à Florence, dis-je.

— Ah! fit-il, il paraît qu'on fait pousser tout ce qu'on veut dans ce climat-là. Ce doit être un bien beau pays. Je comprends que la maîtresse ait envie d'y retourner.

— Je ne crois pas qu'elle en ait la moindre intention, dis-je.

— J'en suis bien aise, Monsieur, dit-il, mais ce n'est

pas ce que j'avais entendu dire. Paraît-il qu'elle attendait seulement que vous soyez tout à fait guéri pour s'en aller. »

Quelles histoires, nées Dieu sait de quels commérages, et auxquelles seule l'annonce de notre mariage pourrait mettre fin! Pourtant, j'hésitais à entamer ce sujet avec elle. Il me semblait que nous en avions déjà discuté avant ma maladie et qu'elle s'en était irritée.

Ce soir-là, dans le boudoir où je prenais ma tisane quotidienne avant d'aller me mettre au lit, je lui dis :

« On recommence à jaser dans le pays.

— Qu'est-ce encore? demanda-t-elle en levant la tête pour me regarder.

— On dit que vous retournez à Florence », répondis-je.

Elle ne répondit pas tout de suite et se pencha de nouveau sur sa broderie.

« Rien ne presse, dit-elle. Il faut d'abord vous remettre et reprendre des forces. »

Je la regardai, stupéfait. Tamlyn n'était donc pas complètement dans l'erreur, et elle gardait dans sa pensée l'idée du retour à Florence.

« N'avez-vous pas encore vendu la villa? demandai-je.

— Non, répondit-elle, et je n'ai d'ailleurs plus l'intention de la vendre, ni même de la louer. La situation a changé et j'ai à présent les moyens de la garder. »

Je ne dis rien. Je ne voulais point la blesser mais l'idée de garder deux maisons ne me plaisait guère.

Je haïssais jusqu'à l'image de cette villa telle qu'elle restait peinte dans mon souvenir, et je croyais qu'elle aussi à présent la haïssait.

« Songeriez-vous à y passer l'hiver? demandai-je.

— Peut-être, dit-elle, ou la fin de l'été, mais à quoi bon parler de cela?

— Il y a trop longtemps que je ne me suis occupé de rien, dis-je. Je ne crois pas que je pourrai laisser le domaine sans surveillance pendant l'hiver, ni à vrai dire m'en absenter.

— Sans doute, fit-elle. En fait, je n'aimerais point moi-même à le laisser si vous n'y demeuriez. Vous pourriez venir me faire une visite au printemps et je vous montrerais Florence. »

La maladie m'avait laissé une certaine lenteur d'esprit. Rien de ce qu'elle disait là n'avait de sens.

« Vous faire une visite? dis-je. Est-ce ainsi que vous envisagez notre vie? Séparés l'un de l'autre pendant de longs mois? »

Elle posa son ouvrage et me regarda.

« Cher Philip, dit-elle, je vous ai dit que je ne désirais point parler d'avenir pour l'instant. Vous êtes à peine remis d'une maladie grave et il n'est pas bon de dresser des plans trop longtemps à l'avance. Je vous fais serment de ne pas vous quitter que vous ne soyez tout à fait rétabli.

— Mais de toute façon, insistai-je, pourquoi aller à Florence? C'est ici que vous habitez maintenant, ici qu'est votre maison.

— J'ai aussi ma villa, dit-elle, et beaucoup d'amis là-bas, et une vie différente de celle-ci sans doute, mais à laquelle je ne suis pas moins accoutumée. Voici huit mois que je suis en Angleterre et j'éprouve le besoin de changer. Soyez raisonnable et tâchez de comprendre.

— Je dois être bien égoïste, dis-je lentement. Je n'y avais pas pensé. »

Il me fallait donc m'habituer à l'idée qu'elle partageât son temps entre l'Angleterre et l'Italie, auquel cas je devrais faire de même et commencer à chercher un régisseur qui surveillerait le domaine. L'idée de nous séparer était assurément impossible.

« Mon parrain connaît peut-être quelqu'un, dis-je, poursuivant mes pensées à haute voix.

— Quelqu'un pour quoi? demanda-t-elle.

— Mais pour s'occuper de ce domaine quand nous serons absents, répondis-je.

— Cela ne me paraît guère utile, dit-elle. Vous ne passerez que quelques semaines à Florence, si vous y venez. A moins peut-être que l'endroit vous plaise tant que vous souhaitiez prolonger votre séjour. C'est très joli au printemps.

— Pourquoi parlez-vous toujours du printemps? dis-je. Je partirai en même temps que vous. »

De nouveau, cette ombre sur son visage, cette appréhension dans ses yeux.

« Laissons cela, dit-elle, regardez, il est neuf heures. Vous n'avez encore jamais veillé si tard. Dois-je sonner John ou pouvez-vous vous coucher tout seul?

— Ne sonnez pas », dis-je.

Je quittai lentement mon fauteuil, car mes jambes étaient encore très faibles, et je vins m'agenouiller près d'elle, les bras autour de sa taille.

« Je trouve la solitude de ma chambre très dure, dis-je, quand je te sais si près de moi au bout de la galerie. Ne pourrions-nous bientôt leur dire?

— Leur dire quoi donc? fit-elle.

— Que nous sommes mariés », répondis-je.

Elle était complètement immobile dans mes bras. On l'eût dite sans vie.

« Oh! mon Dieu... », soupira-t-elle.

Puis elle posa les mains sur mes épaules et me regarda bien en face.

« Qu'est-ce que cela signifie, Philip? » dit-elle.

Une veine se mit à battre dans mon crâne, comme un écho de la douleur qui l'emplissait les précédentes semaines. Le battement augmentait, apportant avec lui une impression d'effroi.

« Disons-le aux domestiques, repris-je. Ainsi, il sera bien et naturel que j'habite toujours avec toi, puisque nous sommes mariés... »

Ma voix se perdit à cause de l'expression de ses yeux.

« Mais nous ne sommes pas mariés, Philip chéri », dit-elle.

Quelque chose parut éclater dans mon crâne.

« Nous sommes mariés, dis-je. Assurément, nous sommes mariés! Cela s'est passé le jour de mon anniversaire. L'as-tu oublié? »

Mais comment cela s'était-il passé? Où était l'église? Qui était le pasteur? Toute la douleur me revint, palpitante, derrière mon front, et la chambre se mit à tourner autour de moi.

« Dis-moi que c'est vrai? » lui dis-je.

Brusquement, je sus que tout n'était qu'illusion, que le bonheur qui m'habitait depuis des semaines était imaginaire. Le rêve se brisait.

J'enfouis ma tête sur sa poitrine en sanglotant; jamais les larmes n'avaient ainsi coulé de mes yeux, même quand j'étais enfant. Elle me serra contre elle et me caressa les cheveux sans dire un mot. Je finis par surmonter mon émotion et retombai à bout de forces dans le fauteuil. Elle me donna à boire, puis s'assit sur le tabouret à mon côté. Les ombres du soir d'été jouaient à travers la chambre. Les chauves-souris quittaient leurs cachettes, sous les poutres du toit, et volaient en cercle dans le crépuscule devant la fenêtre.

« Il aurait mieux valu me laisser mourir », lui dis-je.

Elle soupira et posa sa main contre ma joue.

« Ne dis pas cela, répondit-elle, tu me tues. Tu es malheureux à présent parce que tu es affaibli. Mais plus tard, quand tu auras repris des forces, rien de cela n'aura d'importance. Tu te remettras au travail, il y aura tant de choses, dans le domaine, que tu trouveras négligées du fait de ta maladie. Ce sera le plein été. Tu pourras recommencer à nager, à naviguer dans la baie. »

Je sentais à sa voix qu'elle parlait pour se convaincre elle-même et non moi.

« C'est tout? demandai-je.

— Tu sais bien que tu es heureux ici, dit-elle; c'est ta vie, ce le sera toujours. Tu m'as donné le domaine, mais je le considérerai toujours comme à toi. Ce sera une espèce de dépôt entre nous.

— Tu veux dire, fis-je, que des lettres s'échangeront d'Italie en Angleterre au long des mois, au long des années. Je t'écrirai : Chère Rachel, les camélias sont en fleur. Et tu me répondras : Cher Philip, je suis heureuse de l'apprendre. Ma roseraie vient très bien. Est-ce là notre avenir? »

Je me voyais traînant dans l'allée le matin, après le petit déjeuner, en attendant que le valet apportât le sac de poste, sachant fort bien qu'il ne contiendrait pas d'autres lettres que quelque facture de Bodmin.

« Je reviendrai tous les étés, très probablement, m'assurer que tout va bien, dit-elle.

— Comme les hirondelles que l'on voit aux beaux jours et qui s'envolent la première semaine de septembre.

— Je t'ai invité à venir me voir au printemps, dit-elle. Il y a beaucoup de choses en Italie qui te plairont. Tu n'es jamais sorti d'ici, sauf un pénible voyage. Tu ne sais presque rien du monde. »

Elle parlait comme une institutrice apaisant un enfant querelleur. Peut-être était-ce ainsi qu'elle me considérait.

« Ce que j'en ai vu, répondis-je, me dégoûte du reste. Que voudrais-tu que je fasse? Que je piétine dans des églises et des musées, un guide à la main? Que je discute avec des étrangers pour m'élargir l'esprit? Je préfère bouder chez moi en regardant tomber la pluie. »

Ma voix était dure et amère, mais je n'y pouvais

rien. Elle soupira encore et sembla chercher quelque nouvel argument pour me prouver que tout allait bien.

« Je te répète, insista-t-elle, que, lorsque tu iras mieux, l'avenir te paraîtra tout différent. Rien n'est tellement changé. Quant à l'argent... »

Elle s'interrompit et me regarda.

« Quel argent? fis-je.

— L'argent du domaine, reprit-elle. Tout sera placé comme il convient et tu en auras assez pour entretenir la propriété sans rien perdre, tandis que je sortirai de ce pays ce dont j'aurai besoin. Tout cela se règle en ce moment. »

Elle pouvait emporter jusqu'au dernier centime, je ne m'en souciais guère. Quel rapport tout cela avait-il avec mes sentiments pour elle? Elle poursuivit :

« Il faudra continuer à faire tous les embellissements que tu jugeras utiles, dit-elle rapidement. Tu sais que je ne discuterai rien, tu n'auras même pas besoin de m'envoyer les factures, je m'en remets à toi. Ton parrain sera là pour te conseiller. Dans très peu de temps, tu retrouveras tout semblable à ce qu'il fut avant que je ne vienne. »

Le crépuscule avait envahi la chambre. Je ne voyais même plus ses traits, plongés dans l'ombre.

« Le crois-tu vraiment? » lui dis-je.

Elle ne répondit pas tout de suite. Elle cherchait quelque prétexte à mon existence qu'elle pût ajouter à ceux qu'elle m'avait déjà donnés. Il n'y en avait point et elle le savait. Elle se tourna vers moi et me prit la main :

« Il faut que je le croie, dit-elle, sinon je n'aurai pas l'esprit en repos. »

De tout le temps que je l'avais connue, elle avait fait bien des réponses aux questions graves ou non que je lui posais. Réponses rieuses, réponses évasives, mais toutes séduisantes, par je ne sais quel tour féminin. Celle-ci, du moins était franche et partait du cœur. Il fallait, pour le repos de son esprit, qu'elle me crût heureux. J'avais quitté le pays imaginaire afin qu'elle y entrât. Ainsi, deux êtres ne pouvaient partager un rêve. Sauf dans l'obscurité, comme une feinte, où chacun n'était plus pour l'autre qu'une ombre.

« Pars si tu veux, dis-je, mais pas tout de suite. Donne-moi encore quelques semaines à garder dans mon souvenir. Je ne suis pas un voyageur. Tu es pour moi le monde. »

CHAPITRE XXV

Nous ne parlâmes plus de son départ. Nous en rejetions tous deux l'idée dans l'ombre comme un épouvantail. Pour lui faire plaisir, je m'efforçais à la gaieté, à l'insouciance. Elle agissait de même pour moi. L'été était venu et je retrouvai bientôt mes forces, en apparence du moins, mais les douleurs de tête me revenaient parfois, non dans toute leur brutalité, mais comme des élancements soudains et sans raison apparente.

Je ne lui en parlai point. A quoi bon? La cause n'en était point dans la fatigue physique; je n'en souffrais point en plein air, mais seulement lorsque je me mettais à réfléchir. Des questions fort simples soulevées dans mon bureau par quelque fermier suffisaient parfois à provoquer une migraine; j'avais l'impression d'un brouillard sur mes pensées et j'étais incapable de prendre une décision.

Mais, le plus souvent, cela m'arrivait à cause d'elle. J'étais en train de la regarder après dîner, assise à côté de moi dans le jardin, devant les fenêtres du salon, car le beau temps de juin nous permettait de passer les soirées dehors jusqu'à neuf heures et au-delà. Soudain, je me demandais ce qui se passait en elle, dans sa tête, tandis qu'elle buvait sa tisane en regardant l'ombre descendre sur les arbres qui bordaient la pelouse. Mesurait-elle au fond d'elle-même combien de temps encore il lui faudrait supporter cette vie, cette solitude? Pensait-elle en secret : « Il est guéri, la semaine prochaine je pourrai m'en aller »?

La villa Sangalletti prenait pour moi une autre forme, une autre atmosphère. Au lieu de l'obscurité aux persiennes closes de mon unique visite, je la voyais à présent brillamment illuminée, toutes les fenêtres ouvertes. Des inconnus qu'elle nommait ses amis circulaient à travers les salles; il y avait de la gaieté, des rires, des conversations animées. Un éclat de fête baignait toutes choses, et l'eau des fontaines jaillissait. Elle allait de groupe en groupe, souriante, à l'aise, maîtresse de son royaume. Telle était la vie qu'elle connaissait, qu'elle aimait, qu'elle comprenait. Son séjour auprès de moi était un entracte. Elle retournerait chez elle avec plaisir. Je me représentais son arrivée là-bas, Giuseppe et sa femme ouvrant tout grand le portail pour laisser entrer sa carrozza, puis sa marche heureuse, impatiente, à travers ces salles qu'elle connaissait si bien et n'avait pas vues depuis si longtemps, tandis qu'elle interrogeait les domestiques, entendait leurs réponses, ouvrait les nombreuses lettres qui l'attendaient, contente, sereine, entourée des myriades de fils d'une existence à renouer que je ne pourrais jamais connaître et jamais partager. Tant de jours et de nuits ne m'appartiendraient plus.

Elle sentait mes yeux sur elle et disait :

« Qu'y a-t-il, Philip?

— Rien », répondais-je.

Je voyais passer sur son visage une ombre de doute et de mélancolie et je sentais que j'étais un fardeau sur ses épaules. Elle serait plus heureuse une fois débarrassée de moi. J'essayais de dépenser mes forces, comme autrefois, dans les travaux du domaine, dans les besognes quotidiennes, mais je n'y prenais plus le même intérêt. La sécheresse pouvait bien abîmer les champs de Barton, que m'importait au fond? Nos bovins pouvaient gagner des prix aux Comices et se classer supérieurs à tous ceux du comté, était-ce là la gloire? L'année précédente, ce l'eût peut-être été. Mais quelle vanité aujourd'hui!

Je voyais mon prestige pâlir dans les yeux de tous ceux qui m'appelaient leur maître.

« Vous êtes encore affaibli par votre maladie, Mr. Ashley », disait Billy Rowe, le fermier de Barton, et il y avait un monde de déception dans sa voix parce que je n'avais pas apprécié ses travaux. Il en allait de même de tous. Jusqu'à Seecombe qui me prit à partie.

« Vous ne reprenez pas comme il faudrait, Mr. Philip, dit-il. Nous en parlions hier soir dans le bureau de l'intendant. Qu'est-ce qui est arrivé au maître? que disait Tamlyn. Il est comme un fantôme de la Toussaint et il ne regarde rien. Je conseillerais un petit verre de marsala le matin. Rien de tel que le marsala pour vous fortifier le sang.

— Dites à Tamlyn de s'occuper de ses affaires,

répondis-je à Seecombe. Je vais parfaitement bien. »

Les dîners dominicaux avec les Pascoe et les Kendall n'avaient pas encore repris, et j'en louais le sort. J'imagine que la pauvre Mary Pascoe était rentrée à la cure en racontant que j'étais fou. Je la surpris à me regarder bizarrement à l'église, la première fois que j'y allai, guéri, et toute la famille me dévisagea avec une espèce de pitié, demandant de mes nouvelles à voix basse, puis détournant le regard.

Mon parrain vint me voir, de même que Louise Eux aussi affectaient une attitude inaccoutumée, mélange de cordialité et de sollicitude, comme devant un enfant malade, et ils se gardaient de mentionner aucun sujet que j'eusse pu prendre à cœur. Nous étions assis tous les quatre dans le salon. Mon parrain. me dis-je, est mal à l'aise et préférerait être ailleurs, mais il considère qu'il fait son devoir, tandis que Louise, possédée d'un obscur instinct féminin, sait ce qui s'est passé ici et en frémit. Rachel était, comme toujours, maîtresse de la situation et maintenait la conversation au niveau convenable. Les Comices, les fiançailles de la seconde fille Pascoe, la douceur de la température, les perspectives de changement de gouvernement, autant de sujets de tout repos. Que fût-il arrivé si chacun avait dit ce qu'il pensait?

« Quittez l'Angleterre au plus vite, avant de vous détruire et de détruire ce garçon » (mon parrain).

« Vous l'aimez plus que jamais, je le vois à vos yeux » (Louise).

« Il faut que je les empêche à tout prix d'attrister Philip » (Rachel)

Et moi : « Laissez-moi seul avec elle. Allez-vous-en... »

Cependant, nous échangions des politesses mensongères. La visite terminée, chacun poussa un soupir de soulagement et je regardai leur voiture rouler vers le portail du parc en souhaitant de faire dresser une grille autour du domaine, comme dans les vieux contes, pour écarter le malheur et les importuns.

Il me sembla que, sans rien dire, elle commençait à préparer son départ. Je la trouvais un soir en train de trier ses livres, comme l'on fait lorsqu'on veut choisir entre ceux que l'on emportera avec soi et ceux qu'on abandonne. D'autres fois, elle était assise devant le bureau et classait ses papiers, remplissant la corbeille de feuillets déchirés et de vieilles lettres, puis liant le reste avec des rubans. Elle s'interrompait à mon entrée et allait s'asseoir dans son fauteuil en prenant sa broderie ou bien s'approchait de la fenêtre; mais je n'étais pas dupe. Pourquoi ce désir de rangement, si ce n'est qu'elle voulait laisser après elle le boudoir vide?

La pièce me semblait plus nue qu'auparavant. Des bibelots manquaient. Une corbeille à ouvrage qui avait eu sa place dans un coin tout l'hiver et tout le printemps, un châle jeté sur le bras d'un fauteuil, une esquisse au crayon de la maison, cadeau d'un visiteur, qu'elle avait mise sur la cheminée... tout cela avait disparu. Cela me rappelait mon enfance, mon premier départ pour le collège. Seecombe avait débarrassé ma chambre, lié ensemble les livres que je devais emporter et mis les autres, ceux qui n'étaient point mes préférés, dans une caisse, afin d'être distribués aux enfants du domaine. Je me rappelle certaines vestes devenues trop petites pour moi et râpées qu'il voulait me faire donner à des petits garçons moins fortunés, ce qui me déplaisait fort. Il me semblait qu'il me dépouillait d'un cher passé. Il en allait de même aujourd'hui dans le boudoir de Rachel. Ce châle, l'avait-elle donné parce qu'elle n'en aurait pas besoin dans un climat plus chaud? La boîte à ouvrage était-elle démontée et reposait-elle à présent au fond d'une malle? Mais, jusqu'ici, point traces de malles. Leur apparition serait le dernier avertissement : des pas lourds dans le grenier, les valets descendant des caisses dans une odeur de poussière et de toiles d'araignées mêlée de camphre. Je saurais alors et, comme les chiens qui flairent mystérieusement le changement, j'attendrais la fin. Autre nouveauté : elle sortait en voiture le matin. Elle me disait qu'elle avait des emplettes à faire, des démarches à la banque. Cela était possible. J'aurais cru qu'une seule expédition eût suffi à tout régler. Mais elle était allée en ville trois fois, la semaine précédente, tous les deux jours en fait, et cette semaine-ci, deux fois déjà; la première fois le matin, la seconde l'après-midi.

« Vous avez, lui dis-je, bien des emplettes à faire tout soudain, et que de démarches!

— J'y aurais vaqué plus tôt, répondit-elle, mais ne l'ai pu pendant toutes ces semaines où vous étiez malade.

— Rencontrez-vous l'un ou l'autre à la ville?

— Mon Dieu, non... Si, maintenant, j'y pense, j'ai

vu Belinda Pascoe et le jeune pasteur auquel elle est fiancée. Ils vous envoient leurs compliments.

— Mais, insistai-je, vous êtes restée absente tout l'après-midi. Avez-vous acheté toute la marchandise de tous les drapiers?

— Non, dit-elle. Vous êtes vraiment très curieux. Ne puis-je commander la voiture quand il me plaît ou craignez-vous de fatiguer les chevaux?

— Faites-vous conduire à Bodmin ou à Truro si vous en avez envie. Vous trouverez des magasins mieux fournis et plus de choses à voir. »

Cette offre ne la tenta point. Ses affaires devaient être bien personnelles pour qu'elle se montrât si réservée.

Lorsqu'elle commanda de nouveau la voiture, le valet ne l'accompagna point. Wellington, seul, la conduisit. Il paraît que Jimmy avait mal à l'oreille. En sortant du bureau, je le vis dans l'écurie, la joue dans la main.

« Il faudra demander à la maîtresse de te donner de l'huile, fis-je, on m'a dit que c'était un bon remède.

— Oui, Monsieur, dit-il d'un ton plaintif, elle a promis de s'en occuper aussitôt qu'elle serait rentrée. J'ai dû prendre mal hier. Il soufflait un vent froid sur le quai.

— Que faisais-tu sur le quai? demandai-je.

— On a attendu longtemps la maîtresse, répondit-il, alors Mr. Wellington a décidé de mettre les chevaux à l'écurie de la Couronne et m'a permis d'aller regarder les bateaux dans le port.

— La maîtresse a donc passé tout l'après-midi dans les magasins? demandai-je.

— Non, Monsieur, répondit-il, elle n'a pas été dans les magasins. Elle est restée dans la salle de la Couronne, comme toujours. »

Je le regardai, incrédule. Rachel dans la salle de l'auberge? Y prenait-elle le thé avec l'aubergiste et sa femme? Je songeai un moment à l'interroger encore, puis me ravisai. Peut-être, en me racontant cela, avait-il commis une indiscrétion et Wellington le réprimanderait-il de son bavardage. On me cachait tout, me semblait-il. Toute la maison était liguée contre moi dans une conspiration de silence.

« Allons, Jim, dis-je, j'espère que ton oreille ira bientôt mieux », et le laissai dans l'écurie.

Il y avait un mystère. Rachel était-elle devenue si avide de compagnie qu'elle eût à en chercher à l'auberge du bourg? Connaissant mon peu de goût pour les visites, louait-elle la salle le temps d'une matinée ou d'un après-midi et invitait-elle les gens à l'y venir voir? Je ne dis pas un mot à ce sujet lorsqu'elle rentra, et me contentai de lui demander si elle avait passé un agréable après-midi, à quoi elle me répondit par l'affirmative.

Le lendemain, elle ne commanda pas la voiture. Elle me dit en déjeunant qu'elle avait des lettres à écrire et monta à son boudoir. Je dis que je devais aller à Coombe voir le fermier, ce qui était vrai et que je fis. Mais j'allai plus loin, et en ville moi aussi. C'était samedi, il faisait beau et il y avait beaucoup de monde dans les rues, des gens venus des petites villes voisines et qui ne me connaissaient pas de vue, si bien que je passai parmi eux sans qu'on me remarquât. Je ne rencontrai personne de connaissance. La « noblesse », comme disait Seecombe, n'allait jamais en ville l'après-midi, surtout le samedi.

Je m'adossai à un mur près du quai et regardai des jeunes gens en train de pêcher à bord d'une barque et assez empêtrés dans leurs lignes. Au bout d'un moment, ils accostèrent devant l'escalier et descendirent de leur bateau. Je reconnus l'un d'eux. C'était le garçon qui aidait au comptoir à l'auberge de la Rose et la Couronne. Il portait trois ou quatre belles perches au bout d'une ficelle.

« Belle pêche, lui dis-je. C'est pour ton souper?

— Non, pas pour le mien, dit-il en riant, mais je crois qu'on en sera content à l'auberge.

— Vous y servez des perches avec le cidre, à présent? fis-je.

— Non, dit-il, ce poisson sera pour le monsieur qui mange dans la salle. Il a eu du saumon de la rivière hier. »

Un monsieur dans la salle? Je sortis quelques pièces d'argent de ma poche.

« Eh bien, dis-je, j'espère qu'il te paye comme il faut. Voilà pour te porter bonheur. Qui est ce visiteur dont tu parlais? »

Il rit encore.

« Je ne sais pas son nom, Monsieur, répondit-il. Italien, paraît-il qu'il est. De l'étranger. »

Il traversa le quai en courant, ses poissons dansant au bout de la ficelle jetée sur son épaule. Je regardai ma montre, il était plus de trois heures. Le monsieur de l'étranger devait dîner à cinq. Traversant la ville et descendant un étroit chemin, je me rendis au hangar où Ambroise mettait les voiles de son bateau. La petite barque y était amarrée. J'y montai et, prenant les rames, gagnai le port et m'arrêtai à quelque distance du quai.

Des marins regagnaient les vaisseaux à l'ancre dans le chenal, d'autres en descendaient pour se rendre en ville. Ils ne me remarquèrent pas ou me prirent pour un pêcheur. Appuyé sur mes rames, je surveillai l'entrée de l'auberge. La porte du débit de boisson était dans la rue de traverse. Il n'entrerait pas par là. S'il paraissait, ce serait devant la façade. Une heure s'écoula. L'horloge de l'église sonna quatre coups. j'attendais toujours. A cinq heures moins le quart, je vis la femme de l'aubergiste sortir par la porte de la salle et regarder autour d'elle comme si elle guettait quelqu'un. Son visiteur était en retard pour souper. Le poisson était cuit. J'entendis la femme crier quelque chose à un homme debout sur l'escalier où accostaient les bateaux, mais je ne distinguai point les paroles. Il lui répondit et, se retournant, désigna le port. Elle acquiesça en hochant la tête et rentra dans la maison. A cinq heures dix, je vis un bateau s'approcher de l'escalier. Mené par un gars robuste ramant à la proue, le bateau lui-même, fraîchement verni, avait tout l'air d'une de ces embarcations qu'on loue aux étrangers pour faire des promenades en mer.

Un homme, coiffé d'un chapeau à larges bords, était assis à l'arrière. La barque accosta. L'homme en descendit et paya le marin, non sans quelque discussion, puis se dirigea vers l'auberge. Arrivé sur le seuil, il ôta son chapeau et regarda autour de lui avec cet air de mettre à prix tout ce qu'il voyait auquel je ne pouvais me tromper. Il était si près que j'aurais pu lui lancer un biscuit. Puis il entra à l'auberge. C'était Rainaldi.

Je levai l'ancre et revins au hangar, attachai la barque, traversai la ville et remontai sur la falaise par le sentier abrupt. Je crois que je mis quarante minutes à parcourir la lieue et demie qui me séparait de la maison. Rachel était dans la bibliothèque. On avait retardé le dîner pour m'attendre. Elle vint à moi, inquiète.

« Vous voilà enfin, dit-elle. J'étais très tourmentée. Où donc étiez-vous?

— J'ai ramé dans le port, dis-je. Beau temps pour la promenade. Il fait meilleur sur l'eau que dans une salle d'auberge. »

L'expression de son regard à ces mots étaient une preuve suffisante.

« C'est bon, je connais votre secret, continuai-je. Ne cherchez pas de mensonges. »

Seecombe vint demander quand il devait servir le dîner.

« Tout de suite, dis-je, je ne m'habillerai pas. »

Je la regardai sans parler et nous passâmes dans la salle à manger. Seecombe, sentant que quelque chose n'allait point, déployait toute sa sollicitude. Il se penchait sur mon épaule comme un médecin, essayant de me tenter par les plats qu'il me présentait.

« Vous avez surestimé vos forces, Monsieur, dit-il. Ça n'est pas bien. Vous allez nous retomber malade. »

Il regarda Rachel, en quête d'approbation. Elle se taisait. Aussitôt terminé le dîner auquel nous avions à peine touché l'un et l'autre, Rachel se leva et monta. Je la suivis. Arrivée à la porte du boudoir, elle allait me la refermer au nez, mais je la devançai et, entrant dans la chambre, m'y adossai. Le regard d'appréhension reparut dans ses yeux. Elle recula et s'accouda à la cheminée.

« Depuis quand Rainaldi loge-t-il à la Couronne? demandai-je.

— C'est mon affaire, déclara-t-elle.

— La mienne également. Répondez », dis-je.

Elle dut voir qu'il n'y avait aucun espoir de me faire taire ni de me duper par des fables.

« Fort bien, dit-elle. Depuis deux semaines.

— Pourquoi est-il ici? demandai-je.

— Parce que je le lui ai demandé. Parce qu'il est mon ami. Parce que j'avais besoin de ses conseils et, connaissant votre antipathie, ne pouvais l'inviter dans cette maison.

— Quel besoin avez-vous de ses conseils?

— Cela aussi est mon affaire. Et non la vôtre. Cessez de vous conduire comme un enfant, Philip, et tâchez de me comprendre. »

J'étais content de la voir si en peine. Cela prouvait qu'elle était dans son tort.

« Vous me demandez de comprendre? dis-je. Dois-je comprendre la duplicité? Vous m'avez menti chaque jour depuis deux semaines, et ne pouvez le nier.

— Si je vous ai menti, ce n'était point volontairement, dit-elle. Je l'ai fait uniquement pour votre bien. Vous détestez Rainaldi. Si vous aviez su que je le voyais, cette scène aurait éclaté plus tôt et vous en seriez tombé malade. Oh! Dieu, dois-je repasser par tout cela? D'abord avec Ambroise, et maintenant avec vous? »

Son visage était pâle et tiré, mais était-ce de peur ou de colère, je n'aurais su le dire. Je restai debout, le dos à la porte, et la regardai.

« Oui, dis-je, je hais Rainaldi comme Ambroise le haïssait. Avec raison.

— Quelle raison, par pitié?

— Il est amoureux de vous, et depuis des années.

— Quelle folie... »

Elle arpentait la petite pièce, allant de la cheminée à la fenêtre, les mains croisées devant elle.

« Voici un homme qui m'a soutenue dans toutes mes difficultés, dans tous mes malheurs. Qui ne m'a jamais méconnue ni n'a essayé de me voir autre que je ne suis. Il connaît mes défauts, mes faiblesses et ne les condamne point, mais m'accepte pour ce que je vaux. Sans son secours, pendant toutes ces années, des années dont vous ne savez rien, j'aurais été complètement perdue. Rainaldi est mon ami. Mon seul ami. »

Elle se tut et me regarda. Nul doute, c'était la vérité, ou alors le fruit d'une pensée si déformée que, pour elle, cela revenait au même. Ces paroles, toutefois, ne changeaient rien à mon jugement sur Rainaldi.

Il avait déjà reçu une partie de sa récompense. Ces années dont, elle venait de me le dire, je ne savais rien. Le reste viendrait en son temps. Le mois prochain, peut-être, l'année prochaine, mais sûrement. Il avait des trésors de patience. Pas moi, ni Ambroise.

« Renvoyez-le chez lui, dis-je.

— Il partira quand il le faudra, répondit-elle, mais si j'ai besoin de lui, il restera. En vérité, si vous essayez de me menacer encore, je le ferai habiter ici, dans cette maison, pour me protéger.

— Vous n'oserez pas, dis-je.

— Oser? Et pourquoi pas? Cette maison m'appartient. »

Ainsi, nous en étions à la bataille. Ses paroles étaient un défi auquel je ne pouvais répondre. Son cerveau de femme fonctionnait autrement que le mien. Tous les arguments étaient permis, tous les coups défendus. Seule la force physique peut désarmer une femme. Je fis un pas vers elle, mais elle était devant la cheminée, la main sur le cordon de sonnette.

« Restez où vous êtes, cria-t-elle, ou je sonne Seecombe. Voulez-vous subir la honte de m'entendre lui dire que vous avez essayé de me frapper?

— Je ne voulais point vous frapper », répondis-je. Je me retournai et ouvris largement la porte.

« C'est bon, dis-je. Appelez Seecombe si vous voulez. Dites-lui ce qui s'est passé entre nous. Si c'est de violence et de honte qu'il s'agit, ayons-en bonne mesure. »

Elle était debout près de la sonnette, moi près de la

porte ouverte. Elle laissa retomber le cordon. Je ne bougeai point. Puis les larmes lui vinrent aux yeux, elle me regarda et dit :

« Une femme ne peut pas subir deux fois certaines choses. J'ai déjà passé par tout ceci. »

Et, portant la main à sa gorge, elle ajouta :

« Même les doigts serrant mon cou. Même cela. Comprenez-vous maintenant? »

Je regardai par-dessus sa tête le portrait qui surmontait la cheminée, le jeune visage d'Ambroise qui me fixait était le mien. Elle nous avait tous deux vaincus.

« Oui, dis-je, je comprends. Si vous désirez voir Rainaldi, invitez-le ici. J'aime encore mieux cela que de vous voir le rencontrer en cachette dans une auberge. »

Je la laissai dans le boudoir et regagnai ma chambre.

Le lendemain, il vint dîner. Elle m'avait fait porter un billet au petit déjeuner, me demandant la permission de l'inviter, son défi du soir précédent oublié sans doute ou opportunément écarté pour épargner mon amour-propre. Je répondis par un billet disant que je donnerais des ordres à Wellington pour qu'il allât le chercher en voiture. Il arriva à quatre heures et demie.

Je me trouvais seul dans la bibliothèque et, par une méprise de Seecombe, on l'introduisit près de moi et non dans le salon. Je me levai pour l'accueillir. Il semblait fort à son aise et me tendit la main.

« J'espère que vous êtes rétabli, dit-il. A la vérité.

je vous trouve meilleur visage que je ne m'y attendais. Tous les rapports sur votre santé étaient mauvais. Rachel s'est beaucoup tourmentée.

— A la vérité, je vais très bien, lui dis-je.

— La fortune de la jeunesse, dit-il. Voilà ce que c'est d'avoir de bons poumons, une bonne digestion, de sorte qu'en l'espace de quelques semaines toute trace de maladie disparaît. Sans doute galopez-vous déjà à travers la campagne. Tandis que nous autres, gens plus âgés, comme votre cousine et moi-même, devons prendre grand soin d'éviter tout effort. Pour moi, je considère la sieste après déjeuner comme indispensable à l'âge mûr. »

Je le priai de s'asseoir, ce qu'il fit, et il sourit légèrement en regardant autour de lui.

« Rien de nouveau encore dans cette pièce? dit-il. Peut-être Rachel a-t-elle l'intention de la laisser ainsi, de lui conserver son style. C'est aussi bien. Il vaut mieux dépenser l'argent pour autre chose. Elle me dit qu'on a déjà beaucoup transformé le parc depuis ma dernière visite. Connaissant Rachel comme je la connais, je ne m'en étonne point. Mais je veux voir avant de donner mon approbation. »

Il prit un mince cigare dans son étui et l'alluma, toujours souriant.

« Je vous ai écrit de Londres, dit-il, après le transfert de vos biens, mais je n'ai pas envoyé la lettre, ayant reçu à ce moment la nouvelle de votre maladie. Il n'y avait d'ailleurs pas grand-chose dans cette lettre que je ne puisse vous dire de vive voix. Je vous y remerciais surtout pour Rachel et vous assurais que je veillerais avec grand soin à ce que vous ne perdiez pas trop du fait de la transaction. Je surveillerai les dépenses. »

Il souffla un nuage de fumée et le suivit du regard vers le plafond.

« Ce lustre, dit-il, n'est pas du meilleur goût. On fait mieux en Italie. Il faudra que je rappelle à Rachel de noter cela. Les beaux tableaux et les beaux meubles sont des placements sages. Vous verrez peut-être, pour finir, que nous vous rendrons la propriété doublée de valeur. En tout cas, ce n'est pas pour demain. Et vous aurez de grands enfants tandis qu'on nous traînera, Rachel et moi, pauvres vieux, dans une petite voiture. »

Il rit, puis, me souriant de nouveau :

« Et comment va cette charmante Miss Louise? » me demanda-t-il.

Je lui dis que je pensais qu'elle allait bien. Je le regardais fumer son cigare et remarquais combien il avait les mains lisses pour un homme. Elles avaient quelque chose de féminin qui ne lui allait pas, et la grosse bague qu'il portait au petit doigt semblait disproportionnée.

« Quand rentrez-vous à Florence? » lui demandai-je.

Il fit tomber dans la cheminée la cendre qui s'était répandue sur sa veste.

« Cela dépend de Rachel, dit-il. Je retourne à Londres y régler quelques affaires puis, ou bien je la précéderai afin de préparer la villa et les domestiques à la recevoir, ou bien je l'attendrai pour voyager avec elle. Vous savez, assurément, qu'elle a l'intention de partir?

— Oui, répondis-je.

— Je suis heureux que vous n'ayez pas insisté pour qu'elle reste, dit-il. Je comprends parfaitement que, pendant votre maladie, vous vous soyez habitué à compter sur elle; elle me l'a dit. Et elle tient beaucoup à vous éviter toute contrariété. Mais je lui ai dit : votre cousin est un homme à présent, ce n'est plus un enfant. S'il n'est pas capable de se conduire tout seul, il faudra qu'il apprenne. N'ai-je pas raison? fit-il.

— Parfaitement.

— Les femmes, et surtout Rachel, agissent toujours selon leurs émotions. Nous autres hommes, le plus souvent, sinon toujours, selon la raison. Je suis content de vous voir si sage. Peut-être qu'au printemps, lorsque vous viendrez nous voir à Florence, vous me permettrez de vous faire visiter quelques-uns des trésors de la ville. Vous ne serez pas déçu. »

Il souffla vers le plafond un nouveau nuage de fumée.

« Quand vous dites nous, hasardai-je, est-ce au sens royal, comme si vous possédiez la ville, ou bien est-ce un terme juridique?

— Excusez-moi, dit-il, j'ai tellement l'habitude d'agir pour Rachel, et même de penser pour elle à beaucoup d'égards, que je ne peux jamais me dissocier d'elle entièrement, et c'est ainsi qu'il m'arrive d'employer ce pronom personnel particulier. »

Il me regarda de côté.

« Plus tard, dit-il, j'ai lieu de penser que je pourrai l'employer dans un sens plus intime. Mais cela — il fit un grand geste, son cigare à la main —, cela est le secret des dieux. Ah! la voici. »

Il se leva, et moi de même, lorsque Rachel entra dans la pièce; elle lui tendit sa main qu'il baisa, et elle lui souhaita la bienvenue en italien. Je ne sais si ce fut le spectacle qu'ils me donnèrent à dîner, les yeux de Rainaldi ne quittant pas le visage de Rachel, les sourires de celle-ci, son attitude changée par la présence du visiteur, mais je sentais monter en moi une espèce de nausée. Les mets que je mangeais sentaient la cendre. La tisane même qu'elle fit pour nous trois, après le dîner, avait un goût amer inhabituel. Je les laissai dans le jardin et montai à ma chambre. A peine parti, j'entendis leurs voix reprendre leurs inflexions italiennes. Je m'assis devant la fenêtre, comme au début de ma convalescence, lorsqu'elle restait auprès de moi; on eût dit que le monde entier s'était soudain gâté, pourri. Je ne pus me contraindre à descendre dire adieu à notre invité. J'entendis la voiture s'avancer, je l'entendis repartir. Je restai dans mon fauteuil. Au bout d'un moment, Rachel monta et frappa à ma porte. Je ne répondis pas. Elle l'ouvrit, entra dans ma chambre, s'approcha de moi et mit sa main sur mon épaule.

« Qu'est-ce encore? » demanda-t-elle.

Il y avait dans sa voix une espèce de soupir, comme si elle avait atteint les limites de l'endurance.

« On n'aurait pas pu être plus courtois, plus

aimable qu'il n'a été, me dit-elle. De quoi vous plaignez-vous ce soir?

— De rien, répondis-je.

— Il me dit tant de bien de vous, dit-elle. Si vous l'entendiez, vous vous rendriez compte qu'il vous tient en grande estime. Vous n'avez certes pas pu, ce soir, être offensé par aucune de ses paroles. Ah! si vous vous montriez plus facile, moins jaloux... »

Elle ferma les rideaux de la fenêtre car la nuit tombait. Ses gestes, sa façon de toucher l'étoffe trahissaient son impatience.

« Allez-vous rester ainsi recroquevillé dans votre fauteuil jusqu'à minuit? demanda-t-elle. Dans ce cas, mettez un manteau sur vos épaules, vous allez prendre froid. Pour moi, je suis épuisée et vais me coucher. »

Elle passa la main sur mes cheveux en partant. Ce n'était pas une caresse, mais le geste rapide d'une grande personne envers un enfant insupportable, d'une grande personne trop lasse pour continuer à gronder et qui n'en peut plus. « Là... là... Pour l'amour du Ciel, finissons-en! »

Cette nuit-là, j'eus de nouveau la fièvre. L'accès fut moins fort que le premier, mais de même nature. Avais-je pris froid la veille, dans le port, je ne sais, mais je me trouvai au matin incapable de me tenir debout, je fus secoué de haut-le-cœur et de frissons et dus me recoucher. On envoya chercher le docteur, et je me demandais, dans ma tête douloureuse, si toutes les misères de la maladie allaient recommencer. Le docteur déclara que j'avais le foie dérangé et ordonna des médicaments. Mais lorsque, dans l'après-midi, Rachel vint s'installer près de moi, je crus lui voir la même expression que la veille au soir, une espèce de lassitude sur le visage. J'imaginai ses pensées : « Cela va-t-il recommencer? Suis-je condamnée à faire éternellement la garde-malade? » C'est avec une certaine brusquerie qu'elle me tendit ma médecine. J'avais soif, mais ne lui demandai pas à boire, de crainte de la déranger.

Elle tenait à la main un livre qu'elle ne lisait pas, et sa présence dans le fauteuil à mon chevet semblait chargée d'un muet reproche.

« Si vous avez autre chose à faire, dis-je enfin, ne vous croyez pas obligée de rester près de moi.

— Que pensez-vous que je puisse avoir à faire? demanda-t-elle.

— Vous pourriez avoir envie d'aller voir Rainaldi.

— Il est parti », dit-elle.

Je me sentis, à cette nouvelle, le cœur plus léger. J'étais presque guéri.

« Il est rentré à Londres? demandai-je.

— Non, répondit-elle, il s'est embarqué à Plymouth. »

Mon plaisir était tel que je détournai la tête, de crainte, en lui laissant voir mon visage, d'accroître son irritation.

« Je croyais qu'il avait encore des affaires en Angleterre?

— Cela est vrai mais nous avons décidé qu'elles pouvaient aussi bien se traiter par correspondance. Il a des choses plus urgentes à régler chez nous. Il avait appris qu'un navire levait l'ancre à minuit, et il est allé le prendre. Etes-vous satisfait, à présent? »

Rainaldi avait quitté le pays. De cela j'étais satisfait. Mais non du mot « nous », ni de la façon dont elle disait « chez nous ». Je savais ce qu'il était allé faire : avertir les domestiques de la villa de se tenir prêts à recevoir leur maîtresse. C'était là ces choses urgentes qui l'attendaient. Je sentais venir la fin.

« Quand le rejoindrez-vous? »

— Cela dépend de vous », répondit-elle.

J'aurai pu sans doute continuer à faire le malade. Me plaindre de douleurs, en prendre prétexte. Gagner, par la feinte, quelques semaines de plus. Et ensuite? Les caisses fermées, le boudoir vide, son lit recouvert de la housse qui y était restée étalée pendant toutes ces années avant qu'elle vînt, puis le silence.

« Si seulement vous vouliez vous montrer moins amer, moins cruel, soupira-t-elle, ces derniers jours pourraient être heureux. »

Etais-je amer? Etais-je cruel? Je ne le pensais pas. C'était elle, me sembla-t-il, qui se montrait dure. Il n'y avait pas de remède. Je tendis la main et elle y mit la sienne. Mais, tout en la baisant, je songeais à Rainaldi...

Cette nuit-là, je rêvais que je montais jusqu'à la roche de granit et relisais la lettre enterrée. Le rêve était si net qu'il ne s'évanouit pas au réveil, mais demeura toute la matinée présent à ma pensée. Je me levai et me trouvai assez bien pour descendre vers midi. J'avais beau m'y efforcer, je ne pouvais arracher de moi le désir de relire une fois encore cette lettre. Je ne me rappelais plus ce qu'elle contenait au sujet de Rainaldi. J'avais besoin de savoir exactement ce qu'Ambroise disait de lui. Dans l'après-midi, Rachel alla se reposer dans sa chambre et, dès qu'elle m'eut quitté, je me glissai hors de la maison, dans les bois, et, rempli de dégoût pour ce que j'allais faire, gravis le sentier qui surplombait la maisonnette du garde. J'atteignis la roche de granit. Je m'agenouillai et, creusant la terre de mes mains, sentis soudain sous mes doigts le cuir humide du portefeuille. Une limace y avait pris ses quartiers d'hiver. Une traînée gluante le marquait et la limace noire se collait au cuir. Je la secouai pour l'en détacher et, l'ouvrant, sortis la lettre chiffonnée. Le papier en était humide et amolli, l'écriture un peu délavée, mais encore lisible. Je lus la lettre tout entière. Je passai rapidement sur le début, non sans toutefois remarquer une étrange analogie entre les symptômes de nos maladies, dues pourtant à des causes si différentes. J'en vins au passage relatif à Rainaldi...

« A mesure que les mois passaient, écrivait Ambroise, je m'aperçus qu'elle se rapprochait de plus en plus de cet homme dont je t'ai déjà parlé dans mes lettres, signor Rainaldi, ami et je crois homme d'affaires de Sangalletti, et lui demandait conseil plutôt qu'à toi. Je tiens que cet homme a sur elle une influence pernicieuse. Je le soupçonne d'être amoureux d'elle depuis des années, de l'avoir été du vivant de Sangalletti déjà et, bien que je ne croie pas un instant qu'elle ait jamais songé à lui de cette manière jusqu'à ces tout derniers temps, elle a, à présent, tellement changé dans son attitude envers moi que je ne sais plus que croire. Il y a une ombre dans ses yeux, un ton dans sa voix, lorsqu'on prononce le nom de cet homme, qui éveillent dans mon esprit les plus terribles soupçons.

« Elevée comme elle l'a été par des parents sans principes, ayant mené, avant et même pendant son premier mariage, une existence dont nous préférons tous deux ne pas parler, elle m'a souvent donné l'impression que ses règles de conduite sont différentes de celles que nous observons chez nous. Les liens du mariage ne sont peut-être pas aussi sacrés. Je soupçonne — en fait, j'ai la preuve — qu'il lui donne de l'argent. L'argent, Dieu me pardonne de dire cela, est à présent l'unique chemin de son cœur. »

Là était la phrase que je n'avais pas oubliée, la phrase qui m'obsédait. La pliure du papier effaçait l'écriture, mais je distinguai de nouveau le nom de Rainaldi.

« Je descends sur la terrasse, disait Ambroise, et y trouve Rainaldi. A ma vue, tous deux se taisent. Je ne puis m'empêcher de me demander de quoi ils parlaient. Un jour, comme elle était rentrée dans la villa, nous laissant seuls, Rainaldi et moi, il m'interrogea à brûle-pourpoint sur mon testament, dont il avait eu connaissance à l'occasion de notre mariage. Il me dit que, tel qu'il était conçu, si je venais à mourir, je laisserais ma femme dépourvue. Je le savais, et j'avais d'ailleurs, afin de réparer cette lacune, rédigé un nouveau testament, que j'eusse signé devant témoins si j'avais été assuré que sa prodigalité était le fait d'une humeur passagère et non d'une passion profondément enracinée.

« Par ce nouveau testament, la maison et les biens lui seraient légués, mais de son vivant seulement, et te reviendraient à sa mort, étant entendu que l'administration du domaine resterait toujours entièrement entre tes mains.

« Ce document n'est toujours pas signé, et cela pour la raison que je t'ai dite.

« Remarque que c'est Rainaldi qui m'a posé des questions sur mon testament, Rainaldi qui a attiré mon attention sur les lacunes qu'il présente. Elle ne m'en parle pas. Mais en parlent-ils ensemble? Que se disent-ils quand je ne suis pas là?

« Cette question de testament a été soulevée en mars. Je reconnais que j'étais souffrant et presque aveugle à force de migraines, et il se peut que Rainaldi l'ait mentionnée, à sa manière froide et calculatrice, en pensant que je pouvais mourir. Peut-être. Peut-être n'en parlent-ils pas entre eux, je n'ai aucun moyen de le savoir. Trop souvent, à présent, je la surprends à me regarder d'un œil étrangement attentif. Et lorsque je la tiens dans mes bras, on dirait qu'elle a peur. Peur de quoi, de qui?

« Il y a deux jours — et ceci me ramène à l'objet de cette lettre —, j'ai eu un nouvel accès de la fièvre qui m'avait terrassé en mars. L'attaque est soudaine. Je suis pris de douleurs et de malaises auxquels succède bientôt une grande excitation de mon cerveau, m'entraînant presque à la violence, et je puis à peine tenir debout, à force d'étourdissements d'esprit et de corps. Cela passe à son tour et je suis pris d'une irrésistible envie de dormir, de sorte que je tombe par terre ou sur mon lit, terrassé. Je ne me rappelle pas que mon père ait eu cela. Les migraines, oui, et certains accès d'humeur, mais non pas les autres symptômes.

« Philip, mon garçon, le seul être au monde auquel je puisse me fier, dis-moi ce que tout cela signifie et, s'il se peut, viens à moi. Ne dis rien à Nick Kendall. Ne dis rien à âme qui vive. Surtout, ne réponds pas à cette lettre. Viens, c'est tout.

« Une pensée me possède, ne me laissant aucun repos. Essayent-ils de m'empoisonner?

« Ambroise. »

Cette fois, je ne remis pas la lettre dans le portefeuille. Je la déchirai en menus morceaux que j'enfonçai dans le sol à coups de talon, chaque fragment écarté des autres et enfoui séparément. Quant au portefeuille, amolli par son séjour dans la terre, je le déchirai en deux sans difficulté. Je jetai les deux fragments par-dessus mon épaule et ils tombèrent dans un fourré. Puis je repris le chemin du logis. Comme en post-scriptum à la lettre, la première personne que je vis, en entrant dans le vestibule, fut Seecombe portant le sac de poste que le valet avait été chercher en ville. Il attendit pendant que je l'ouvrais. Entre deux lettres de mon courrier, il y avait une enveloppe adressée à Rachel et portant le timbre de Plymouth. Un seul regard à l'écriture mince et arachnéenne m'apprit que cette lettre était de Rainaldi. Je crois que, sans la présence de Seecombe, je l'eusse gardée. Mais je ne pouvais rien faire d'autre, dans la circonstance. que de la lui remettre pour qu'il la portât à Rachel.

Autre ironie du destin : lorsque je montai chez elle, un peu plus tard, sans rien lui dire de ma promenade, toute dureté à mon égard semblait l'avoir quittée. L'ancienne tendresse était revenue. Elle me tendit les bras, me sourit, me demanda comment je me sentais et si je m'étais reposé. Elle ne me parla pas de la lettre qu'elle avait reçue. Je me demandai, pendant le dîner, si les nouvelles qu'elle contenait lui avaient fait plaisir. Tout en mangeant, j'essayais d'imaginer cette lettre, ce qu'il lui disait, comment il l'appelait, bref si c'était une lettre d'amour. Elle devait être en italien. Mais il pouvait s'y trouver, çà et là, des mots que je comprendrais. Elle m'avait enseigné quelques phrases. Je saurais aux premiers mots, en tout cas, quels étaient leurs rapports.

« Comme tu es silencieux! Tu te sens bien? demanda-t-elle.

— Oui, répondis-je, je me sens bien », et rougis, comme si elle avait pu lire dans ma pensée et deviner ce que je projetais.

Après dîner, nous montâmes dans son boudoir. Elle prépara la tisane comme d'habitude, en posa une tasse sur la table à côté de moi et en prit une entre ses mains. J'apercevais sur le bureau la lettre de Rainaldi, à demi couverte par un mouchoir. Mes yeux y revenaient sans cesse, comme fascinés. Un Italien écrivant à la femme aimée observait-il les convenances?

Ou bien, sur le point de s'embarquer et devant la perspective de plusieurs semaines de séparation, après un bon dîner, une rasade d'eau-de-vie et un cigare, se laissait-il aller avec un sourire complaisant à quelques indiscrétions et s'autorisait-il à répandre son amour dans les phrases qu'il écrivait?

« Philip, dit Rachel, tu regardes le coin de la pièce comme si tu y voyais un fantôme. Qu'as-tu?

— Rien, te dis-je », et, lui mentant pour la première fois, je vins m'agenouiller près d'elle en feignant une ardeur passionnée afin de mettre fin à ses questions et de lui faire oublier la lettre restée sur le bureau.

Tard dans la nuit, bien après minuit, la laissant endormie, je revins dans le boudoir. Le mouchoir y était toujours mais la lettre avait disparu. Je regardai la cheminée, il n'y avait pas de cendres dans l'âtre. J'ouvris les tiroirs du bureau, y trouvai tous ses papiers en ordre, mais de lettre point. Elle n'était ni dans le classeur ni dans aucun des petits tiroirs que j'ouvris. Un seul était fermé à clef. Je pris mon couteau et le glissai dans la fente. J'y aperçus quelque chose de blanc. J'allai à ma chambre, pris mon trousseau de clefs sur ma table de chevet et essayai la plus petite. Elle tourna, le tiroir s'ouvrit. J'y mis la main et en sortis une enveloppe, mais mon excitation fut déçue, car ce n'était pas la lettre de Rainaldi que je tenais entre mes doigts, mais une simple enveloppe contenant des cosses remplies de graines. Les graines s'échappèrent des cosses et se répandirent par terre. Elles étaient vertes et très petites. Je les regardai et me rappelai en avoir déjà vues de semblables. Elles étaient de la même espèce que celles que Tamlyn avait jetées par-dessus son épaule et que celles qui jonchaient le sol de la cour de la villa Sangalletti et que la servante avait balayées.

C'étaient des graines de cytise, poison pour le bétail et pour l'homme.

CHAPITRE XXVI

Je remis l'enveloppe dans le tiroir. Je tournai la clef et repris le trousseau. Je ne m'arrêtai pas à la regarder endormie dans son lit. Je regagnai ma chambre.

De plusieurs semaines, je crois, je ne m'étais senti aussi calme. J'allai à ma table de toilette; là, près de la cuvette et du pot à eau, étaient les deux flacons de médicament que le docteur m'avait prescrits. J'en vidai le contenu par la fenêtre. Puis je descendis, ma bougie à la main, et me rendis à l'office. Les domestiques étaient depuis longtemps remontés à leurs chambres. Sur la table, à côté de l'évier, j'aperçus le plateau et les deux tasses où nous avions bu notre tisane. Je savais que John était parfois paresseux et pouvait bien avoir laissé les tasses jusqu'au matin sans les laver. Je ne m'étais pas trompé. La tisane avait laissé un dépôt dans les tasses. Je les examinai toutes deux à la lumière de ma bougie. L'aspect était le même. Je trempai le petit doigt d'abord au fond de sa tasse, puis au fond de la mienne, et goûtai. Y avait-il une différence? C'était difficile à dire. Le dépôt était peut-être un peu plus épais dans sa tasse que dans la mienne, mais je n'aurais pu le jurer. Je quittai l'office et regagnai ma chambre.

Je me déshabillai et me mis au lit. Je n'éprouvais ni colère, ni peur. Rien que de la pitié. Je la voyais comme une créature non responsable de ce qu'elle faisait, égarée par le mal; conduite, contrainte par l'homme qui exerçait un tel pouvoir sur elle; dénuée, du fait des circonstances et de sa naissance, de quelque sens moral essentiel, elle m'apparaissait capable, dans son instinct et dans son impulsion, de cette action fatale. Je voulais la sauver d'elle-même et ne savais comment. Il me semblait qu'Ambroise était auprès de moi et que je revivais en lui ou lui en moi. La lettre qu'il avait écrite et que j'avais déchirée en menus morceaux s'accomplissait.

Je me dis qu'elle nous avait tous deux aimés à sa manière, mais nous lui étions devenus inutiles. D'autres considérations qu'une émotion aveugle dirigeait donc quand même ses actions. Peut-être y avait-il deux personnes en elle, entre lesquelles elle était déchirée, chacune prenant à tour de rôle la haute main. Je ne savais. Louise aurait dit qu'elle avait toujours été la même, que, dès le début, chacune de ses pensées, chacun de ses gestes était prémédité. Etait-ce à Florence, avec sa mère, après la mort de son père, que cette existence louche avait commencé? Sangalletti, tué en duel, qui n'avait jamais été, pour Ambroise ou pour moi, qu'une ombre sans substance, avait-il souffert, lui aussi? Louise, sans aucun doute, m'eût dit que oui. Louise aurait affirmé que, dès sa première rencontre avec Ambroise, elle avait décidé de l'épouser pour son argent; puis que, lorsqu'il ne lui avait pas donné ce qu'elle voulait, elle avait décidé sa mort. Louise avait un esprit juridique. D'ailleurs, elle ignorait la lettre que j'avais déchirée. Mais quel eût été son jugement si elle l'avait lue?

Ce qu'on fait une fois sans être découvert, on peut le refaire. Et se débarrasser d'un autre fardeau.

Enfin, la lettre était déchirée, ni Louise ni personne d'autre ne la lirait jamais. Son contenu m'importait peu désormais. J'y pensais moins qu'au dernier bout de papier griffonné par Ambroise, méprisé par Rainaldi et aussi par Nick Kendall, comme la manifestation finale d'un cerveau malade : « Elle a enfin raison de moi, Rachel mon tourment. »

J'étais seul à savoir qu'il disait la vérité.

Je me retrouvais donc au même point. J'étais revenu à ce pont sur l'Arno où j'avais fait un serment. Peut-être qu'on ne pouvait pas revenir sur un serment, qu'il fallait le tenir, et que le moment était venu...

Le lendemain était un dimanche. Comme tous les dimanches depuis qu'elle habitait la maison, la voiture vint nous chercher pour nous emmener tous deux à l'église. Il faisait beau et chaud. C'était le plein été. Elle portait une robe nouvelle de couleur sombre et d'étoffe mince et légère, une capote de paille et une ombrelle. Elle dit bonjour en souriant à Wellington et à John et je l'aidai à monter en voiture. Lorsque je fus assis à côté d'elle et comme la voiture s'ébranlait, elle mit sa main dans la mienne.

J'avais souvent tenu cette main avec amour, senti sa petitesse, joué avec les bagues et les doigts, regardé les veines bleues, touché les petits ongles courts. Maintenant, tandis qu'elle reposait dans ma paume, je la voyais pour la première fois employée à une autre besogne. Je la voyais saisir les cosses de cytise et les vider adroitement de leurs graines, puis écraser celles-ci et les prendre entre ses doigts. Je me rappelai lui avoir dit un jour que ses mains étaient belles. Elle m'avait répondu en riant que j'étais le premier à lui dire cela.

« Elles sont adroites, dit-elle. Ambroise disait, lorsque je jardinais, que c'étaient des mains de travailleuse. »

Nous arrivions à la descente du raidillon et l'on mit le frein aux roues de derrière. Elle appuya son épaule à la mienne et, tournant son ombrelle pour nous protéger du soleil, me dit :

« Je dormais si bien, cette nuit, que je ne t'ai pas entendu partir », et elle me regarda en souriant.

Bien qu'elle m'eût si longtemps trompé, j'avais l'impression que c'était moi le menteur. Je ne pouvais lui répondre et, continuant à mentir, serrai plus fort sa main et détournai la tête.

Le sable de la baie était doré; la mer, très éloignée, scintillait au soleil. Nous nous engageâmes dans le chemin qui menait au village et à l'église. Les gens attendaient notre arrivée devant le portail. Rachel salua chacun avec un sourire. Nous passâmes ainsi devant les Kendall, les Pascoe et nos nombreux fermiers, puis gagnâmes notre banc au son de l'orgue.

Nous nous agenouillâmes un moment, le visage dans les mains. Je ne priais point, je me demandais : « Que dit-elle à son Dieu si elle croit à un Dieu? Le remercie-t-elle du succès de son entreprise? Ou bien lui demande-t-elle pardon? »

Elle s'assit sur les coussins du banc en ouvrant son livre de prières. Son visage était heureux et serein. J'aurais voulu la haïr comme je l'avais haïe pendant des mois sans la connaître. Je ne pouvais rien éprouver d'autre que cette étrange et terrible pitié.

Nous nous levâmes à l'entrée du vicaire et l'office commença. Je me rappelle le psaume que nous chantâmes ce matin-là. « Celui qui trompe n'habitera pas dans ma maison; celui qui ment ne paraîtra pas en ma présence. » Ses lèvres formaient les mots, elle chantait d'une voix basse et douce. Lorsque le vicaire monta en chaire pour prononcer son sermon, elle croisa les mains sur ses genoux et s'installa pour écouter, le regard attentif et grave levé vers le visage du prédicateur, tandis qu'il énonçait son titre : « C'est une chose redoutable que de tomber entre les mains du Dieu vivant. »

Le soleil entrait à travers les vitraux et rayonnait sur elle. Je voyais de mon banc le visage rose et vermeil des enfants du village bâillant un peu et attendant la fin du sermon et je les entendais remuer leurs pieds à l'étroit dans leurs chaussures du dimanche et aspirant à courir en liberté dans l'herbe. Un instant, je souhaitai passionnément me retrouver enfant et innocent, Ambroise à mon côté au lieu de Rachel.

« Il y a au loin une verte colline derrière les

murailles d'une ville. » Je ne sais pourquoi nous chantions cette hymne ce jour-là; peut-être était-ce une fête locale. Nos voix s'élevaient, hautes et claires, sous les voûtes, et je ne pensais pas à Jérusalem comme je l'aurais dû sans doute, mais à une simple tombe dans un coin du cimetière protestant de Florence.

Le chœur parti, et comme la congrégation se dirigeait vers les portes, Rachel me chuchota :

« Je crois que nous devrions inviter les Kendall et les Pascoe à dîner aujourd'hui. Il y a bien longtemps que nous ne l'avons fait et ils pourraient s'en offenser. »

Je réfléchis un instant, puis acquiesçai. Cela vaudrait mieux ainsi. Leur présence aiderait à masquer le fossé entre nous, et Rachel, occupée par la conversation de nos invités, accoutumée à mon silence en ces occasions, n'aurait pas le temps de m'observer et de s'étonner. Devant le portail, les Pascoe acceptèrent sans se faire prier, les Kendall hésitèrent davantage.

« Je serai obligé de vous quitter tout de suite après le dîner, dit enfin mon parrain, mais la voiture pourra revenir chercher Louise.

— Mr. Pascoe prêche de nouveau ce soir, interrompit la femme du vicaire, nous pourrons vous ramener avec nous. »

Ils se mirent à discuter des moyens de transports et, tandis qu'ils faisaient des plans compliqués, je remarquai que le contremaître qui dirigeait les travaux de la terrasse et du jardin m'attendait au bord du chemin, son chapeau à la main.

« Qu'est-ce? lui demandai-je.

— Excusez-moi, Mr. Ashley, dit-il, je vous ai cherché hier après la journée de travail, mais je ne vous ai pas trouvé; je voulais vous avertir, si vous alliez sur la terrasse, de ne pas marcher sur la passerelle qu'on a jeté en travers de la tranchée du jardin.

— Pourquoi? Qu'a-t-elle, cette passerelle?

— Elle n'est pas terminée, Monsieur. On ne la finira que lundi matin. Les planches ont l'air solide comme ça mais ne supporteraient pas un poids un peu lourd. Celui qui voudrait traverser dessus risquerait de tomber et de se rompre le cou.

— Je vous remercie, dis-je. Je m'en souviendrai. »

Je retournai vers nos invités qui avaient fini par se mettre d'accord et, comme en ce premier dimanche qui paraissait aujourd'hui si lointain, nous nous séparâmes en trois groupes : Rachel et mon parrain dans la voiture de celui-ci, Louise et moi dans la mienne, les Pascoe nous suivant dans leur brougham. Sans doute étions-nous rentrés de la sorte bien d'autres fois, dans l'intervalle; toutefois, lorsque je descendis pour gravir à pied le raidillon, je ne songeais qu'à ce dimanche de septembre, dix mois auparavant. Louise m'avait agacé, ce matin-là, par sa raideur, et je l'avais négligée depuis lors. Elle, cependant, était demeurée mon amie. Au haut de la côte, comme je remontais en voiture, je lui dis :

« Saviez-vous que les graines de cytise étaient vénéneuses? »

Elle me regarda, étonnée.

« Oui, dit-elle, il me semble. Je sais que les bêtes qui en mangent meurent. Les enfants aussi. Pourquoi demandez-vous cela? Avez-vous perdu du bétail à Barton?

— Non, pas encore, dis-je, mais Tamlyn m'a parlé l'autre jour de déplacer les arbres qui penchent de la plantation sur le pré, à cause des graines qui y tombent.

— Ce serait une bonne précaution, dit-elle. Père a perdu une fois un cheval qui avait mangé des baies d'un if. Cela peut toujours arriver, et il n'y a pas de recours. »

Tandis que nous descendions l'avenue et franchissions le portail, je me demandais ce qu'elle dirait si je lui parlais de ma découverte de la veille. Me regarderait-elle avec horreur en me disant que j'étais fou? J'en doutais. Je pensais plutôt qu'elle me croirait. Mais ce n'était pas le moment, Wellington si près de nous sur le siège avec John.

Je tournai la tête, les autres voitures nous suivaient.

« J'ai à vous parler, Louise, lui dis-je. Quand votre père s'en ira, après dîner, trouvez un prétexte pour rester. »

Elle me regarda d'un air interrogateur, mais je n'en dis pas davantage.

Wellington arrêta les chevaux devant la maison. Je descendis et donnai la main à Louise. Nous attendîmes les autres. Oui, l'on aurait pu se croire revenu à ce dimanche de septembre. Rachel souriait comme alors. Elle parlait à mon parrain, et je crois qu'il s'agissait toujours de politique. Ce dimanche-là, bien qu'attiré vers elle, je la considérais encore comme une inconnue. Et maintenant? Plus rien d'elle ne m'était caché. Je connaissais le meilleur, je connaissais le pire. Je devinais jusqu'aux motifs d'actes obscurs peut-être à elle-même. Elle ne me cachait plus rien à présent, Rachel mon tourment...

« C'est tout à fait comme autrefois, dit-elle en souriant quand nous nous trouvâmes tous dans le vestibule. Je suis bien aise que vous soyez venus. »

Elle embrassa la compagnie du regard et la précéda dans le salon. La pièce était particulièrement belle en été. Les fenêtres étaient larges ouvertes, l'air léger. Les hortensias japonais, couleur d'azur, remplissaient les vases et se reflétaient dans les miroirs des murs. Dehors, un chaud soleil pesait sur les pelouses. Une abeille paresseuse bourdonnait contre une vitre. Les invités s'assirent, alanguis, heureux de se reposer. Seecombe apporta du vin et des biscuits.

« Vous voilà tous accablés par un peu de soleil, fit Rachel en riant. Pour moi, ce n'est rien. En Italie, nous avons cela neuf mois de l'année. Le beau temps commençait à me manquer. Là, je vais vous servir tous. Philip, restez assis. Vous êtes encore mon malade. »

Elle versa le vin dans les verres et nous les apporta. Mon parrain et le pasteur restaient debout et protestaient, mais elle les écarta. Lorsqu'elle s'approcha de moi, le dernier, je fus le seul qui ne but point.

« Vous n'avez pas soif? » dit-elle.

Je secouai la tête. Je ne voulais plus rien recevoir de sa main désormais. Elle reposa le verre sur le plateau et, tenant le sien à la main, alla s'asseoir sur le divan à côté de Mrs. Pascoe et de Louise.

« J'imagine, dit le vicaire, qu'à Florence la chaleur, en ce moment, doit être intolérable, même pour vous.

— Je ne l'ai jamais trouvée intolérable, dit Rachel. On ferme les persiennes dès le matin et la villa garde sa fraîcheur toute la journée. Nous nous adaptons au climat. Quiconque s'agite et sort au milieu du jour appelle le désastre. Aussi restons-nous chez nous et dormons. J'ai la chance de posséder, à la villa Sangalletti, une petite cour orientée au nord et qui ne reçoit jamais le soleil; il y a là une vasque et une fontaine et, quand l'air est trop lourd, je fais couler la fontaine; le ruissellement de l'eau a un bruit apaisant. Je ne me tiens jamais ailleurs au printemps et en été. »

Au printemps, en effet, elle pouvait regarder s'épanouir les fleurs de cytise et les branches s'étendre comme un dais aux grappes d'or au-dessus de la tête de l'adolescent nu debout dans la vasque, son coquillage entre les mains. A leur tour, les fleurs se faneraient et tomberaient et, le plein été venu, comme il était venu ici, mais plus intense, les cosses éclateraient, répandant les graines sur le sol. Elle devait observer tout cela, assise dans la petite cour, Ambroise à son côté.

« J'aimerais beaucoup visiter Florence », dit Mary Pascoe en écarquillant les yeux et rêvant Dieu sait de quelles étranges splendeurs.

Rachel se tourna vers elle et lui dit :

« Eh bien, il faudra venir me voir l'année prochaine. Je vous invite à loger chez moi. Je vous invite tous à tour de rôle. »

Aussitôt les exclamations d'éclater, les questions de fuser et aussi les expressions de regret. Allait-elle donc bientôt partir? Quand reviendrait-elle? Quels étaient ses projets? Elle hocha la tête.

« Je pars bientôt, dit-elle, et je reviens bientôt. J'agis par impulsion et ne veux pas me lier par des dates. »

Je vis mon parrain me regarder du coin de l'œil puis, tordant sa moustache, baisser les yeux. J'imaginai sa pensée : « Une fois elle partie, il reviendra lui-même. » L'après-midi avançait. A quatre heures, nous nous mîmes à table. Une fois de plus, j'étais assis au haut bout, Rachel en face de moi, entre mon parrain et le vicaire. Une fois de plus, s'élevèrent les rires, les propos et même la poésie. Je gardais à peu près le même silence que la première fois et j'observais son visage. J'en étais alors fasciné, car il m'était inconnu. La direction de la conversation, le changement de sujets, l'intérêt témoigné à chacun des convives, autant de manœuvres que je n'avais jamais vues chez une femme et qui me paraissaient magiques. Maintenant, j'en connaissais toutes les ficelles. La façon d'entamer un sujet, les propos à demi-voix au vicaire, le visage à demi caché derrière sa main, et leurs rires à tous deux, aussitôt suivis par l'interrogation de mon parrain, penché en avant, demandant : « Qu'est-ce donc, Mrs. Ashley, qu'avez-vous dit? », et sa réplique immédiate, vite et moqueuse : « Le vicaire va vous le dire », faisant rougir ce dernier qui, tout fier de son audace et de son esprit, se mettait à citer une anecdote que sa famille ne connaissait pas. C'était là un petit jeu qui la divertissait et dans lequel nous étions tous, avec notre lourdeur rustique, faciles à mener et à ridiculiser.

Je me demandais si sa tâche était plus difficile en Italie. Je ne crois pas. La société, là-bas, était mieux adaptée à ses tours. Avec Rainaldi pour lui donner la réplique dans la langue qu'elle connaissait le mieux, la conversation devait étinceler, à la villa Sangalletti, d'un éclat inconnu à ma table. Parfois, elle agitait la main, comme pour démêler son rapide discours. Lorsqu'elle parlait italien à Rainaldi, j'avais remarqué qu'elle le faisait fréquemment. Aujourd'hui, interrompant je ne sais quelle déclaration de mon parrain, ses mains vinrent de nouveau à la rescousse, souples, rapides, balayant l'air. Puis, attendant sa réponse, elle s'accouda légèrement au bord de la table, et ses mains se croisèrent et redevinrent immobiles. Elle tournait la tête vers lui en l'écoutant, de sorte qu'à présent je la voyais de profil. Elle m'apparaissait toujours comme une inconnue ainsi. Les traits nettement gravés comme sur une médaille, sombre, réservée, une étrangère coiffée d'un châle tendait la main sous un porche. Mais, de face et souriante, c'était ma Rachel familière, connue, aimée.

Mon parrain finit son récit. Il y eut un silence. Habitué à présent à tous ses mouvements, j'observai ses yeux. Ils regardèrent Mrs. Pascoe, puis moi.

« Si nous allions au jardin? » dit-elle.

Nous nous levâmes tous et le vicaire, sortant sa montre, soupira et dit :

« A mon grand regret, je me vois obligé de m'en aller.

— Moi aussi, ajouta mon parrain. Mon frère de Luxilyan est malade et j'ai promis d'aller le voir. Mais Louise peut rester.

— Vous avez bien le temps de prendre votre thé », insista Rachel.

Mais il était décidément trop tard et, après quelques tergiversations, Nick Kendall et les Pascoe partirent dans le brougham. Louise seule demeura.

« Puisque nous ne sommes plus que nous trois, dit Rachel, ne faisons pas de cérémonies. Allons dans le boudoir. »

Et, souriant à Louise, elle la précéda dans l'escalier.

« Il faut que Louise boive de la tisane, dit-elle par-dessus son épaule. Je vais lui apprendre ma méthode. Si jamais son père souffre d'insomnies, elle saura un bon remède. »

Nous nous installâmes dans le boudoir, moi près de la fenêtre ouverte, Louise sur le tabouret, Rachel penchée sur les herbes.

« La recette anglaise, si l'on peut appeler cela une recette, dit Rachel, est de prendre de l'orge épluchée. Moi, j'ai apporté mes herbes séchées de Florence. Si vous en aimez le goût, je vous en laisserai en partant. »

Louise se leva et s'approcha d'elle.

« Mary Pascoe m'a raconté que vous connaissez le nom de toutes les herbes, dit-elle, et que vous avez guéri les fermiers de nombreux maux. Jadis, les gens connaissaient mieux ces choses qu'aujourd'hui. Mais il y a encore des vieux qui guérissent les verrues et les éruptions par des charmes.

— Moi, je guéris bien d'autres choses par des charmes, fit Rachel en riant. Ces méthodes sont vieilles comme le monde. Je les tiens de ma mère. Merci, John. »

John venait de lui apporter la bouilloire remplie d'eau chaude.

« A Florence, dit Rachel, je faisais la tisane dans ma chambre et la laissais reposer. Elle est meilleure ainsi. Nous descendions dans la cour, je faisais couler la fontaine et nous sirotions notre tisane au tintement de l'eau dans la vasque. Ambroise pouvait rester assis des heures à la regarder couler. »

Elle versa dans la théière l'eau que John venait d'apporter.

« J'ai envie, reprit-elle, de rapporter de Florence, la prochaine fois que je reviendrai, une petite statue comme celle de ma fontaine. J'aurai un peu de mal à la trouver, mais j'y arriverai. On pourrait la mettre au milieu du nouveau jardin que l'on construit sous la terrasse et y faire aussi une fontaine. Qu'en pensez-vous? »

Elle se tourna vers moi en souriant, tout en remuant la tisane avec une cuillère.

« Si vous voulez, répondis-je.

— Philip manque d'enthousiasme, dit-elle à Louise; ou bien il approuve tout ce que je dis, ou bien il s'en désintéresse. Je me dis parfois que tous mes efforts ici sont vains : la terrasse, les arbustes de la forcerie. Il se contenterait d'herbe et de sentiers boueux. Tenez, voici votre tasse. »

Elle tendit une tasse à Louise, puis vint m'apporter la mienne. Je secouai la tête.

« Pas de tisane, Philip? dit-elle. Mais c'est très bon pour vous. Cela vous fait dormir. Vous en prenez toujours. J'ai préparé celle-ci spécialement pour vous, elle est deux fois plus forte.

— Vous la boirez pour moi », dis-je.

Elle secoua les épaules.

« La mienne est déjà versée. J'aime la laisser reposer. Celle-ci sera donc perdue. Quel dommage! »

Elle se pencha et vida la tasse par la fenêtre. En se redressant, elle mit la main sur mon épaule et je sentis l'odeur que je connaissais si bien, non pas un parfum, mais l'essence même de son être, l'émanation de sa peau.

« Tu n'es pas bien? » dit-elle tout bas, de façon que Louise n'entendît pas.

J'aurais voulu alors pouvoir tout oublier. Plus de lettre déchirée, plus de paquet secret enfermé dans le petit tiroir, plus de mal, plus de duplicité. Sa main remonta de mon épaule à mon menton et s'y attarda en une brève caresse. Elle était, à ce moment, entre moi et Louise, et celle-ci ne pouvait voir son geste.

« Mon boudeur », murmura-t-elle.

Je regardai par-dessus sa tête et vis le portrait d'Ambroise sur la cheminée. Ses yeux pleins de jeunesse et d'innocence regardaient droit dans les miens. Je ne répondis pas à Rachel qui s'éloigna pour aller reposer la tasse vide sur le plateau.

« Qu'en dites-vous? demanda-t-elle à Louise.

— Je crois qu'il me faudra un certain temps pour m'habituer à ce goût, dit Louise sur un ton d'excuse.

— Peut-être ne plaît-il pas à tout le monde, en effet, dit Rachel. Mais vous savez que c'est un sédatif pour les esprits inquiets. Ce soir, nous dormirons tous très bien. »

Elle sourit et vida lentement sa tasse. Nous bavardâmes encore près d'une heure, ou plutôt elle bavarda avec Louise, puis, se levant pour reposer sa tasse sur le plateau qu'elle avait gardé près d'elle, elle dit :

« Maintenant qu'il fait plus frais, quelqu'un a-t-il envie de faire avec moi un tour dans le jardin? »

Je regardai Louise qui, voyant mon regard, se tut.

« J'ai promis à Louise, dis-je, de lui montrer un ancien plan du domaine de Pelyn que j'ai retrouvé l'autre jour. Les limites en sont nettement marquées et l'on voit encore les vieilles fortifications.

— Parfait, dit Rachel, emmenez-la au salon ou bien restez ici, comme il vous plaira. J'irai me promener seule. »

Elle passa dans la chambre bleue en fredonnant une chanson.

« Restez ici », dis-je tout bas à Louise.

Je descendis et me rendis dans mon bureau, car il existait véritablement un ancien plan, que je gardais parmi mes papiers. Je le trouvai et revins en traversant la cour. Comme j'atteignais la porte qui conduit du salon au jardin, je rencontrai Rachel partant pour sa promenade. Elle était nu-tête, mais portait à la main son ombrelle ouverte.

« Je ne resterai pas longtemps, dit-elle. Je vais monter sur la terrasse. Je veux voir si une statue ferait bien dans le jardin en contrebas.

— Prenez garde, lui dis-je.

— A quoi? » fit-elle, étonnée.

Elle était à côté de moi, son ombrelle sur l'épaule. Elle portait une robe noire de mince mousseline avec de la dentelle blanche autour du cou. L'odeur du foin coupé remplissait l'air. Un papillon passa, dans un vol joyeux. Les pigeons roucoulaient dans les grands arbres, derrière la pelouse.

« Prenez garde, dis-je lentement, de ne point trop marcher au soleil. »

Elle rit et s'éloigna. Je la regardai traverser la pelouse, monter les degrés de la terrasse.

Je rentrai dans la maison et montai vivement jusqu'au boudoir. Louise m'y attendait.

« J'ai besoin de votre aide, dis-je. Le temps passe. »

Elle quitta le tabouret, une interrogation dans les yeux.

« Vous vous rappelez la conversation que nous eûmes, il y a quelques semaines, dans l'église? » lui dis-je.

Elle acquiesça.

« Eh bien, vous aviez raison et j'avais tort, répondis-je. Peu importe à présent. Je soupçonne encore pis, mais il me faut une preuve. Je crois qu'elle a essayé de m'empoisonner et qu'elle a fait de même pour Ambroise. »

Louise ne dit rien. Ses yeux s'emplirent d'horreur.

« Peu importe comment je l'ai découvert, dis-je,

mais la confirmation que je cherche peut se trouver dans une lettre de ce Rainaldi. Je vais fouiller son bureau. Vous avez appris quelques éléments d'italien. A nous deux, nous arriverions à la traduire. »

Je me mis à examiner le contenu du bureau plus attentivement que je n'avais pu le faire la nuit précédente à la bougie.

« Pourquoi n'avez-vous pas averti mon père? dit Louise. Si elle est coupable, il pourra l'accuser avec plus de force que vous.

— Il me faut une preuve », dis-je.

Je trouvai du papier, des enveloppes en piles bien ordonnées. Je trouvai des reçus et des factures qui auraient alarmé mon parrain s'il les eût vus, mais dont je ne me souciais guère, dans la fièvre de découvrir ce que je souhaitais. J'essayai de nouveau d'ouvrir le petit tiroir qui contenait le paquet de graines. Cette fois, il n'était pas fermé à clef. Je le tirai, il était vide. Le paquet avait disparu. Cela constituait une présomption de plus, mais ma tasse avait été vidée. Je continuai à ouvrir des tiroirs, et Louise me regardait faire, le sourcil soucieux.

« Vous auriez dû attendre, dit-elle. C'est imprudent. Vous auriez dû attendre que mon père intente une action légale. Vous agissez comme un voleur.

— La vie et la mort, dis-je, n'attendent pas les actions légales. Tiens, qu'est ceci? »

Je lui tendis un long feuillet portant des noms, les uns en anglais, d'autres en latin, d'autres en italien.

« Je ne suis pas sûre, dit-elle, mais je crois que c'est

une liste de plantes et d'herbes. L'écriture n'est pas très lisible. »

Elle continuait de l'examiner tandis que je fouillais les tiroirs.

« Oui, dit-elle, ce doit être la liste de ses herbes et de ses remèdes. La seconde page est en anglais, je crois que ce sont des notes sur la propagation des plantes classées par espèce, il y en a des douzaines.

— Cherchez cytise », dis-je.

Son regard rencontra le mien dans un éclair soudain de compréhension, puis revint à la page qu'elle tenait à la main.

« Oui, le voilà, dit-elle, mais cela ne nous apprend rien. »

Je lui arrachai le papier et lus la ligne que son doigt m'avait désignée : « *Laburnum Cytisus.* Originaire d'Europe méridionale. Ces plantes peuvent être obtenues par la méthode des graines et aussi par les greffes. Dans le premier cas, les graines devront être plantées soit en forcerie, soit à l'endroit où les plantes sont destinées à rester. Au printemps, vers le mois de mars, lorsqu'elles ont suffisamment poussé, les transplanter en pépinières où elles resteront jusqu'à ce qu'elles aient atteint une taille suffisante pour qu'on les plante à l'endroit définitif. »

Au-dessous, une note indiquait la source où elle avait puisé cette information : *Le Nouveau Jardin Botanique.* Imprimé pour John Stockdale et Cie par T. Bonsley, Bolt Court. Fleet Street 1812.

« Il n'y a rien là sur des poisons », dit Louise.

Je continuai à fouiller le bureau. Je trouvai une lettre de la banque. Je l'ouvris :

« Chère madame, nous vous remercions de nous avoir retourné la collection de bijoux des Ashley, laquelle, suivant vos instructions au moment où vous vous préparerez à quitter le pays, demeurera en dépôt dans notre établissement jusqu'à ce que votre héritier, Mr. Philip Ashley, en prenne possession. Agréez, etc. Herbert Couch. »

Je reposai la lettre, pris d'une angoisse soudaine. Quelle que fût l'influence de Rainaldi, c'est une impulsion personnelle qui lui avait dicté cette dernière action.

Il n'y avait rien d'autre d'important. J'avais cherché dans tous les tiroirs, dans tous les classeurs. Ou bien elle avait détruit cette lettre, ou bien elle la gardait sur elle. Déçu, je me tournai vers Louise :

« Elle n'est pas là, dis-je.

— Avez-vous regardé dans le sous-main? » demanda-t-elle.

Je l'avais sottement posé sur une chaise, sans penser un instant qu'un objet aussi accessible pût receler un papier secret. Je pris le sous-main et, d'entre deux feuillets blancs, tomba sans résistance l'enveloppe de Plymouth. Je la sortis et la tendis à Louise.

« Voici, dis-je, voyez si vous pouvez déchiffrer cela. »

Elle regarda le papier et me le rendit.

« Mais ce n'est pas en italien, dit-elle. Vous pouvez lire vous-même. »

Je lus la lettre. Elle ne contenait que quelques lignes brèves. Comme je l'avais prévu, il s'était dispensé des formules d'usage, mais non pas à la manière que j'imaginais. Il l'avait datée de onze heures du soir et entrait immédiatement en matière :

« Puisque vous voilà devenue plus Anglaise qu'Italienne, je vous écris dans votre langue d'adoption. Il est onze heures passées et nous levons l'ancre à minuit. Je ferai à Florence tout ce dont vous m'avez chargé et davantage peut-être, bien que je me demande si vous le méritez. En tout cas, la villa sera prête à vous recevoir et les domestiques aussi, quand vous déciderez enfin de vous arracher à votre présent séjour. Ne tardez pas trop. Je n'ai jamais eu grande confiance en ces impulsions de votre cœur et en vos émotions. Si, finalement, vous ne parvenez pas à vous arracher à ce garçon, amenez-le avec vous. Mais je vous avertis que vous aurez tort. Prenez soin de vous-même, et croyez-moi votre ami. Rainaldi. »

Je lus et relus la page. Je la tendis à Louise.

« Y trouvez-vous la preuve que vous cherchiez? demanda-t-elle.

— Non », répondis-je.

Il devait manquer quelque chose. Un post-scriptum ou un second feuillet qu'elle avait mis dans une autre poche du sous-main. Je regardai de nouveau, mais le sous-main était vide, à l'exception d'une grande enveloppe. Je la saisis et l'ouvris. Cette fois, ce n'était pas une lettre, ni une liste d'herbes ou de plantes. C'était un dessin représentant Ambroise. Les initiales, dans le coin, étaient illisibles, mais ce devait être l'œuvre d'un artiste ou d'un ami italien, car je lus le mot Florence sous la signature, et la date : le mois de juin qui avait précédé sa mort. Je regardai le portrait et m'avisai que c'était sans doute le dernier qu'on eût fait de lui. Il avait donc beaucoup vieilli depuis qu'il avait quitté sa maison. Il y avait autour de sa bouche des rides que je ne connaissais pas, au coin des yeux aussi. Les yeux eux-mêmes avaient une expression traquée, comme si une ombre était derrière lui qu'il n'osait se retourner pour regarder en face. Il y avait sur son visage un air égaré et désolé. Il semblait savoir qu'un désastre le guettait. Les yeux imploraient de l'amour mais ils mendiaient aussi de la pitié. Sous le dessin, Ambroise lui-même avait griffonné une citation en italien : « A Rachel. *Non ramentare che le ore felici.* Ambroise. »

Je tendis le dessin à Louise.

« Il n'y a que ceci, dis-je. Qu'est-ce que cela veut dire? »

Elle lut la phrase tout haut et réfléchit un moment.

« Qu'il ne te souvienne que des heures heureuses », dit-elle lentement.

Elle me le rendit, ainsi que la lettre de Rainaldi.

« Ne vous l'avait-elle pas montré? demanda-t-elle.

— Non », répondis-je.

Nous nous regardâmes un moment sans parler. Puis Louise dit :

« Pourrions-nous l'avoir méjugée? Le croyez-vous? Le poison... Vous voyez bien qu'il n'y a pas de preuve.

— Il n'y aura jamais de preuve, dis-je. Plus maintenant. Jamais. »

Je posai le dessin sur le bureau, de même que la lettre.

« S'il n'y a pas de preuve, dit Louise, vous ne pouvez la condamner. Elle est peut-être innocente. Elle est peut-être coupable. Vous ne pouvez rien faire. Si elle est innocente et que vous l'accusiez, vous ne pourrez jamais vous le pardonner. C'est vous alors qui serez coupable, et non elle. Sortons d'ici et allons dans le salon. Je regrette maintenant que nous ayons fouillé dans ses affaires. »

J'étais près de la fenêtre ouverte et regardai la pelouse.

« La voyez-vous? demanda Louise.

— Non, dis-je, voilà près d'une heure qu'elle est partie, et elle n'est pas rentrée. »

Louise s'approcha de moi. Elle me regarda dans les yeux.

« Pourquoi votre voix est-elle si étrange? dit-elle. Pourquoi gardez-vous les yeux fixés là-bas, sur les marches qui mènent à la terrasse? Que se passe-t-il? »

Je l'écartai et me dirigeai vers la porte.

« Connaissez-vous la cloche de la tour? lui dis-je, celle qu'on sonne à midi pour annoncer le dîner des gens? Allez vite et tirez la corde aussi fort que vous pourrez. »

Elle me regardait sans comprendre.

« Pour quoi faire? demanda-t-elle.

— Parce que c'est dimanche, dis-je, et que tout le monde est sorti ou en train de dormir et que j'aurai peut-être besoin de secours.

— De secours? répéta-t-elle.

— Oui, dis-je, il a pu arriver un accident à Rachel. »

Louise me regarda. Ses yeux gris et candides scrutaient mon visage.

« Qu'avez-vous fait? » dit-elle, et je vis l'appréhension envahir ses traits, puis la conviction. Je me détournai et sortis.

Je descendis l'escalier quatre à quatre, courus à travers la pelouse et le long du chemin qui menait à la terrasse. Il n'y avait pas trace de Rachel.

Près des pierres, du mortier et des tas de planches qui surplombaient le jardin nouvellement creusé, j'aperçus les deux chiens. L'un d'eux, le plus jeune, vint à moi. L'autre resta où il était, contre un tas de mortier. Je vis des pas dans le sable et une ombrelle encore ouverte sur le côté. Soudain, la cloche se mit à tinter dans la tour de l'horloge. Elle sonnait à longs coups et, dans ce jour calme, le son devait porter à travers champs et sur la mer, de sorte que les hommes en train de pêcher dans la baie l'entendaient sûrement.

Je m'approchai du petit mur et vis la passerelle que l'on avait commencé à construire. Une partie de cette passerelle était encore là et pendait, grotesque et horrible, comme une échelle suspendue. Le reste était tombée dans le gouffre.

Je descendis vers elle au milieu des planches et des pierres. Je lui pris les mains. Elles étaient froides.

« Rachel, lui dis-je. Rachel », répétai-je.

Les chiens se mirent à aboyer au-dessus de nous, dans le bruit de la cloche qui continuait à sonner. Elle ouvrit les yeux et me regarda. D'abord comme si elle souffrait. Puis comme si elle s'étonnait. Puis, me sembla-t-il, comme si elle me reconnaissait. Mais là encore je me trompais. Elle m'appela Ambroise. Je lui tins les mains jusqu'à ce qu'elle mourût.

On pendait les gens aux Quatre-Chemins, dans l'ancien temps.

Plus maintenant.

ŒUVRES DE DAPHNÉ DU MAURIER

Aux Éditions Albin Michel :

REBECCA.
L'AUBERGE DE LA JAMAÏQUE.
LE GÉNÉRAL DU ROI.
LA CHAÎNE D'AMOUR.
LES DU MAURIER.
JEUNESSE PERDUE.
LES PARASITES.
MA COUSINE RACHEL.
LES OISEAUX, *suivi de* LE POMMIER, ENCORE UN BAISER, LE VIEUX, MOBILE INCONNU, LE PETIT PHOTOGRAPHE, UNE SECONDE D'ÉTERNITÉ.
MARY-ANNE.
LE BOUC ÉMISSAIRE.
GÉRALD.
LA FORTUNE DE SIR JULIUS.
LE POINT DE RUPTURE.
LE MONDE INFERNAL DE BRANWELL BRONTË.
CHÂTEAU DOR.
LES SOUFFLEURS DE VERRE.
L'AVENTURE VIENT DE LA MER.

IMPRIMÉ EN FRANCE PAR BRODARD ET TAUPIN
7, bd Romain-Rolland - Montrouge - Usine de La Flèche.
LIBRAIRIE GÉNÉRALE FRANÇAISE - 14, rue de l'Ancienne-Comédie - Paris.
ISBN : 2 - 253 - 00621 - 1

Le Livre de Poche policier

Alexandre (P.) et **Maïer (M.).**
Genève vaut bien une messe, 3389/1**.
Alexandre (P.) et **Roland (M.).**
Voir Londres et mourir, 2111/0*.
Andreota (Paul).
Zigzags, 4940/0**.
Behn (Noël).
Une lettre pour le Kremlin, 3240/6**.
Boileau-Narcejac.
Arsène Lupin : Le Secret d'Eunerville, 4093/7**.
Opération Primevère, 4812/1**.
Bommart (Jean).
Bataille pour Arkhangelsk, 2792/7*.
Le Poisson chinois a tué Hitler, 3332/1*.
La Dame de Valparaiso, 3429/5**.
Le Poisson chinois et l'homme sans nom, 3946/8*.
Monsieur Scrupule gangster, 4209/0**.
Breslin (Jimmy).
Le Gang des cafouilleux, 3491/5**.
Buchan (John).
Le Camp du matin, 3212/5***.
Calef (Noël).
Ascenseur pour l'échafaud, 1415/6**.
Carr (J. Dickson).
La Chambre ardente, 930/5*.
Charteris (Leslie).
Le Saint à New York, 2190/4*.
Ici, le Saint !, 3156/4*.
Les Compagnons du Saint, 3211/7*.
Le Saint contre Teal, 3255/4*.
La Marque du Saint, 3287/7*.
Le Saint s'en va-t-en guerre, 3318/0*.
Le Saint contre Monsieur Z, 3348/7*.
En suivant le Saint, 3390/9*.
Le Saint contre le marché noir, 3415/4*.
Le Saint joue et gagne, 3463/4*.
Mais le Saint troubla la fête, 3505/2*.
Le Saint au Far-West, 3553/2*.
Le Saint, Cookie et Cie, 3582/1*.
Le Saint ramène un héritier, 3836/1*.
Quand le Saint s'en mêle, 3895/7*.
La Loi du Saint, 3945/0*.
Le Saint ne veut pas chanter, 3973/2**.
Le Saint et le canard boiteux, 4023/5**.
Le Saint et la Veuve noire, 4118/3**.
Les Anges appellent le Saint, 4164/7**.
Le Saint parie sur la mort, 4183/7*.
Le Saint se bat contre un fantôme, 4188/6*.
Le Saint refuse une couronne, 4208/2*.
Le Saint découvre le virus 13, 4715/6*.
Le Saint à Miami, 4740/4**.
Le Saint joue avec le feu, 4789/1**.
Le Saint et le perroquet vert, 4924/4*.
Le Saint au carnaval de Rio, 4849/3**.
Christie (Agatha).
Le Meurtre de Roger Ackroyd, 617/8**.
Dix Petits Nègres, 954/5**.
Le Vallon, 1464/4**.
Le Crime de l'Orient-Express, 1607/8**.
A. B. C. contre Poirot, 1703/5**.
Cartes sur table, 1999/9**.
Meurtre en Mésopotamie, 4716/4**.
Cinq Petits Cochons, 4800/6**.
La Mystérieuse affaire de Styles, 4905/3**.
Conan Doyle (Sir Arthur).
Sherlock Holmes : Etude en Rouge suivi de *Le Signe des Quatre*, 885/1***.

Les Aventures de Sherlock Holmes, 1070/9***.
Souvenirs de Sherlock Holmes, 1238/2***.
Résurrection de Sherlock Holmes, 1322/4***.
La Vallée de la peur, 1433/9**.
Archives sur Sherlock Holmes, 1546/8***.
Le Chien des Baskerville, 1630/0*.
Son dernier coup d'archet, 2019/5*.

Conan Doyle (A.) et **Carr (J. D.).**
Les Exploits de Sherlock Holmes, 2423/9**.

Decrest (Jacques).
Les Trois jeunes filles de Vienne, 1466/9*.

Deighton (Len).
Ipcress, danger immédiat, 2202/7**.
Neige sous l'eau, 3566/4**.

Dominique (Antoine).
Trois Gorilles, 3181/2**.
Gorille sur champ d'azur, 3256/2**.

Exbrayat (Charles).
La Nuit de Santa Cruz, 1434/7**.
Olé !... Torero ! 1667/2*.
Vous manquez de tenue, Archibald ! 2377/7*.
Les Messieurs de Delft, 2478/3*.
Le dernier des salauds, 2575/6*.
Les Filles de Folignazzaro, 2658/0*.
Des Demoiselles imprudentes, 2805/7*.
Le Voyage inutile, 3225/7*.
Les Dames du Creusot, 3430/3*.
Mortimer !... comment osez-vous ?, 3533/4*.
Des filles si tranquilles, 3596/1*.
Il faut chanter, Isabelle, 3871/8*.
Le Clan Morembert, 4008/6*.
Pour ses beaux yeux, 4110/0**.
Vous souvenez-vous de Paco ? 4766/9**.
Une brune aux yeux bleus, 4810/5**.
Elle avait trop de mémoire, 4884/0*.

Goodis (David).
La Police est accusée, 4226/4*.

Hardwick (Michael et **Mollie).**
La Vie privée de Sherlock Holmes, 3896/5**.

Highsmith (Patricia).
L'Inconnu du Nord-Express, 849/7***.
Plein Soleil (Mr. Ripley), 1519/5**.
Le Meurtrier, 1705/0**.
Eaux profondes, 2231/6**.
L'Empreinte du faux, 3944/3***.
La Rançon du chien, 4119/1****.
Le Cri du hibou, 4706/5***.

Hitchcock (Alfred).
Histoires abominables, 1108/7***.
Histoires à ne pas lire la nuit, 1983/3**.
Histoires à faire peur, 2203/5**.

Irish (William).
Fenêtre sur cour, 4200/9**.
Divorce à l'américaine, 4841/0**.
New York blues, 4936/8**.

Leblanc (Maurice).
Arsène Lupin, gentleman cambrioleur, 843/0**.
Arsène Lupin contre Herlock Sholmes, 999/0**.
La Comtesse de Cagliostro, 1214/3**.
L'Aiguille creuse, 1352/1**.
Les Confidences d'Arsène Lupin, 1400/8**.
Le Bouchon de cristal, 1567/4**.
Huit cent treize (813), 1655/7****.
Les huit coups de l'horloge, 1971/8**.
La Demoiselle aux yeux verts, 2123/5*.
La Barre-y-va, 2272/0*.
Le Triangle d'Or, 2391/8**.
L'île aux trente cercueils, 2694/5**.
Les Dents du Tigre, 2695/2****.
La Demeure mystérieuse, 2732/3**.
L'Eclat d'obus, 2756/2**.
L'Agence Barnett et Cie, 2869/3*.
La Femme aux deux sourires, 3226/5**.
Victor, de la Brigade mondaine, 3278/6**.
La Cagliostro se venge, 3698/5**.

Leroux (Gaston).
Le Fantôme de l'Opéra, 509/7****.
Le Mystère de la Chambre Jaune, 547/7***.
Le Parfum de la Dame en noir, 587/3**.
Rouletabille chez le Tsar, 858/8***.
Le Fauteuil hanté, 1591/4*.

Le Château noir, 3506/0**.
Les Etranges Noces de Rouletabille, 3661/3**.
Rouletabille chez Krupp, 3914/6**.
Rouletabille chez les Bohémiens, 4184/5****.
Le Crime de Rouletabille, 4821/2**.
La Poupée sanglante,
t. 1 : 4726/3** ; t. 2 : *La Machine à assassiner*, 4727/1**.

LES AVENTURES DE CHERI-BIBI :
1. *Les Cages flottantes*, 4088/8***.
2. *Chéri-Bibi et Cécily*, 4089/6***.
3. *Palas et Chéri-Bibi*, 4090/4***.
4. *Fatalitas !* 4091/2***.
5. *Le coup d'Etat de Chéri-Bibi*, 4092/0***.

MacCoy (Horace).
Les Rangers du Ciel, 4099/5****.
Black mask stories, 4175/3**.

Macdonald (Ross).
L'Homme clandestin, 3516/9**.

Malet (Léo).
L'Envahissant Cadavre de la Plaine Monceau, 3110/1*.
M'as-tu vu en cadavre ? 3330/5*.
Pas de bavards à La Muette, 3391/7**.
Fièvre au Marais, 3414/7*.
La Nuit de Saint-Germain-des-Prés, 3567/2*.
Corrida aux Champs-Elysées, 3597/9*.
Boulevard... Ossements, 3645/6*.
Les Rats de Montsouris, 3850/2*.
Casse-pipe à la Nation, 3913/8**.
Les Eaux troubles de Javel, 4024/3**.
Micmac moche au Boul'Mich', 4176/1**.
Le Soleil naît derrière le Louvre, 4145/6*.
Des kilomètres de linceuls, 4751/1*.
Du rébecca rue des Rosiers, 4914/5**.

Monteilhet (Hubert).
Les Mantes religieuses, 4770/1*.

Nord (Pierre).
Double crime sur la ligne Maginot, 2134/2*.
Terre d'angoisse, 2405/6*.
L'Espion de la Première Paix mondiale, 3179/6**.
Le Guet-Apens d'Alger, 3303/2**.
L'Espion de Prague, 3532/6**.
Le Piège de Saigon, 3611/8**.
Espionnage à l'italienne, 3849/4**.
Le Kawass d'Ankara, 3992/2**.
Pas de scandale à l'O.N.U., 4218/1***.
Miss Péril jaune, 4790/9**.
Mystifications cubaines, 4152/2***.

Sayers (Dorothy).
Lord Peter et l'inconnu, 978/4*.
Les Pièces du dossier, 1668/0**.

Simmel (Johannès Mario).
On n'a pas toujours du caviar, 3362/8***.
La Haine c'est la mort, l'amour c'est la vie, 4979/8****.

Siodmak (Curt).
Le Cerveau du Nabab, 2710/9**.

Spillane (Mickey).
J'aurai ta peau, 3851/0**.
Pas de temps à perdre, 3853/6**.
Fallait pas commencer, 3854/4**.
Dans un fauteuil, 3855/1**.
Charmante soirée, 3856/9**
En quatrième vitesse, 3857/7**.
Nettoyage par le vide, 3858/5**.
Le Nouveau caïd, 4750/3**.
Le Serpent, 4801/4**.
Un tigre dans votre manche, 4937/6**.
L'Irlandais haut le pied, 4945/9*.

Steeman (S.-A.).
L'Assassin habite au 21, 1449/5*.
Quai des Orfèvres, 2151/6*.
L'Ennemi sans visage, 2697/8*.
Le Condamné meurt à cinq heures, 2820/6*.
Les Atouts de M. Wens. 2696/0*.
Poker d'enfer, 3403/0*.
Que personne ne sorte, 3552/4*.
Le Démon de Sainte-Croix, 3627/4**.
La Nuit du 12 au 13, 4234/8**.
Le Trajet de la foudre, 4741/2*.

Tanugi (Gilbert).
Le Canal rouge, 4840/2*.

Thomas (L.-C.).
Coup de sang, 4885/7*.

Vadim (Roger) présente :
Histoires de vampires, 3198/6**.
Nouvelles Histoires de vampires, 3331/3**.

Viard (Henri).
La Bande à Bonape, 2857/8*.

Le Livre de Poche classique

Des textes intégraux.
Des éditions fidèles et sûres.
Des commentaires établis par les meilleurs spécialistes.

Pour le grand public. La lecture des grandes œuvres rendue facile grâce à des commentaires et à des notes.

Pour l'étudiant. Des livres de référence d'une conception attrayante et d'un prix accessible.

Akutagawa.
Rashômon et autres contes, 2561/6**.

Aristophane.
Comédies (Les Oiseaux - Lysistrata - Les Thesmophories - Les Grenouilles - L'Assemblée des Femmes - Plutus), 2018/7**.

Balzac.
La Duchesse de Langeais suivi de *La Fille aux Yeux d'or*, 356/3**.
La Rabouilleuse, 543/6**.
Une Ténébreuse Affaire, 611/1**.
Les Chouans, 705/1**.
Le Père Goriot, 757/2**.
Illusions perdues, 862/0***.
La Cousine Bette, 952/9***.
Le Cousin Pons, 989/1**.
Le Colonel Chabert suivi de *Ferragus chef des Dévorants*, 1140/0**.
Eugénie Grandet, 1414/9**.
Le Lys dans la Vallée, 1461/0***.
Le Curé de village, 1563/3**.
César Birotteau, 1605/2**.
La Peau de Chagrin, 1701/9**.
Le Médecin de campagne suivi de *La Confession*, 1997/3**.
Modeste Mignon, 2238/1**.
Honorine suivi de *Albert Savarus* et de *La Fausse Maîtresse*, 2339/7**.
Louis Lambert suivi de *Les Proscrits* et de *J.-C. en Flandre*, 2374/4**.
Ursule Mirouët, 2449/4**.
Gobseck suivi de *Maître Cornélius* et de *Facino Cane*, 2490/8*.
Mémoires de deux jeunes mariées, 2545/9**.
Une Fille d'Eve suivi de *La Muse du département*, 2571/5**.
Un début dans la vie suivi de *Un Prince de la Bohême* et de *Un Homme d'affaires*, 2617/6**.
Les Employés, 2666/3**.
Le Chef-d'œuvre inconnu suivi de *Pierre Grassou*, de *Sarrasine*, de *Gambara* et de *Massimila Doni*, 2803/2**.
La Maison du Chat-qui-pelote suivi de *La Vendetta*, de *La Bourse* et de *Le Bal de Sceaux*, 2851/1**.
L'Illustre Gaudissart suivi de *5 Etudes*, 2863/6**.
Physiologie du mariage, 3254/7**.
Etudes de femmes, 3210/9**.

Barbey d'Aurevilly.
Un Prêtre marié, 2688/7**

Baudelaire.
Les Fleurs du Mal, 677/2**.
Le Spleen de Paris, 1179/8**.
Les Paradis artificiels, 1326/5**.
Ecrits sur l'Art, t. 1, 3135/8** ; t. 2, 3136/6**.
Mon cœur mis à nu, Fusées, Pensées éparses, 3402/2**.

Bernardin de Saint-Pierre.
Paul et Virginie, 4166/2****.

Boccace.
Le Décaméron, 3848/6****.

Casanova.
Mémoires, t. 1, 2228/2** ; t. 2, 2237/3** ; t. 3, 2244/9** ; t. 4, 2340/5** ; t. 5, 2389/2**.

Chamfort.
Maximes et Pensées suivi de *Caractères et Anecdotes*, 2782/8**.

Chateaubriand.
Mémoires d'Outre-Tombe, t. 1, 1327/3**** ; t. 2, 1353/9**** ; t. 3, 1356/2****.

Constant (Benjamin).
Adolphe suivi de *Le Cahier rouge* et de *Poèmes*, 360/5**.
Corneille.
Théâtre (Nicomède - Sertorius - Agésilas - Attila, roi des Huns - Tite et Bérénice - Suréna, général des Parthes), 1603/7**.
Descartes.
Discours de la Méthode, 2593/9*.
Dickens.
De Grandes Espérances, 420/7****.
Diderot.
Jacques le Fataliste, 403/3**.
Le Neveu de Rameau suivi de *8 Contes et Dialogues*, 1653/2***.
La Religieuse, 2077/3**.
Les Bijoux indiscrets, 3443/6**.
Dostoïevski.
L'Eternel Mari, 353/0**.
Le Joueur, 388/6**.
Les Possédés, 695/4****.
Les Frères Karamazov, t. 1, 825/7*** ; t. 2, 836/4***.
L'Idiot, t. 1, 941/2*** ; t. 2, 943/8***.
Crime et Châtiment, t. 1, 1289/5** ; t. 2, 1291/1**
Humiliés et Offensés, t. 1, 2476/7** ; t. 2, 2508/7**.
Les Nuits blanches suivi de *Le Sous-sol*, 2628/3**.
Dumas (Alexandre).
Les Trois Mousquetaires, 667/3****.
Joseph Balsamo, t. 3, 2149/0** ; t. 4, 2150/8**.
Le Collier de la Reine, t. 2, 2361/1** ; t. 3, 2497/3**.
Ange Pitou, t. 1, 2608/5** ; t. 2, 2609/3**.
Le Comte de Monte-Cristo, t. 1, 1119/4*** ; t. 2, 1134/3*** ; t. 3, 1155/8***.
Les Mohicans de Paris, 3728/0****.
Euripide.
Tragédies, t. 1, 2450/2** ; t. 2, 2755/4**.
Flaubert.
Madame Bovary, 713/5***.
L'Education sentimentale, 1499/0***.
Trois Contes, 1958/5*.
La Tentation de saint Antoine, 3238/0**.
Fromentin.
Dominique, 1981/7**.
Gobineau.
Adélaïde suivi de *Mademoiselle Irnois*, 469/4*.
Les Pléiades, 555/0**.
Goethe.
Les Souffrances du Jeune Werther suivi de *Lettres de Suisse*, 412/4**.
Gogol.
Les Nouvelles ukrainiennes, 2656/4**.
Gorki.
En gagnant mon pain, 4041/7***.
Hoffmann.
Contes, 2435/3**.
Homère.
Odyssée, 602/0***.
Iliade, 1063/4***.
Hugo.
Les Misérables, t. 1, 964/4*** ; t. 2, 966/9*** ; t. 3, 968/5***.
Les Châtiments, 1378/6***.
Les Contemplations, 1444/6***.
Notre-Dame de Paris, 1698/7***.
Les Orientales suivi de *Les Feuilles d'automne*, 1969/2**.
La Légende des Siècles, t. 2, 2330/6**.
Odes et Ballades, 2595/4**.
Les Chants du Crépuscule suivi de *Les Voix intérieures* et de *Les Rayons et les Ombres*, 2766/1**.
Bug-Jargal suivi de *Le Dernier Jour d'un Condamné*, 2819/8**.
Labiche.
Théâtre (La Cagnotte - Les Deux Timides - Célimare le bien-aimé), 2841/2**.
La Bruyère.
Les Caractères, 1478/4***.
Laclos (Choderlos de).
Les Liaisons dangereuses, 354/8***.
La Fayette (Mme de).
La Princesse de Clèves, 374/6**.
La Fontaine.
Fables, 1198/8**.
Laforgue (Jules).
Poésies complètes, 2109/4***.
Lamartine.
Méditations suivi de *Nouvelles Méditations*, 2537/6**.

Lautréamont.
Les Chants de Maldoror, 1117/8**.
Machiavel.
Le Prince, 879/4**.
Mallarmé.
Poésies, 4994/7***.
Marivaux.
Théâtre (Le Triomphe de l'Amour - L'Ecole des mères - Le Petit Maître corrigé - La Mère confidente - Le Legs - Les Fausses Confidences - L'Epreuve - La Dispute - Le Préjugé vaincu), 2120/1**.
Marx et **Engels.**
Le Manifeste du Parti Communiste suivi de *Critique du Programme de Gotha*, 3462/6*.
Mérimée.
Colomba et Autres Nouvelles, 1217/6**.
Carmen et Autres Nouvelles, 1480/0**.
Chronique du Règne de Charles IX, 2630/9**.
Montaigne.
Essais, t. 1, 1393/5*** ; t. 2, 1395/0*** ; t. 3, 1397/6***.
Journal de voyage en Italie, 3957/5****.
Montesquieu.
Lettres persanes, 1665/6**.
Musset.
Théâtre (On ne saurait penser à tout - Carmosine - Bettine - Pièces posthumes - Fragments - Ecrits sur le théâtre), 1431/3**.
Nerval.
Aurélia suivi de *Lettres à Jenny Colon*, de *La Pandora* et de *Les Chimères*, 690/5**.
Les Filles du feu suivi de *Petits Châteaux de Bohême*, 1226/7**.
Nietzsche.
Ainsi parlait Zarathoustra, 987/5***.
Ovide.
L'Art d'aimer, 1005/5*.
Pascal.
Pensées, 823/2***.
Pétrone.
Le Satiricon, 589/9**.
Poe.
Histoires extraordinaires, 604/6**.
Nouvelles Histoires extraordinaires, 1055/0**.
Histoires grotesques et sérieuses, 2173/0**.
Prévost (Abbé).
Manon Lescaut, 460/3**.
Rabelais.
Pantagruel, 1240/8**.
Gargantua, 1589/8**.
Le Quart Livre, 2247/2***.
Le Cinquième Livre et Œuvres diverses, 2489/0***.
Retz (Cardinal de).
Mémoires, t. 1, 1585/6** ; t. 2, 1587/2**.
Rimbaud.
Poésies, 498/3**.
Rousseau.
Les Confessions, t. 1, 1098/0*** ; t. 2, 1100/4***.
Les Rêveries du Promeneur solitaire, 1516/1**.
Sacher-Masoch.
La Vénus à la fourrure et autres nouvelles, 4201/7****.
Sade.
Les Crimes de l'amour, 3413/9**.
Justine ou les malheurs de la Vertu, 3714/0***.
La Marquise de Gange, 3959/1**.
Aline et Valcour, 4757/8****.
Sand (George).
La Petite Fadette, 3550/8**.
La Mare au diable, 3551/6**.
François le Champi, 4771/9**.
Shakespeare.
Roméo et Juliette suivi de *Le Songe d'une nuit d'été*, 1066/7**.
Hamlet - Othello - Macbeth, 1265/5**.
Le Songe d'une nuit d'été suivi de *Cymbeline* et de *La Tempête*, 3224/0**.
Stendhal.
Le Rouge et le Noir, 357/1***.
La Chartreuse de Parme, 851/3***.
Romans et Nouvelles, 2421/3**.
Stevenson.
L'Ile au trésor, 756/4**.
Suétone.
Vies des douze Césars, 718/4***.
Tchékhov.
L'Oncle Vania suivi de *Les Trois Sœurs*, 1448/7**.
Ce Fou de Platonov suivi de *Le Sauvage*, 2162/3**.
La Steppe suivi de *Salle 6*, de

La Dame au petit chien et de *L'Evêque*, 2818/0**.
Le Duel suivi de *Lueurs*, de *Une banale histoire* et de *La Fiancée*, 3275/2***.

Thucydide.
La Guerre du Péloponnèse, t. 1, 1722/5** ; t. 2, 1723/3**.

Tolstoï.
La Sonate à Kreutzer, 366/2*.
Anna Karénine, t. 1, 636/8*** ; t. 2, 638/4***.
Enfance et Adolescence, 727/5**.
Guerre et Paix, t. 1, 1016/2**** ; t. 2, 1019/6****.
Nouvelles, 2187/0**.
Résurrection, t. 1, 2403/1** ; t. 2, 2404/9**.
Récits, 2853/7**.
Jeunesse suivi de *Souvenirs*, 3155/6**.
La Mort d'Ivan Illitch, suivi de *Maître et Serviteur* et de *Trois Morts*, 3958/3**.

Tourgueniev.
Premier Amour suivi de *L'Auberge de Grand Chemin* et de *L'Antchar*, 497/5**.
Mémoires d'un Chasseur, 2744/8***.
Eaux printanières, 3504/5**.

Vallès (Jules).
JACQUES VINGTRAS :
1. *L'Enfant*, 1038/6**.
2. *Le Bachelier*, 1200/2**.
3. *L'Insurgé*, 1244/0**.

Vauvenargues.
Réflexions et Maximes, 3154/9**.

Verlaine.
Poèmes saturniens suivi de *Fêtes galantes*, 747/3*.
La Bonne Chanson suivi de *Romances sans paroles* et de *Sagesse*, 1116/0*.
Jadis et Naguère suivi de *Parallèlement*, 1154/1*.
Mes Prisons et autres textes autobiographiques, 3503/7***.

Vigny.
Cinq-Mars, 2832/1***.

Villon.
Poésies complètes, 1216/8**.

Virgile.
L'Enéide, 1497/4***.

Voltaire.
Romans, Contes et Mélanges, t. 1, 657/4*** ; t. 2, 658/2***.

XXX.
Tristan et Iseult, 1306/7**.

La Grande Anthologie de la Science-Fiction

Une **encyclopédie thématique** des années 30 à nos jours qui offre :

- un choix raisonné des nouvelles les plus célèbres et les plus représentatives ;
- un éventail complet des auteurs ;
- tous les thèmes « classiques » de la science-fiction.

Chaque volume comporte : une introduction générale, une préface, une présentation de chaque texte, un dictionnaire des auteurs.

Histoires d'Extraterrestres, 3763/7****.
Histoires de Robots, 3764/5****.
Histoires de Cosmonautes, 3765/2****.
Histoires de Mutants, 3766/0****
Histoires de Fins du monde, 3767/8****
Histoires de Machines, 3768/6****.
Histoires de Planètes, 3769/4****.
Histoires de Pouvoirs, 3770/2****.
Histoires de demain, 3771/0****.
Histoires de voyages dans le Temps, 3772/8****.
Histoires à rebours, 3773/6****.
Histoires galactiques, 3774/4****.

Science-Fiction

Cette nouvelle série, inaugurée en janvier 1977, présente aux lecteurs du Livre de Poche les plus grands titres des écrivains du genre, ceux qui sont appelés à demeurer par leurs qualités littéraires, autant que par l'originalité et la puissance d'évocation créatrice de ces œuvres, aux côtés des grands romans de la littérature française et étrangère.

Ballard (J.G.).
Sécheresse, 7005/9***.
Bruss (B.R.).
Apparition des surhommes, 7004/2**.
Del Rey (Lester).
Le Onzième commandement, 7010/9***.
Dick (Philip K.).
En attendant l'année dernière, 7000/0***.
Hodgson (William H.).
La Maison au bord du monde, 7002/6**.
Koontz (Dean).
La Semence du démon, 7008/3**.
Machen (Arthur).
Le Grand dieu Pan, 7006/7*.
Moorcock (M.).
Voici l'homme, 7012/5**.
Silverberg (Robert).
Les Masques du temps, 7001/8****.
Spinrad (Norman).
Rêve de fer, 7011/7***.
Sternberg (Jacques).
Futurs sans avenir, 7017/4****.
Tryon (Thomas).
Le Visage de l'autre, 7009/1***.
Vonnegut Jr. (Kurt).
Le Pianiste déchaîné, 7007/5****.
Williamson (Jack).
Les Humanoïdes, 7003/4****.

Thrillers

Ambler (Eric).
Le Levantin, 7404/4****.

Bar-Zohar (Michel).
La Liste, 7413/5***.

Bonnecarrère (Paul).
Ultimatum, 7403/6***.
Le Triangle d'or, 7408/5***.

Crichton (Michael).
L'Homme terminal, 7401/0***.

Dusolier (François).
L'Histoire qui arriva à Nicolas Payen il y a quelques mois, 7425/9***.

Forbes (Colin).
L'Année du singe d'or, 7422/6***.
Le Léopard, 7431/7****.

Freemantle (Brian).
Vieil ami, adieu !, 7416/8**.

Fuller (Samuel).
Mort d'un pigeon Beethoven-strasse, 7406/9**.

Goldman (William).
Marathon Man, 7419/2***.
Magic, 7423/4***.

Hailey (Arthur) et **Castle (John).**
714 appelle Vancouver, 7409/3**.

Herbert (James).
Celui qui survit, 7437/4**.

Highsmith (Patricia).
L'Amateur d'escargots, 7400/2***.
Les Deux Visages de Janvier, 7414/3***.
Mr Ripley (Plein soleil), 7420/0***.
Le Meurtrier, 7421/8***.
La Cellule de verre, 7424/2***.
Le Rat de Venise, 7426/7***.
Jeu pour les vivants, 7429/1***.
L'Inconnu du Nord-Express, 7432/5****.
Ce mal étrange, 7438/2****.
Eaux profondes, 7439/0****.
Ceux qui prennent le large, 7740/8***.

Hirschfeld (Burt).
L'Affaire Masters, 7411/9****.

Kœnig (Laird).
La Petite fille au bout du chemin, 7405/1***.
La Porte en face, 7427/5***.

Kœnig (Laird) et **Dixon (Peter L.).**
Attention, les enfants regardent, 7417/6***.

MacLeish (Roderick).
L'Homme qui n'était pas là, 7415/0***.

Markham (Nancy).
L'Argent des autres, 7436/6***.

Morrell (David).
Les Cendres de la haine, 7435/8***.

Nahum (Lucien).
Les Otages du ciel, 7410/1****.

Odier (Daniel).
L'Année du lièvre, 7430/9****.

Osborn (David).
La Chasse est ouverte, 7418/4****.

Saul (John).
Mort d'un général, 7434/1***.

Wager (Walter).
Vipère 3, 7433/3***.

30/0364/7